Quels pères ?
Quels fils ?

DU MÊME AUTEUR

La Presse féminine, Armand Colin, 1963.
Histoire de la presse féminine, Armand Colin, 1964.
La Vie des femmes, Gonthier-Denoël, 1965.
Demain les femmes, Laffont, 1965.
Histoire et Sociologie du travail féminin, Gonthier-Denoël, 1968.
La Femme dans le monde moderne, Hachette, 1970.
Les Françaises au travail, Hachette, 1973.
Histoire et Mythologie de l'amour, huit siècles d'écrits féminins, Hachette, 1974, couronné par l'Académie française.
Le Fait féminin, ouvrage collectif dirigé par E. Sullerot, préface de André Lwoff, prix Nobel, Fayard, 1978, ouvrage couronné par l'Académie des Sciences morales et politiques.
L'Aman, roman, Fayard, 1981.
Pour le meilleur et sans le pire, Fayard, 1984, couronné par l'Académie française.
L'Age de travailler, Fayard, 1986.
L'Enveloppe, roman, Fayard, 1987.

Anthoine Karyn
UFR Psychologie
Université Bordeaux II

EVELYNE SULLEROT

Quels pères ?
Quels fils ?

Fayard

© Librairie Arthème Fayard, 1992.

CHAPITRE PREMIER

Surprise, perplexité, questionnement

Le vieil adage « tel père, tel fils » semblait affirmer une évidence et ne souffrir aucune contradiction, aucun doute même, dans la succession des générations, au siècle des siècles, amen ! C'est exprès, c'est sciemment que j'ai voulu le tourner en questions et l'agrémenter de deux points d'interrogation. Non par coquetterie de style, pour attirer l'attention. Mais pour exprimer mon étonnement et, à l'avance, signaler que ce livre ne contient pas l'énoncé bien argumenté d'une thèse ni l'explication irréfutable d'une prise de position militante. Ce livre n'est qu'une série de questions au lecteur, homme ou femme, père ou mère, ou célibataire sans enfant, mais inéluctablement fils ou fille d'un père : j'aimerais lui faire partager mes surprises et ma perplexité.

Le silence sur ce qui est advenu de la paternité, sur ce qui arrive aux pères, sur ce qui risque fort d'affecter les fils, ce silence me stupéfie. En tant que sociologue, d'abord : comment se fait-il que de tels changements dans les faits, dans les lois, dans les mœurs, dans les mentalités ne trouvent pas d'écho, ou si faible ? Pas de sondages ni de contre-sondages, pas d'enquêtes d'attitudes ni d'opinions, pas d'études transversales ni longitudinales, pas de séries d'articles opposant des hypothèses explicatives divergentes, lacaniennes ou économistes, pas de brillants exégètes, pas de néologismes en « isme »...

Dans un épais silence des observateurs de notre société, la paternité a perdu sa superbe, s'est vue dépouillée de presque toutes ses prérogatives millénaires, blessée, bafouée, voire ignorée dans certains cas, mise en doute, remplacée, rafistolée, imitée. Pourtant des lois nouvelles ont été adoptées, dont on pourrait bien chercher à connaître les effets sur les pères, maintenant qu'elles ont été appliquées pendant un quart de siècle. Pourtant des données chiffrées existent sur l'exercice de la paternité, que l'on pourrait bien réunir en statistiques éloquentes si on le voulait, afin de prendre conscience de l'ampleur du phénomène, de ses évolutions et de leur allure.

Mais non. Sociologues et psychologues semblent tout à fait indifférents aux effets que les lois qui, de 1964 à 1975, ont bouleversé la répartition des rôles dans la famille et l'exercice de la parentalité ont pu avoir sur le désir d'être père, sur le vécu de la paternité, sur la place du père dans les nouvelles familles. Quant aux sociodémographes, ils n'ont même jamais recensé combien ce pays compte de pères – et prétendent que c'est impossible. Bien entendu, ils n'ont pas cherché à dresser une typologie des pères selon leur âge, leur catégorie socio-culturelle, leur statut matrimonial, le nombre et l'âge de leurs enfants.

Alors, comment saurait-on quels changements affectent la population des pères depuis vingt-cinq ans? On ignore les chiffres et les séries qu'on pourrait en tirer; on délaisse les enquêtes et les opinions qu'on pourrait récolter. La paternité n'est pas un sujet.

Nous voulions « faire » volontairement nos enfants

En tant que femme, je ne m'étonne pas moins du silence sur le front masculin – si tant est qu'il existe un front masculin. J'ai fait partie du front féminin et j'ai fondé, voici bien longtemps déjà, avec le docteur Marie-Andrée Lagroua Weill-Hallé, l'association qui est devenue le Mouvement français pour le planning familial (MFPF).

Ce qui signifie que j'ai connu, jeune femme, le temps où, sans pilule ni stérilet, toute maîtrise de ma fécondité m'était impossible et interdite – et je ne l'ai pas supporté. Au point de me lancer à corps perdu dans une campagne dont on a du mal à imaginer aujourd'hui combien elle fut rude et dangereuse. Les jeunes femmes d'aujourd'hui ne parviennent plus à se figurer ce que pouvait bien être la vie féminine sans la contraception. Elles pensent généralement que ce pour quoi nous luttions, que ce que nous voulions, en ces temps qui leur paraissent pré-historiques, c'était « faire l'amour sans crainte » et ne plus voir notre vie amoureuse dépérir à cause de la peur d'être enceinte. Le vocabulaire populaire exprimait à merveille ce qu'étaient les pièges du hasard car on disait alors « tomber » enceinte, ou « être prise » – le contraire de la liberté, vraiment. Mais si les jeunes femmes d'aujourd'hui croient que ce que nous recherchions alors c'était notre propre découverte, notre épanouissement, notre « réalisation » sexuelle – elles se trompent.

Je tiens à témoigner que nous étions fort loin d'imaginer ce qui pouvait nous attendre derrière la porte, enfin ouverte, de la liberté sexuelle. Certaines, oui, rêvaient d'un paradis sans péché, mais ne l'imaginaient pas. D'autres étaient sûres et certaines que la libération de leur sexualité leur apporterait la santé psychique : elles prophétisaient la fin des névroses, des anxiétés, des dépressions féminines, du moment où elles seraient protégées par une contraception efficace. D'autres en attendaient le remède miracle pour faire durer l'amour et donc sauver les mariages. D'autres voulaient disposer du déroulement de leur propre vie pour acquérir l'indépendance ; contrôler ses grossesses leur semblait la condition première pour exprimer ses dons et ses aspirations dans le travail ou la création.

Non, notre lutte pour une contraception efficace n'avait pas pour but premier la liberté sexuelle pleine et entière. Nous voulions « faire » volontairement nos enfants. Nous étions animées d'un puissant désir d'avoir des enfants, mais pas « des enfants malgré nous [1] ». Avant « le planning familial » (Mouvement français pour le planning familial), notre association s'était appelée « la Maternité heureuse », pendant deux ans. Les femmes voulaient d'abord, et très fort, être partie prenante dans la décision de faire un enfant, voulaient être des mères volontaires. Maîtriser leur fécondité, maîtriser la fécondité.

Ils avaient le pouvoir de décision

Il faut se rappeler que non seulement les méthodes contraceptives qu'on proposait alors étaient peu fiables, et leurs succès aléatoires, mais encore que toutes ou presque reposaient sur la volonté de l'homme de les mettre en pratique. Les femmes pouvaient bien acheter des « calendriers Ogino » et s'efforcer de calculer les jours où elles « ne risquaient rien » et les jours où elles étaient susceptibles d'être fécondes; les plus instruites et les plus anxieuses pouvaient bien prendre chaque jour leur température au réveil pour traquer la mystérieuse ovulation –, elles n'en dépendaient pas moins de leur partenaire masculin. Voudrait-il ou non s'abstenir durant ces jours critiques? Sinon, voudrait-il ou pourrait-il « se retirer » à temps? Les femmes étaient soumises à la bonne ou mauvaise volonté, au bon ou mauvais contrôle de soi de leurs maris ou de leurs amis.

C'est eux qui détenaient le redoutable pouvoir de « faire attention ». Certains ne le voulaient pas. Certains ne le pouvaient pas. Il y avait ceux « qui savaient vivre » – expression consacrée. Mais il y avait aussi les fervents amoureux qui manquaient parfois du sang-froid nécessaire; il y avait les maladroits, les malotrus, les goujats du *coïtus non interruptus*. Responsables ou irresponsables, volontairement ou involontairement, c'était les hommes

1. Titre du tout premier ouvrage sur la question, publié en 1955 par les éditions de Minuit, et dont l'auteur était Jacques Derogy.

qui « faisaient » les enfants que les femmes devaient porter et mettre au monde.

Ils avaient en quelque sorte le pouvoir de décision. Si nous voulions à tout prix un enfant, il nous fallait en passer par leur volonté – désir ou refus d'être père. Nous pouvions ruser, les embrouiller sur les dates, les fléchir, les circonvenir. Mais nous ne pouvions pas les forcer. Certes, innombrables étaient les hommes qui faisaient « des enfants malgré eux » par maladresse, inconscience ou abandon aux mystères de la Providence. Mais ceux qui ne voulaient pas être pères, absolument pas – il n'était guère possible d'en obtenir un enfant.

En tant que femme, je sais bien que ce n'est pas par hasard qu'on a baptisé « système patriarcal » le mode de vie qui a assuré pendant tant de siècles la suprématie masculine dans les sociétés de tous les pays développés et de l'immense majorité des pays du tiers monde. Cette suprématie s'est affirmée dans les domaines les plus divers : non seulement dans les foyers et les familles, mais encore dans l'acquisition des savoirs et l'exercice des pouvoirs, dans la cité, dans la nation, par l'argent, par les armes, par les lois. Mais on n'a jamais parlé de système « viriliste », ou « masculiniste », car, comme nous le verrons au chapitre suivant, il ne reposait pas sur la prépondérance de l'homme sur la femme, mais sur la suprématie du *père*.

Du moment où l'homme a reconnu qu'il transmettait la vie par l'intermédiaire de la femme, il a pu organiser son pouvoir dans la durée, au-delà de la mort, en s'assurant de sa descendance, en conférant à ses enfants leur identité, en acquérant des titres et des biens qu'il pourrait transmettre. Il pouvait devenir le maître du monde s'il maîtrisait sa survie par ses descendants. Il devait pour cela décider d'être père, être sûr d'être le père – domestiquer la femme, c'est-à-dire l'enfermer dans les limites de la maison *(domus)* afin que la puissance par excellence de la femme, la fécondité, fût mise au service de sa survie à lui, de sa paternité.

Le système patriarcal vacille

Ma première question, ma première surprise en tant que femme, en cette extrême fin du XXe siècle, a trait à ce fameux système patriarcal. Puisque désormais c'est la femme seule qui dispose des moyens de contraception efficaces, puisque c'est elle qui peut seule décider si oui ou non elle aura ou n'aura pas un enfant, le pouvoir a changé de sexe. Désormais, la femme peut priver de paternité un homme qui désire un enfant. Elle peut faire devenir père un homme qui ne voulait pas d'enfant. A sa puissance propre – la fécondité – elle a ajouté la maîtrise de cette fécondité, la possibilité de décider. Ce faisant elle a dérobé à l'homme le feu du ciel, ce feu avec lequel Prométhée comptait animer les créatures de glaise qu'il façonnait – pour tenter de créer la vie sans la femme.

La pierre angulaire sur laquelle était édifié le système patriarcal s'est brisée. La femme est devenue celle qui décide et celle qui met au monde. C'est elle qui choisit l'homme avec qui elle fera son enfant, c'est elle qui choisit la période qu'elle estime la plus favorable à son projet. Elle est devenue, en quelque sorte, à la fois père et mère, à l'origine de l'enfant. Si l'homme veut un enfant de sa compagne, mais qu'elle n'en désire pas, il n'a aucun moyen d'accomplir son projet d'enfant d'elle. Si l'homme ne veut pas d'enfant mais que sa compagne en désire un de lui, elle peut aisément, sans vraiment mentir, l'emberlificoter à propos d'un oubli de pilule, d'une irrégularité imprévisible, d'un nouveau produit, que sais-je? Il est bien obligé d'accepter l'enfant. Il n'a pas le droit d'interrompre la grossesse, lui. Il ne peut accoucher sous X et donner l'enfant à adopter. Il est contraint et forcé, soit de se passer d'enfant quand il voulait et pouvait en faire, soit d'« endosser » les enfants que fait sa femme. Je ne sais si ce régime nouveau est celui de *La Paternité heureuse*, pour plagier le titre que j'avais moi-même choisi quand je luttais pour le droit à la contraception – mais je sais bien que ce n'est pas le règne de *La Paternité volontaire.* L'homme est dépossédé de la maîtrise de sa paternité. Croit-on que le système patriarcal tout entier ne va pas s'en ressentir?

Le système patriarcal vacille. Il va s'écrouler. C'est une nouvelle, ça! Eh! bien non. Personne ne bronche. Pour une fois, un débat radiophonique [1] a été organisé sur ce sujet. Le meneur de jeu a évoqué le naufrage de la décision de paternité. Il a été interrompu par une femme qui a reconnu « qu'ils n'ont plus le monopole de la décision », mais elle a tout de suite enchaîné sur le seul vrai tourment des hommes d'aujourd'hui, l'audace des femmes qui osent critiquer leurs performances sexuelles ou leur dire ce qu'elles-mêmes attendent d'eux afin d'avoir leur plaisir. Et, hop! le tour était joué! Une fois de plus, on a parlé sexualité et non paternité, bien que ce fût le sujet annoncé. Une fois de plus, on a fustigé la virilité mal placée, le machisme mal guéri, ces survivances des temps de la suprématie sexuelle des mâles que la pilule aurait permis de remettre en cause. Le discours sur la sexualité envahit tout, prétend tout expliquer, tout remplacer.

De la frustration de n'être plus ceux qui décident de leur paternité possible, il ne fut plus question. Aucun homme présent ne releva même l'ambiguïté du propos : « Ils n'ont plus le monopole », qui pouvait laisser entendre que la décision de procréation se trouvait désormais partagée par l'homme et la femme, par les deux parents potentiels – alors que la réalité est tout autre : désormais, les femmes seules détiennent ce monopole. Car nous ne sommes pas passés du monopole d'initiative masculine à une sorte de bi-parentalité de la décision. Nous sommes passés en quelques années du règne des pères au règne des mères, même si, Dieu merci, la majorité des couples envisagent ensemble l'éventualité de leur commune parenté, en parlent, et décident de concert soit de surseoir, soit de tenter d'avoir un enfant.

Cette entente du couple existait également naguère –

1. « Découvertes », sur Europe 1, 10 juin 1991.

mais alors c'était l'homme qui devait faire ce qu'il fallait pour entériner la décision commune; aujourd'hui, c'est la femme qui agit en conséquence. Ce qui signifie que les cas où il n'y a pas accord des deux volontés laissent aujourd'hui place à diverses stratégies féminines pour éviter la naissance que l'homme souhaiterait, ou, au contraire, pour entamer une grossesse que lui ne désire pas. Naguère, la femme ne pouvait que convaincre, ou ruser, ou se soumettre à la volonté (ou à la maladresse) de l'homme; désormais, c'est l'homme qui doit convaincre, ruser, ou se soumettre. N'est-ce pas un prodigieux changement?

Pourquoi les féministes célèbrent-elles surtout l'accession des femmes à la liberté sexuelle, détachée désormais de la procréation, et non cette prise de pouvoir sur la maternité? Est-ce parce que cette victoire s'inscrit dans le domaine de la famille, qui n'est pas vraiment celui où la majorité d'entre elles désiraient mener combat?

Silence des hommes sur leurs défaites

Certes, pour les femmes, conquérir l'égalité dans le monde du savoir, du travail, de l'argent et du pouvoir est un programme autrement ardu, et bien loin d'être réalisé, même dans nos démocraties économiquement développées. Mais est-ce pour cela qu'il faut passer sous silence les basculements entraînés par la libre détermination par la femme de sa maternité? Comme on a peu parlé de ces changements du Code civil dont Napoléon se fût indigné : la disparition de la « puissance paternelle », son remplacement par « l'autorité parentale » également partagée par les époux, mais surtout l'octroi à la seule mère de l'autorité parentale lorsque les parents de l'enfant ne sont pas mariés!

Des centaines de milliers d'enfants naissent chaque année hors mariage en France – presque un sur trois du total des naissances [1] : à quelques exceptions près, les centaines de milliers de pères qui les ont reconnus, dont ils portent le nom, qui vivent avec leur mère et les élèvent, ces centaines de milliers de pères ignorent qu'ils n'ont pas les mêmes droits sur ces enfants que la femme. Des centaines de milliers de mères non mariées ignorent leur suprématie juridique, ou la trouvent si naturelle qu'elles croient qu'elle a toujours existé. N'est-ce pas la femme qui « fait » les enfants? Donc, n'est-ce pas naturel qu'elle ait un statut juridique à la hauteur de ce rôle? C'est « avant » que ce n'était pas normal, du temps où les pères avaient le pouvoir sans partage.

Ainsi s'explique sans doute le silence des femmes sur ces conquêtes. Mais comment expliquer le silence des hommes sur leurs défaites? Par leur ignorance des nouvelles dispositions juridiques? Par leur ignorance du fait que le père marié a des droits paternels que n'a pas le père non marié, concubin ou non de la mère? Par leur ignorance, donc, des effets sur leur paternité de la forme d'union qu'ils ont choisie, adoptée ou consentie?

Cette ignorance ne s'explique-t-elle pas avant tout par une certaine indifférence à l'égard de leurs prérogatives paternelles, voire de leur rôle de père? Sans doute est-ce là une des questions clés, à considérer avec quelle rapidité se sont multipliés les foyers sans mariage, mais la réponse à cette question risque d'être cruelle pour les hommes-pères de cette fin de siècle.

Sont-ils seulement indifférents? Ne sont-ils pas également soulagés que leurs aînés aient ainsi accepté de lâcher leurs prérogatives de pères? Les voici en quelque sorte délivrés du devoir de décision, d'autorité, de responsabilité supérieure qui était jusque-là l'apanage des pères. C'était lourd à porter, le rôle du pater familias. Ceux qui furent, aux alentours de Mai 1968, des adolescents rebelles n'ont-ils pas été, dans le fond, enchantés de ne pas avoir à entrer dans la carrière de leurs pères? Mais alors, indifférents

1. Voir chap. IV.

et/ou démissionnaires à l'égard de l'autorité qu'ils détiennent, quels pères sont-ils devenus?

Y a-t-il eu, à l'instar de la décision de procréer, basculement de l'autorité des pères vers les mères? L'initiative, la décision, la mise en œuvre de l'éducation de l'enfant sont-elles passées à la mère? Depuis la naissance jusqu'à la majorité de l'enfant? Dans leur rôle de pères, les hommes ont-ils appris à convaincre, ruser ou se soumettre – ainsi qu'y étaient jadis contraintes les mères qui ne pouvaient prendre en main l'éducation de leurs enfants face à des pères tout-puissants?

Plaintes sans écho des pères dépossédés

Mais, à ce point, voilà que se lève une autre volée de questions : en effet, la sanction sociale de ce rôle très secondaire du père (qu'on pourrait croire accepté par des pères mi-indifférents, mi-démissionnaires), c'est la garde de l'enfant confiée à la mère en cas de divorce, ou de séparation du couple non marié. Depuis vingt-cinq ans, les séparations et les divorces se sont multipliés à une vitesse vertigineuse [1]. Parallèlement, le nombre des enfants confiés à leur mère n'a cessé de croître. Celui des enfants séparés de leur père de manière plus ou moins sévère, voire définitive, a de loin dépassé ce que notre société a pu jadis connaître quand la mort frappait de manière aléatoire et faisait de très nombreux orphelins. Non, jamais il n'y eut une telle proportion d'enfants mineurs séparés de leur père. Et leur nombre, comme la proportion qu'ils représentent, ne cesse d'augmenter. Car les séparations sont toujours plus nombreuses et toujours plus souvent demandées par les femmes, assurées ou presque de garder l'enfant.

S'ils étaient vraiment ces pères indifférents et/ou démissionnaires qu'on a pu soupçonner, les hommes s'accommoderaient de ces jugements en faveur des mères.

1. Voir chap. IV.

Or ce n'est pas le cas. De plus en plus de pères se réveillent, atterrés, quand ils se voient séparés de leur(s) enfant(s) sans avoir commis de faute ni de manquement grave, au seul préjudice de leur sexe. Certains, nous le verrons, sombrent dans la dépression, s'éloignent, ne s'en relèvent pas. D'autres se rebellent, font appel des jugements, s'enflamment, finissent par mettre en cause le Code, le système judiciaire, la société tout entière. D'autres cherchent à s'unir, fondent des associations [1], impriment des journaux, défilent, manifestent. Dans l'Europe entière. Mais leurs clameurs pas plus que leurs plaintes ne trouvent d'écho dans les médias, dans l'opinion publique, ou auprès des décideurs.

De cela, je puis, mieux que d'autres, témoigner, mes fonctions m'ayant conduite à beaucoup fréquenter les décideurs sociaux que ces questions devraient « interpeller », mes écrits m'ayant conduite à rencontrer constamment des journalistes spécialisés, et des auditoires intéressés aux problèmes familiaux.

Pourquoi, quand j'aborde devant eux ces sujets, tant d'analystes de notre société, conseillers ou décideurs ès politique sociale, pourquoi tant d'importants militants familiaux, tant de juristes libéraux, si soucieux des droits de l'homme, me répondent-ils seulement par des échappatoires dubitatives : « Vous croyez, vraiment, chère amie ? » dont je ne sais si elles signifient qu'ils ont des doutes sur mes capacités de jugement, ou s'ils me conseillent de ne pas m'intéresser, par prudence, à un problème aussi embarrassant. S'intéresser à la paternité, et quand on est une femme, de surcroît, n'est-ce pas le meilleur moyen d'apparaître « réactionnaire » ? Renégate, hérétique, relapse ou je ne sais quoi, au regard du féminisme pour lequel j'ai si bien combattu et auquel, par mon travail quotidien, j'apporte une contribution appréciée en Europe, pour l'emploi et la formation professionnelle des femmes.

Tous me signifient que c'est là un sujet « qui marque mal ». Aucun, jamais, ne s'enquiert du cheminement qui

1. Voir chap. VIII.

m'a fait m'intéresser à cette question saugrenue, à ce sujet tabou – non plus que des arguments qui nourrissent ma curiosité. Ils me prennent tous pour une « militante », une fois de plus, qui a choisi une mauvaise « cause ». Les questions que se pose la sociologue, ils n'y croient guère, et ne voient à l'évidence pas du tout la nécessité de les formuler. Paternité, attention! cela fleure le « paternalisme » et le goupillon, comme « famille » a des relents pétainistes. je m'inquiète de l'avenir. Ils s'inquiètent de me croire retournée au passé – au passé le plus exécré. Le malentendu est total. On me croit passéiste quand je me sens avant-gardiste...

« Ils n'ont que ce qu'ils méritent »

Pourquoi, depuis des années que je fais salles combles dans toutes les villes de France, de Belgique et de Suisse où l'on m'a demandé de venir parler des avatars de la famille en Europe, pourquoi, dans les débats qui suivent mes exposés, n'y a-t-il jamais eu une seule question sur les pères ni sur le devenir de la paternité?

Si je me décide à poser moi-même à mes auditeurs la question : « Vous voyez donc combien souvent, dans ces rapides et profonds changements qui affectent les familles, le père s'éloigne ou est éloigné : qu'en pensez-vous? La paternité vous paraît-elle en crise? », pourquoi court-il souvent un rire étouffé dans la salle, suivi d'un grand silence? Si, finalement, quelqu'un se risque à répondre à ma question, pourquoi est-ce toujours une femme? Son commentaire, souvent bien tourné et nourri des plus récents termes de la psychologie moderne, revient à dire que, oui, c'est certain, les pères ont perdu leur pouvoir; oui, leur image est floue; oui, ils tâtonnent; oui, ce n'est pas à eux qu'on confie les enfants en cas de séparation, mais, c'est bien « naturel », non? Et puis... ne l'ont-ils pas bien mérité? N'est-ce pas là un « juste retour des choses »? Ne vous rappelez-vous pas combien nos ancêtres furent odieux, oppresseurs, dans cette famille hiérarchisée qui leur réservait le pouvoir?

Un murmure d'approbation ponctué de vigoureux hochements de tête vient confirmer que voilà bien traduite la pensée des mères présentes. Elles s'en soucient comme d'une guigne, des pères séparés de leurs enfants. Ils n'ont que ce qu'ils méritent ou plutôt ce qu'auraient mérité leurs arrière-grands-pères à col dur, ces pater familias dont il paraît justifié de se venger sur leurs arrière-petits-fils-jeunes-pères. Au nom des mères. Des enfants, il n'est point question.

Pourquoi aucun homme, jamais, ne vient-il répliquer là-dessus qu'il ne se sent pas responsable des excès de pouvoir qu'exerçait son aïeul? Pourquoi se taisent-ils, les jeunes pères, et aussi les jeunes grands-pères? Pourtant, je le sais par les conversations privées qui suivent la conférence, chacun a pensé à quelque divorce survenu dans sa famille, à quelque couple non marié qui justement se sépare. Chacun a pensé à son fils, à un frère, à un copain impliqué. Mais, pourtant, tous se sont tus. Ont-ils peur d'avoir l'air de revendiquer? Se sentent-ils solidaires d'une culpabilité masculine générale, et n'osent-ils enfreindre le silence auquel elle les condamne?

La fin du doute millénaire

Il est encore bien des questions que je me pose et qui justifient de tenter, dans cet ouvrage, de les approfondir, voire d'y répondre. Principalement des questions relatives au peu de bruit qu'a fait dans l'opinion l'annonce qu'on avait mis au point un test qui permettait d'attribuer, cette fois sans la moindre erreur possible, la paternité d'un enfant à son seul géniteur – même si la mère avait été violée par plusieurs hommes au moment de la conception.

Depuis que le monde est monde, la tragédie de la paternité a toujours été son incertitude biologique. Nos juristes de la période révolutionnaire disaient cela avec un lyrisme amer : « La Nature ayant couvert d'un voile impénétrable la transmission de l'existence [1]... » Comme aucun père, jamais ne pouvait apporter une preuve formelle de sa paternité biologique (même si les ressemblances ont toujours joué un rôle presque magique pour apaiser le doute, même si l'absence de ressemblances nourrissait le doute au-delà de toute rationalité), la paternité ne pouvait procéder que d'un acte social accompli volontairement par l'homme qui se voulait père : le mariage. Par le mariage, il annonçait d'avance qu'il serait le père des enfants nés de son épouse. Les hommes ont été les inventeurs de la paternité sociale, pour pallier l'incertitude de leur paternité biologique. N'en est-il pas plus stupéfiant que la fin du doute millénaire qui voilait la paternité n'ait pas fait plus de bruit que cela?

C'est vrai, tout le monde ne connaît pas le nom de Pincus, mais tout le monde sait, dans nos démocraties développées, qu'il existe une pilule qui permet à la femme de refuser d'être enceinte quand elle ne désire pas l'être, tout en continuant d'avoir des rapports sexuels complets. La fameuse pilule en a fait couler de l'encre! La vivacité et la passion des débats étaient à la hauteur de l'enjeu de cette formidable mutation. Tout le monde s'en est mêlé. Mais qui connaît le nom de Jeffreys? Qui connaît même seulement l'existence de son test des empreintes génétiques, qui, à partir de la molécule d'ADN, permet de déterminer à coup sûr l'identité du père d'un enfant? Qui a seulement pris la mesure de ce que signifie cette découverte?

Pourtant, comme le dit fort justement J. Rubellin-Devichi, spécialiste du droit de la famille : « La paternité, aujourd'hui, est aussi sûre que la maternité et notre droit ne peut pas ne pas en tirer les conséquences [2]. » Il n'empêche que le droit français vit encore à l'heure de la loi sur la filiation, qui ne date que de 1972, mais qui est

1. Berlier, *Opinion sur les droits à restituer aux enfants nés hors mariage jusqu'à présent appelés bâtards,* 9 août 1793.

2. J. Rubellin-Devichi, « Le Droit des pères et la paternité », *Revue française des affaires sociales,* hors-série, novembre 1988, p. 176.

tout à fait dépassée. Nos juges étaient plus à l'aise, semble-t-il, dans l'obscure forêt des suppositions, présomptions, aveux, réclamations, négations, « cas d'ouverture », reconnaissances de complaisance, contestations, témoignages de concierges et autres « possessions d'état ». Ils hésitent encore avant de lancer une action en paternité naturelle. Ils hésitent avant de révéler au père légal qu'il n'est pas le père biologique, ou plutôt ils hésitent avant de se donner les moyens de savoir à coup sûr, même si l'homme veut savoir.

Il est vrai que Portalis, l'un des auteurs du Code civil, avait coutume d'énoncer ainsi l'évidence sur laquelle il avait construit tout le système familial : « La maternité est certaine, la paternité ne le sera jamais ! » Ne serait-il pas troublé, aujourd'hui, de devoir convenir que la maternité perd de sa « certitude » lorsqu'il est possible de dissocier la mère génétique, qui donne un ovocyte, de la mère porteuse-accoucheuse? Et qu'en revanche, un enfant ne peut avoir qu'un père biologique et un seul, lequel peut être désigné à coup sûr. Les successeurs de Portalis eux-mêmes ont du mal à s'y faire. Et les poètes aussi, et les dramaturges. Désormais, l'énigme centrale de l'admirable *Nedjma* de Kateb Yacine pourrait être déchiffrée, elle qui fut un drame vécu avant d'être un roman torrentiel qui atteint au mythe.

« *Surtout, n'y touchons pas...* »

On aurait pu croire qu'après cette longue accumulation de récits et de légendes de l'inconscient collectif, de drames enfouis ou déchirant soudain le tissu familial, la lumière se faisant sur « l'impénétrable transmission de la vie », les imaginations se seraient enflammées, les chroniqueurs se seraient livrés à des commentaires historiques. Eh ! bien ! point du tout. On en a à peine parlé. Les seuls commentaires parus se sont épouvantés de l'idée que cette horrible science, la génétique – qu'on n'est pas loin de charger de tous les péchés nazis et de bien d'autres encore alors qu'elle n'est, bien sûr, ni de droite ni de gauche! – en « établissant » la paternité biologique indiscutable allait jeter le trouble dans de paisibles et harmonieuses familles... Pensez donc, elle allait trahir des femmes qui avaient courageusement caché leurs écarts de conduite et tu l'inavouable, elle allait enlever à des enfants celui qu'ils aimaient comme un père, elle allait déchirer les voiles, révéler que le Roi est nu, que la Reine a trahi, et que le Prince n'est pas héritier.

Quelques rares articles, toujours écrits par des hommes, ont donné un aperçu vertigineux des affres qui les habitent, et, surtout, des doutes qu'ils nourrissent sur l'honnêteté des femmes! Je retracerai, plus loin [1], les cheminements d'une rumeur extravagante qui s'est propagée à grande vitesse : de bouche à oreille, sans vérification aucune, on citait des pourcentages très précis, à la virgule près, d'enfants heureux qui, en fait, ne sont que des œufs de coucou pondus dans le nid de cocus... Aussi est-ce au nom de la tranquillité des foyers, de la stabilité des familles, que l'on supplie de se taire, de ne pas parler de cette funeste découverte, ou d'empêcher les « pères » pleins de doute d'y recourir.

« Le père, c'est celui qui aime »

L'argument fort de ces démonstrations, parfois exprimé, parfois sous-entendu, était : le « vrai » père est celui qui élève l'enfant, ou, pour reprendre l'expression de Pagnol à laquelle on se réfère comme aux Tables de la Loi : « Le père, c'est celui qui aime. » Personne, devant une telle affirmation, ne se permet de s'interroger sur la nature de cet amour : doit-il préexister à la naissance de l'enfant? Doit-il être prouvé au fil des années? Non plus que sur les conséquences de ce droit de l'amour : tout homme qui aime un enfant peut-il s'en réclamer « père »,

1. Voir chapitre IX.

en prendre la responsabilité et disposer des prérogatives paternelles à l'égard de cet enfant qu'il chérit? Tout homme doit-il prouver son amour pour un enfant avant de se voir reconnu « père »? On n'en demande pas tant à la mère.

En résumé : le « vrai » père étant celui qui élève l'enfant, voilà bien la preuve que la paternité biologique n'existe que si elle est doublée par cet artefact qu'est la paternité socio-affective. Donc, la connaissance du « vrai » père biologique n'apporte rien, et il faut rendre impossible ou très difficile le recours au test des empreintes génétiques. C.Q.F.D.

Au diable, la vérité biologique! On s'en est passé pendant des millénaires, on s'en passera encore. Mieux vaut préserver l'édifice de la famille, même s'il est fondé sur une infidélité de l'épouse, soigneusement recouverte par un mensonge. Aussi les laboratoires compétents, publics et privés, se sont vus interdire de traiter les demandes en certification de filiation qui émaneraient de particuliers. En France, du moins, car il n'en va pas de même partout. Aucune loi, du reste, n'est encore intervenue pour établir les modalités du recours au test de Jeffreys. On a seulement demandé aux laboratoires de n'accepter que les demandes ordonnées par un magistrat, au cours d'une action en justice. En sorte que les hommes qui doutent de leur paternité, d'une part sont contraints de faire un procès à leur épouse pour savoir la vérité sur leur paternité – donc de révéler leurs doutes et de briser leur ménage, quelle que soit la réponse du test; d'autre part, même s'ils entament une action en justice, ils ne peuvent être assurés que le juge prescrira la recherche des empreintes génétiques, ce recours demeurant à la discrétion du magistrat. Cet encadrement sévère de la preuve de paternité biologique a été également préconisé par Noëlle Lenoir, responsable de la mission sur la bioéthique créée en accord avec le président de la République, dans le rapport intitulé *Aux frontières de la vie : pour une démarche française en matière de bioéthique* qu'elle a remis en juin 1991 au Premier ministre.

Mes investigations m'ont permis de constater que cette prudence extrême était approuvée par les juristes : il ne faut pas ouvrir la boîte de Pandore au sein des familles; et par certains biologistes directeurs de laboratoires équipés pour de telles recherches : « Faire des recherches de paternité en direct ne serait pas moral. Je laisse cette folie aux autres [1]. »

Qui a droit à la vérité génétique?

Précautions, circonspection, atermoiements – il semble exister un consensus pour semer d'embûches et de traverses le chemin conduisant l'homme vers « la vérité génétique » de sa paternité. Ce consensus s'est tissé dans un climat quasi confidentiel, car les médias commencent à peine à livrer le sujet en pâture à l'opinion publique, comme s'il n'intéressait pas monsieur-tout-le-monde (et madame) mais seulement les doctes de notre société.

D'où mon étonnement : ainsi, pas un homme pour chanter victoire et célébrer la naissance de la paternité certaine – si l'on peut ainsi s'exprimer? Pas un couplet triomphant pour exalter cette aurore : l'évidence scientifique confondant les mystifications féminines? Ce silence traduit-il une certaine indifférence masculine à la paternité génétique? Après des siècles et des siècles de conditionnement à l'incertitude, les hommes se sont-ils résignés, et peu à peu détachés de l'obsession d' « engendrer » une descendance?

Fin 1990, dans une maternité française, l'équipe des puéricultrices fut prise de panique : à la suite de va-et-vient hâtifs une nuit où plusieurs femmes avaient accouché presque simultanément, n'avait-on pas interverti deux nouveau-nés? Les mamans ne réclamaient point et déjà nourrissaient, comblées, l'enfant qu'on avait mis dans

1. Dr Philippe ROUGIER, biologiste, expert auprès des tribunaux en matière d'identité génétique, cité par Hervé PONCHELET, « Le code et la loi », *Le Point*, 17/4/89.

leurs bras une fois lavé et langé. Les puéricultrices s'ouvrirent de leurs doutes à la surveillante, qui en parla à l'obstétricien. On convint d'informer les deux accouchées, et de leur proposer le test des empreintes génétiques, afin d'acquérir une certitude. Bien sûr, affolées à l'idée de n'être pas sûres que l'enfant qu'elles nourrissaient et allaient emmener chez elles dans quelques jours n'était pas leur « vrai » enfant, elles acceptèrent le test. Il fut pratiqué sur-le-champ, sans la permission d'un quelconque magistrat. Les nouveau-nés avaient, en effet, été, par inadvertance, permutés. On s'empressa de restituer à chacune des mamans « son » petit. Tout le monde fut satisfait, enchanté, comme quand on a évité un grand malheur.

La nouvelle courut les salles de rédaction. Toute la France sut le petit miracle dû aux empreintes génétiques : la science permettant de réparer l'erreur humaine, de rendre à chaque mère son enfant ! Quelques journalistes se voulant philosophes ajoutèrent un commentaire du style : « Ainsi donc, la voix du sang n'avait pas parlé chez ces deux femmes ! Voilà qui donne raison à Élisabeth Badinter et renvoie la génétique à son impuissance, sinon à son insignifiance. » Mais personne, aucun journaliste, homme ni femme, ne songea à comparer la hâte avec laquelle on avait eu recours au test de Jeffreys pour ces mères au refus que toute la société, aujourd'hui en France du moins, oppose aux pères qui voudraient savoir si l'enfant dont ils vont être le père toute leur vie est bien leur enfant, ou celui d'un autre...

Ainsi, il y aurait en France un droit très inégal. Les hommes ne peuvent user librement des possibilités ouvertes par la science pour établir leur paternité biologique, alors qu'on trouve indispensable (et on a raison) d'en faire bénéficier les femmes. En outre, on semble accorder davantage à la femme le droit (ou la latitude) de tromper un homme sur sa paternité et de lui faire élever l'enfant d'un autre – qu'à l'homme le droit (ou la latitude) de vérifier l'authenticité de la paternité que sa femme lui attribue.

Que signifient tous ces faits? A quelles conceptions de la paternité renvoient-ils? A tous les stades : décision, conception, reconnaissance de l'enfant, responsabilité, autorité sur l'enfant, résidence, éducation de l'enfant, etc., le père serait-il tenu pour secondaire? Peut-il être facilement écarté par une mère bien plus puissante, du moment où celle-ci ne veut plus partager leur enfant avec lui, ou désire refaire sa vie avec un autre homme?

Si tel est le cas, si la paternité, jadis glorieux piédestal du système patriarcal, se retrouve à ce point subordonnée et affaiblie qu'elle n'est plus qu'une problématique brumeuse mise à mal par les interprétations des psychologues, des éducateurs et des juges – nos fils, nos petits garçons d'aujourd'hui, auront-ils seulement envie d'être pères? Et quels pères seront ces fils?

CHAPITRE II

De la naissance du père et du passé fabuleux et religieux de la paternité

Une des idées forces que le féminisme est parvenu à largement diffuser – et que j'ai moi-même contribué à accréditer – est que le système patriarcal est à l'origine de la subordination de la femme. « Patriarcat » signifie étymologiquement prépondérance du père, suprématie du père. En sorte que, connaissant bien les effets profondément inégalitaires induits par le patriarcat, quand nous avons cherché la cause première de la sujétion de la femme par l'homme, nous l'avons attribuée au « père », c'est-à-dire à la découverte, par le mâle humain, de son rôle dans la procréation.

Des mâles inconscients d'être des géniteurs

Chez les primates, les mâles n'ont pas conscience qu'en copulant ils peuvent faire un petit; en tout cas, parmi eux, la relation père-enfant ne s'observe pas. Aucun mâle n'a de comportement particulier, instinctif ou acquis, envers les petits qu'il a engendrés. Chez la plupart des oiseaux, le mâle remplit un rôle spécifique auprès des petits. Chez les primates, le père n'existe pas. Il a dû en être ainsi chez nos très lointains ancêtres. La plupart des anthropologues l'admettent aujourd'hui.

Cette ignorance par les mâles de leur rôle de géniteurs a

même peut-être perduré pendant des millénaires. Vers 1920, Malinowski n'a-t-il pas observé, dans les îles Trobriand, des hommes qui ne reconnaissaient pas leur part dans la fécondité des femmes – lesquelles étaient, pensaient-ils, engrossées par les esprits, par les vents, par les vagues? Le langage des Trobriandais ne comportait pas de mot pour dire « père » et leur société ne faisait pas de place à cette parenté. Le frère de la mère pourvoyait aux besoins de sa sœur et de ses neveux. L'amant de la mère n'avait avec ses enfants aucun lien particulier de responsabilité, d'autorité ni d'amour, même si Malinowski le dépeignait jouant volontiers avec cette progéniture née d'une « autre » et seulement d'elle.

Cette vision pacifique du papa-qui-ne-sait-pas-qu'il-est-père batifolant avec les enfants (qu'il ne sait pas ni ne dit « siens ») et ne faisant pas peser son autorité sur la femme, comme elle était plaisante! D'abord, elle jetait bas d'un coup le sombre édifice du complexe d'Œdipe, que cet antiféministe de Freud proclamait universel, ce qui ne laissait pas d'être réjouissant... Ensuite, elle donnait une grande crédibilité à l'idée que tous les malheurs advenus aux femmes avaient leur source dans l'émergence du père – ce mâle devenu conscient qu'il « engendre », devenu jaloux de son *auctoritas* sur les enfants dont il est l'« auteur », et sur la femme avec qui il les a faits, dont il entend contrôler tous les actes afin de la tenir en étroite sujétion.

Et nous rêvions aux beaux discours de Bachofen. Bachofen, patricien de Bâle, multimillionnaire, jurisconsulte, conservateur et, sur la fin de sa vie, grand avocat du patriarcat [1], n'en a pas moins été le grand prêtre des anarchistes, des collectivistes et des féministes, de Marx,

1. D'après Bachofen, l'humanité avait traversé une première époque de « promiscuité aphroditique » : pas de mariage, fertilité « marécageuse », « luxuriance déréglée et chaotique »; puis une deuxième époque de « gynécocratie : règne de la mère, côté gauche, lune, matière, profondeur terrienne; puis une troisième « patriarcale » : soleil, hauteur, côté droit, jour, esprit! D'après Adrien TUREL, *Du règne de la mère au patriarcat*, Agora, 1938, réédité en 1980.

de Bakounine, d'August Bebel et de combien de femmes depuis ! C'est qu'il avait proclamé, après une série de conférences sur les droits des femmes (1856), qu'avant la naissance du père, l'humanité avait connu « le règne de la Mère » (*Das Mutterrecht*, 1861). Une longue période de « gynécocratie », avait-il écrit, le règne de « la femme sublime ». Or, « devant la fécondité maternelle, tous les hommes sont frères. Le patriarcat, par contre, les isole les uns des autres ».

Voilà la leçon que nous avions retenue, merveilleusement illustrée par la citation d'un passage saisissant de *L'Orestie* d'Eschyle : Oreste est jugé, pour avoir égorgé sa mère Clytemnestre afin de venger son père Agamemnon, par les Euménides qui défendent le droit maternel ancien. Mais Apollon et Athéna surgissent alors pour affirmer la nouvelle prépondérance paternelle. Oreste, qui a sauvé l'honneur de son père, est acquitté, sa mère n'étant pas, au même titre, sa « parente ».

Avant l'avènement de la paternité

Cependant, les spéculations de Bachofen ont été facilement récusées. Elles dormiraient désormais dans le placard aux belles utopies si tant de femmes, et d'hommes à leur suite, ne persistaient à croire au mythe du « matriarcat antérieur ». Pourtant, on le sait aujourd'hui, que ce fût avant ou après l'émergence de la figure du père, jamais les hominiens ni les hommes n'ont vécu sous le régime de la « gynécocratie » ni du matriarcat. Certes, dans de nombreuses civilisations, des légendes, telle celle des Amazones, évoquent un « avant », une société archaïque qui aurait connu le règne des femmes. Sans doute ces légendes n'ont-elles vu le jour que pour mieux permettre aux hommes de justifier *a posteriori* leur suprématie par le retour du pendule : chacun son tour...

Mais si tous les anthropologues modernes ont fait un sort au mythe de la gynécocratie primitive, même sous forme de matriarcat (ou domination du groupe par les mères), cela ne signifie point qu'ils récusent l'idée d'un avènement tardif de la paternité, après des millénaires d'ignorance par les mâles de leur pouvoir géniteur et d'indifférence à leur progéniture. Ils en font même un des tournants les plus décisifs de l'histoire des humains d'avant l'Histoire, une des clés de l' « hominisation ».

Car, avant la découverte par les hommes de leur capacité à engendrer et leur prise en charge de leurs enfants, les groupes d'humanoïdes ont dû s'organiser plutôt selon des hiérarchies variées comme on en observe de nos jours chez les primates (babouins, macaques, chimpanzés, etc.). Des clivages très importants y séparent les mâles adultes, d'une part des femelles et des enfants, d'autre part des jeunes mâles, encore écartés du libre accès aux femelles et maintenus dans un statut de mineurs volontiers combattus. Le pouvoir appartient aux vieux mâles et est exercé par eux; il n'appartient nullement aux femelles, même mères.

Sans doute est-ce là le type de « société » qu'ont formé les hominiens. Elle ne comportait pas de « familles ». Au sein du groupe, dominé par les mâles, des liens très forts existaient sûrement entre mères et enfants; d'autres liens pouvaient exister entre frères et sœurs utérins, en tout cas dans l'enfance, probablement au-delà dans certains groupes. Des liens épisodiques rapprochaient les mâles et les femelles formant des couples sexuels dominés par le mâle. Mais, il n'y avait pas de liens entre les mâles adultes et les enfants, pas de rôle du mâle auprès de ses enfants, pas de soins paternels. Dans l'ignorance de la consanguinité qui liait les géniteurs et leurs enfants, sans doute les incestes pères-filles étaient-ils fréquents et licites, comme les luttes entre mâles adultes et rivaux juvéniles, allant jusqu'au meurtre du fils par le père ou du père par le fils, tous deux ignorant ce qui les unissait.

Aussi l'émergence du père, à partir de laquelle va se constituer le noyau trinitaire père-mère-enfant, apparaît-elle comme un événement considérable, où la culture rejoint la nature, ou vice versa. Peut-être a-t-elle été précédée, çà et là, par une forme uniquement sociale de « paternité », telles par exemple la responsabilité et l'autorité prises par l'oncle, frère de la mère, sur les enfants de celle-ci. Même si elle a perduré dans certaines sociétés jusqu'au XXe siècle de notre ère, il s'agissait d'une solution boiteuse à un problème crucial.

Naissance du père, donc du couple parental et de la famille biparentale

Le problème à résoudre, comme l'écrit S. Moscovici [1], était « l'insertion du mâle dans le noyau mère-enfant », sur un mode « non agressif ». Son aspect le plus aigü concernait l'éducation des garçons : ils ne pouvaient demeurer toujours dépendants de leurs mères. Ils ne parvenaient que dangereusement à intégrer le groupe des mâles qui les considéraient comme des intrus. Sans doute la chasse, par l'organisation « entre hommes [2] » qu'elle a impliquée, a-t-elle puissamment contribué à cette intégration des jeunes, mais de manière instable. « La stabilisation impliquait qu'entre l'homme et le jeune garçon s'établisse un analogue du couple nucléaire mère/enfant, et ce à l'intérieur et sous l'égide du couple reproducteur [3]. »

Le système avunculaire (où l'oncle remplace le père) n'offrait ni la même cohérence ni la même solidité que le triangle père/mère/enfant. Le lien oncle/neveu ne peut être un symétrique biologique aussi fort que le lien mère/enfant. Quant au couple sexuel homme/femme, il demeurait hors la sphère de la reproduction et de l'éducation des enfants, et, sans lien avec la descendance, n'offrait aucune stabilité. Il était plutôt élément de désordre.

La découverte du père géniteur consolide le couple

1. Serge Moscovici, *La Société contre nature*, UGE, 10/18, 1972, p. 241.
2. Lionel Tiger et Robin Fox, *Entre hommes*, Laffont, 1971.
3. S. Moscovici, *op. cit.*, p. 242.

sexuel, qui devient couple parental à vie (on demeure pour la vie père et mère de ses enfants). Le couple a une signification nouvelle, une « finalité assignée », la reproduction. En outre, un lien durable existe entre le partenaire de la mère et l'enfant : lien de consanguinité et en même temps de « filiation », qui implique protection, éducation, transmission – en un mot : socialisation.

A la lignée par la mère va s'ajouter, parfois même se substituer, la lignée par le père. Le père va « faire » socialement les enfants, surtout les fils. Ainsi le triangle père/mère/enfant constitue-t-il une structure biologique forte qui se découvre structure sociale forte, car elle a la propriété d'éduquer sa descendance, de s'auto-reproduire, de se perpétuer.

Elle est favorable également à tout le groupe social : au contrôle biologique par les seuls caïds succède un droit ouvert à tout homme de prendre femme et d'avoir des enfants, ce qui a pour inappréciable avantage biologique de multiplier la variété génétique, en même temps que se répandent les devoirs de chaque père envers « les siens ». En somme, comme dit E. Morin [1], « le grand phénomène que prépare l'hominisation et qu'accomplit, croyons-nous, *homo sapiens*, est, non le " meurtre du père ", mais la naissance du père ». Ainsi naît la famille.

« Apprends à ton fils à écrire »

La famille, après la naissance du père, n'est plus une relation de parenté avec la mère (fils, fille, frère, sœur); c'est désormais le « code culturel organisateur [2] » qui va assurer non seulement les alliances entre les individus, mais encore entre les clans, les tribus, qui va souder chacun à la « mère-patrie » dans la fidélité aux « pères fondateurs » – dont tous sont les enfants. C'est par le truche-

1. Edgar MORIN, *Le Paradigme perdu : la nature humaine*, Seuil, 1973, p. 173.
2. *Ibid.*, p. 179.

ment de cette famille paternisée et vite patriarcale, sans doute née de la chasse, puis confortée par l'agriculture, que vont se transmettre, surtout de pères en fils, les savoir-faire, et les savoirs tout court, telle l'écriture.

Oui, l'écriture. Ainsi, depuis les premières inscriptions égyptiennes de la plus haute antiquité jusqu'à l'époque ptolémaïque, peut-on trouver, toujours consigné de la même manière pendant quarante siècles, ce précepte destiné aux pères : « Apprends à ton fils à écrire, à labourer, à chasser et à poser des pièges selon le cycle de l'année [1]. » Mentionner les pièges n'est bientôt plus qu'une image. Ce précepte célèbre, appelé « chemin de la vie », rappelle au père son rôle d'éducateur. Son autorité émane de la tradition, dont il doit être la référence. Maillon actif dans la chaîne de la transmission, il doit enseigner l'écriture à son fils.

A ce point, comment ne pas évoquer la surprise que provoqua Germaine Tillion, dans le séminaire que j'avais organisé en 1976 sur *Le Fait féminin*, quand elle fit observer que seules les sociétés à système de filiation patrilinéaire, patriarcales, avaient inventé et développé des civilisations écrites, « autour d'un centre de dispersion qui correspond approximativement au Levant méditerranéen, elles étirent leurs auréoles concentriques, de Gibraltar au Japon [2] ». Au contraire des sociétés matrilinéaires qui sont demeurées dans un « paléo-système ».

En effet, ni les Lyciens dont Hérodote dit qu'ils portent le nom de leur mère et ne savent citer que leur généalogie maternelle; ni les Locriens qui étonnent Polybe; ni les Étrusques, qui emprunteront l'alphabet grec; ni les Germains dont Tacite nous explique qu'ils viennent juste de remplacer leur filiation maternelle par une filiation paternelle; ni les Pictes d'Écosse où les fils ne succèdent pas

1. Jan ASSMAN, « Le père dans l'Ancienne Égypte », *in* Hubertus TELLENBACH *et alii, L'Image du père dans le mythe et l'histoire*, PUF, 1983.

2. Germain TILLION, « L'enfermement des femmes dans notre civilisation », *in* Evelyne SULLEROT *et alii, Le Fait féminin*, Fayard, 1978, pp. 405-419.

aux pères – aucun de ces vaillants peuples anciens n'avait inventé d'écriture qui lui fût propre. Pas davantage les Touareg étudiés par G. Tillion.

Est-ce à dire que la découverte de la paternité biologique, entraînant à sa suite la paternité sociale et donc la filiation paternelle, fut une révolution civilisatrice de première grandeur? N'a-t-elle eu que d'heureux effets pour tous? C'est ce qu'on pourrait croire à lire les anthropologues du siècle dernier : faute de preuve biologique irréfutable, l'homme invente le mariage, s'affirme père des enfants nés de cette union, les nourrit et les éduque. N'est-ce pas là le triomphe de la culture sur la nature, la « subordination du physique au spirituel » pour parler le jargon du Bachofen tardif, converti au patriarcat? Un certain Giraud-Talon atteignit des sommets lyriques pour célébrer l' « invention » de la paternité : « Le premier qui consentit à se reconnaître père fut un homme de génie et de cœur, un des grands bienfaiteurs de l'humanité. Prouve, en effet, que ton enfant t'appartient! Es-tu sûr qu'il est un autre toi-même, ton fruit? Que tu l'as enfanté? Ou bien, noble inventeur, marches-tu à l'aide d'une généreuse et volontaire crédulité à la conquête d'un but supérieur [1]? »

Éviction de la mère : seul le père crée la vie

Hélas! tout ne fut pas si beau et si généreux dans l' « invention » de la paternité. Les femmes sont vraiment justifiées à n'y pas voir uniquement un tournant permettant l'envol de la civilisation, mais également une des principales causes de leur longue subordination, quand la filiation patrilinéaire se transforma en sévère système patriarcal, au moins dans le monde gréco-latin.

Dans de nombreuses sociétés, la filiation paternelle s'était surajoutée à la filiation maternelle sans la détruire.

1. Alexis GIRAUD-TEULON, *Les Origines du mariage et de la famille*, Genève, 1884.

C'est ce qui venait de se produire dans la Germanie que Tacite décrivait. L'enfant descend alors du père et de la mère, du couple parental uni avant lui et par lui. « Honore ton père et ta mère », l'un et l'autre, avait été le commandement de Yahvé à Moïse. Dans l'Égypte ancienne où le père est « le maître » et le fils « le serviteur », c'est cependant la mère qui donne le nom que portera l'enfant.

Mais dans d'autres sociétés, les pères ont purement et simplement substitué leur lignée à la filiation maternelle, pour devenir les seuls « parents », et établir sur femme et enfants un pouvoir absolu. Pour y parvenir, il fallait en quelque sorte nier la nature, qui donnait la mère certaine et voilait d'incertitude l'identité du père. C'est ce que firent sans barguigner les Grecs anciens, qui réinterprétèrent à leur façon, la séquence copulation/grossesse/naissance. Ils prétendirent que l'enfant ne provenait que du seul sperme. Eux-mêmes, détenteurs de la précieuse liqueur de vie, « faisaient » seuls l'enfant, la femme n'étant qu'un réceptacle. Elle n'était pas le parent social de l'enfant, qui descendait de son seul père. Elle était à peine son parent biologique, puisqu'elle n'avait pas donné la vie. L'enfant « n'est pas de son sang ». Elle n'est en somme qu'une sorte de nourrice, biologiquement étrangère au petit dont elle accouche.

C'est ce qu'exprime sans ambiguïté Eschyle dans *L'Orestie*, dans ce passage justement remarqué par Bachofen :

« – Tu renies le sang maternel, le sang le plus cher ! » dit le chœur à Oreste.

« – La mère, intervient Apollon, est non la créatrice de ce qu'on appelle son enfant, mais la nourrice du germe versé en son sein. C'est l'homme qui crée. La femme, comme un dépositaire étranger, reçoit le fruit et, quand il plaît aux dieux, le conserve. »

Et, pour corroborer ses dires, le dieu du Soleil et de la poésie se tourne vers Athéna, déesse de la sagesse, laquelle était née « toute armée » du cerveau de Zeus. Il ajoute alors :

« – La preuve de ce que j'avance est qu'on peut devenir père sans le secours d'une mère : témoin, la fille du dieu de l'Olympe, qui n'a point été conçue dans les ténèbres du sein maternel. »

Athéna approuve et s'affirme « toute pour la cause du père ». Oreste est acquitté du meurtre de sa mère Clytemnestre, puisqu'elle n'était pas sa « parente » et qu'il l'avait tuée pour venger l'honneur de son père, seul « parent ».

Dans l'*Oreste* d'Euripide, le grand-père maternel d'Oreste lui reproche d'avoir tué sa mère, et le meurtrier répond : « Mon père m'a engendré. Ta fille m'a mis au monde, sillon qui reçoit d'ailleurs la semence. Sans un père, jamais n'existerait d'enfant. J'ai donc conclu que l'auteur de ma vie avait plus de droit à mon aide que celle qui m'a donné nourriture. »

Sociétés patrilinéaires : les femmes sont recluses

Cette péremptoire assertion, justifiée par une « preuve » mythologique, a eu les conséquences les plus profondes et durables sur la condition faite dans les sociétés méditerranéennes à la femme mariée susceptible d'être mère. Contrairement à ce qu'on a dit et répété mille fois, ce n'est pas la sexualité qui est en jeu dans la décision d'enfermer les femmes mariées, mais la paternité. Alors que l'hétaïre, la courtisane, la femme pour le plaisir peut circuler, l'épouse sera tenue recluse dans le gynécée, dans sa maison. Elle ne doit pas pouvoir rencontrer d'autres hommes susceptibles de déposer « dans les ténèbres de son sein » leur germe créateur de vie.

D'où la dichotomie intérieur/extérieur : la maison et les travaux domestiques pour la femme; les champs, les mers, la cité pour les travaux, les voyages et l'action politique des hommes. Aux femmes, les tâches qui se peuvent accomplir sans sortir de chez soi; aux hommes, tout l'univers pour leurs activités. C'est ainsi que, bien plus tard, les femmes manquèrent leur entrée dans la révolution industrielle, retenues à la maison avec leurs rouets et leurs petits métiers quand les hommes construisirent et firent marcher des usines. La rentabilité du travail des hommes s'accroissait sans cesse davantage, alors que dans le même temps, dans tous les pays qui s'industrialisaient, les femmes perdaient leurs gagne-pain, jusqu'au moment où elles durent quitter leurs foyers, chassées par la misère, et entrer dans la révolution industrielle par la petite porte des retardataires.

Cette dichotomie intérieur/extérieur a vite été interprétée qualitativement : inférieur/supérieur. Toutes les nobles activités pour l'homme, les grandes pensées, le savoir, le pouvoir ; pour les femmes la seule royauté d'un « petit monde » borné. Au milieu de notre XXe siècle, c'est encore ainsi que le sociologue américain Talcott Parsons définissait les rôles respectifs du père et de la mère : le père ouvrant à ses enfants « la grande société », la mère régnant dans le « *home* », « *casada* ».

Sociétés matrilinéaires : les femmes sont dominées

Malgré tout, il ne faudrait pas aller trop loin et conclure à la responsabilité totale ou majoritaire du patriarcat dans l'abaissement des femmes et la dichotomie des activités. Du point de vue des femmes, eût-il vraiment mieux valu que l'humanité en restât là où elle était avant la funeste découverte par les hommes de leur paternité ?

Il n'est pas besoin de grands raisonnements pour répondre par la négative, pas besoin d'évoquer les si nombreux témoignages anciens, comme ces barbares que décrit Strabon [1], lesquels « croient bien faire en ayant commerce avec toute espèce de femme, voire leurs mères et leurs sœurs » (et ça se passe en Irlande !). Il suffit de voir ce qui est advenu des femmes dans les sociétés demeurées jusqu'à notre époque matrilinéaires. Non seulement aucune grande civilisation n'en est sortie, dont

1. Albert GRENIER, *Les Gaulois*, Payot, 1970, p. 190.

femmes et hommes eussent pu tirer profit, mais encore le pouvoir, les richesses, les grands espaces et les belles actions n'y sont pas tant affaire des femmes que de leurs frères, ces fameux oncles... Ce sont eux qui pêchent et chassent chez les Trobriandais, qui distribuent la nourriture et qui font durement la loi à leurs sœurs mères de famille. Chez les Touareg, ce sont eux qui possèdent les chameaux et les sabres, ce sont eux qui font la guerre ou du moins les razzias, tandis que les femmes demeurent sous la tente, même si la tente est à elles, ainsi que les nattes, le paravent, et la marmite... Toujours la marmite.

Les hommes ont toujours formé un groupe dominant, ou dominé le groupe. Les chefs et les frères à la place des maris dans les sociétés matrilinéaires. Les tâches ont toujours été divisées selon le sexe, et le partage n'a jamais été particulièrement favorable aux femmes dans les sociétés traditionnelles matrilinéaires non plus, même si les femmes n'y ont jamais été enfermées.

L'effroyable mythologie grecque de la paternité : de Cronos dévorant à Zeus accouchant

La réclusion dans la maison, la dépossession de toute prérogative parentale face au père tout-puissant – ces excès du patriarcat, ce furent sans doute les inventeurs mêmes de la démocratie, les Grecs, qui les théorisèrent et les pratiquèrent de la façon la plus stricte (sinon féroce). Et ils firent école, école très méditerranéenne.

De nos jours, en Occident, c'est toujours à la tradition judéo-chrétienne qu'on s'en prend : on lui attribue systématiquement, sans le moindre examen, tout ce qui paraît défavorable à la femme. Sans doute cette hâte irréfléchie est-elle due au fait qu'on ne raisonne plus que selon une seule catégorie : la sexualité ! On juge de la liberté, de l'égalité, des droits, etc. uniquement en fonction des biens matériels ou de la liberté sexuelle. Les religions monothéistes apparaissent comme les grands systèmes esclavagisants de la femme. Sans même évoquer les Chinois et les Japonais, qui n'ont pas attendu les missionnaires chrétiens pour enfermer leurs épouses et les trucider au besoin, c'est faire bon marché des mœurs de nos pères les Gaulois – qui avaient droit de vie et mort sur leurs épouses et ne se privaient pas d'en user – ainsi que de tous les barbares avant le christianisme. C'est oublier surtout le monde gréco-romain qui a tant influencé notre langue, notre civilisation et notre droit.

Or il n'y a pas plus dramatique émergence de la figure du père que celle que relate la mythologie grecque, plus tard adoptée et romanisée par le monde latin. Après d'archaïques déesses mères et des idoles asexuées à silhouette féminine, voici qu'apparaît Ouranos, dieu du Ciel et époux de celle qu'il couvre, Gaia, la Terre. Il engendre des Titans, des Cyclopes, des monstres. L'un après l'autre, il enferme ses enfants aux enfers, tant il s'en méfie. Gaia, voulant faire cesser cet engendrement toujours recommencé de monstres vite engloutis, confie à son fils Cronos une faucille, pour trancher les testicules de son effroyable père. Ainsi fit le fils. De la blessure d'Ouranos, du sang tomba dans la mer, qui créa la Sicile, terre-fille d'une émasculation du père... Cronos règne à son tour, et de son règne datent la Mort, le Destin, les Hespérides, Némésis, etc. Il épouse Rhéa et engendre de nombreux enfants que, l'un après l'autre, il dévore, de crainte d'être détrôné par eux. Lasse d'enfanter des proies pour leur ogre de père, Rhéa lui donne à dévorer une pierre enveloppée d'un lange, et cache l'enfant Zeus sur le mont Ida, en Crète, où il sera nourri par la chèvre Amalthée. D'énormes rochers ceignent le rivage de la Crète : ce sont les pierres que Cronos lança pour tenter d'écraser son fils. Vainement. Mais Zeus n'oublie par ces abominations paternelles et enferme Cronos dans le Tartare.

Zeus deviendra-t-il enfin un père protecteur et aimant? Il épouse sa sœur Héra, et ne lui fait pas d'enfants (bien qu'elle fût et demeurât également sous sa forme latine de Junon, la déesse de la maternité). Zeus, Jupiter tonnant, fut prodigue de ses germes, engrossant des mortelles, au grand dam de son épouse. Mais sa fille chérie, Athéna, déesse de la sagesse, il l'enfanta tout seul, lui-même : elle sortit de son crâne, casquée, armée, vêtue de sérieux et d'intelligence. Pourtant, il demeure une figure paternelle inquiète à l'idée que sa succession pourrait lui être ravie par des fils : d'où son courroux démesuré contre Prométhée, qui voudrait à son tour créer des êtres vivants.

Quelle série de pères cruels qui ne voient en leurs fils (ils épargnent les filles : Déméter et Héra sont filles de Cronos) que de possibles rivaux dangereux et les éliminent, ou tentent de les éliminer au berceau – tels de vieux mâles jaloux dans les hordes de primates, repoussant les jeunes, refusant de les considérer comme « un autre soi-même »! Ne faut-il pas y ajouter Laïos, père d'Œdipe, qui expose son fils nouveau-né de peur qu'un jour il ne prenne sa place. Bien plus intéressant que le « complexe d'Œdipe », qui, l'innocent, ne sait rien du tout, ni qu'il tue son père ni qu'il épouse sa mère, apparaît le complexe de Cronos, qui châtre son père et dévore ses enfants, comme s'il refusait violemment d'assumer et sa condition de fils d'un homme et sa condition de père d'un autre... Et l'absence de couple parental, Rhéa comme Gaia se retournant avec haine contre le mari si mauvais père; Zeus accouchant tout seul...

Religion de la paternité, culte filial fervent

Peut-être fut-ce parce qu'ils eurent tant de mal à accepter et assumer leur paternité, à surmonter difficilement leur hostilité ancienne envers le fils, cet intrus, ce rival en puissance d'autant plus dangereux qu'il leur survivra, que les Grecs développèrent une conception si absolue du père? Ils transformèrent la peur et haine du père – qui craint pour son pouvoir, envers le fils – et la peur et haine du fils – qui veut supprimer son père, obstacle à sa conquête du pouvoir – en une religion de la paternité, un culte filial fervent. Le lien doit être si puissant que père et fils soient pleinement rassurés : le fils sera accueilli et protégé, le père ne sera pas spolié ni éliminé. Au contraire, la vie de l'un sera prolongée par l'autre, l'œuvre de l'un reprise et poursuivie par l'autre. Les Grecs découvrent alors la continuité généalogique en filiation paternelle, telle que l'exprime Héraclite : « Le père, quand il devient père, est le fils de soi-même. »

Cette conception apaisée, filiale, du « chemin de la vie » pour les mâles, c'était déjà celle des Égyptiens. En son centre, comme pour les Grecs, non pas la sexualité et le rapport aux femmes, mais le pouvoir, l'œuvre, l'activité et les biens ainsi acquis. Une inscription de Sesostris III, en 1850 avant J.-C., proclame : « Or, celui de mes fils qui veut défendre cette frontière que j'ai créée, il est mon fils, il est né de moi. Un fils qui soutient son père, c'est celui qui défend la frontière de son géniteur. Mais celui qui veut l'abandonner, qui ne se bat pas pour elle, il n'est pas mon fils, il n'est pas né de moi. » Le père est le géniteur, mais, en plus, il adopte celui qui le prolongera, il menace de renier celui qui ne le prolongerait pas.

Cette continuité, cette chaîne forgée par la piété filiale va au-delà de la mort – et le père défunt conserve une immense importance. A la veille de sa mort, on le rassure : « Tes jours faits, pars donc, purifie-toi, pour laisser la maison à ton fils qui procède de toi. » Après sa mort, on continue à l'apaiser : « Ton fils est à ta place. Le fils intercède pour le père, tel Horus pour Osiris, qui érige celui qui l'engendra, qui maintient en vie son géniteur – éveille-toi, Osiris, mon père ! Je suis ton fils qui t'aime. » Horus, en effet, est parvenu à arracher l'héritage de son père à Seth, qui l'avait tué (à Seth qui était l'oncle d'Horus). La geste d'Horus se termine par son triomphe, au cours duquel il est appelé Harendotès, « celui qui intercède pour son père ». Au-delà du seuil de la mort, il a en effet poursuivi la vie de son père en achevant les épreuves d'Osiris, en le vengeant.

Tout un vocabulaire hérité des Grecs

De même, le Grec Oreste, au-delà de la mort de celui-ci, venge l'honneur de son père Agamemnon. L'un crée l'autre, l'autre parachève l'un. Dans cette symbiose en continuité qu'est la chaîne père-fils, devenue si forte, l'un *est* l'autre, selon la manière mystérieuse dont l'exprimait Héraclite : le père est le fils de soi-même. N'est-il pas remarquable qu'en grec ancien le même mot γενέζης *(génitès)* signifiait : 1° père, 2° fils? Père et fils sont ainsi accrochés à la même continuité, à la même racine γενος *(gène)* qui veut dire naissance, origine, mais aussi race, nation, espèce, genre... C'est donc à l'idée de paternité originelle que se rattachent tous ces mots passés du grec en latin et en français, tels que, bien sûr, le *géniteur*, ou encore la *génétique*, mais également la *« gens »* et les *« gens »*, tout bonnement, ces gens qui forment un *« genre »*, le genre humain, mais aussi *« engendrer »*, *« générer »*, le *« générique »*, le *« général »* et le *« généreux »* (qui veut dire « de bonne race »). Et, bien sûr, la *genèse* (γένετις : création, origine).

Le père grec est également à l'origine de cette constellation de mots qui recouvrent nos liens avec le groupe et la société, avec le nom, l'argent, les rapports de travail et la nation. C'est en effet le grec πατερ *(pater)* qui, via le latin, a « engendré » *père, paternel, paternité, paterne, paternalisme; patronyme* et *patrimoine; parrain* (de *« patrinus »*) et *patron*, et *patronat, patronnesse* et *patronage; patriarche, patriarcal, patriarcat*; mais aussi *patricien* et *patricienne*; et enfin *patrie* (la « mère patrie », vrai couple parental!), ses *patriotes* et les *apatrides*.

Est-il preuve plus éclatante de l'influence du patriarcat gréco-latin sur notre société? La racine « *ab* », qui joue le même rôle en hébreu et dans toutes les langues sémitiques, avec sa signification « père », n'a donné en français que l'*abbé* (le *père abbé* étant un pléonasme puisque *abbé* veut dire *père*) et l'*abbesse* (une mère-père!), ainsi que leur *abbaye*, comme en anglais *abbott, abbess* et *abbey* restent confinés en religion, tandis que *patrimonial, patriotism, paternity* ou *patronizer* n'ont pas grand-chose à voir avec elle.

Même la conception quasi religieuse de la paternité biologique, de celui qui engendre, crée et transmet la vie – cette conception vient des Anciens et non pas de la religion monothéiste du peuple juif. Les dieux égyptiens, grecs et romains engendraient. Ils engendraient des dieux et des déesses, mais aussi des demi-dieux, des héros, des rois, des fondateurs de lignée. Ils engrossaient des déesses, mais aussi des nymphes, ou de simples mortelles, reines ou non. Le dieu Ptah dit au roi : « Je suis ton père qui t'a engendré. J'ai pris l'aspect du bélier de Mendès et je t'ai engendré en ton illustre mère [1]. » Zeus prend tous les aspects pour copuler et engendrer, il est tour à tour pluie d'or avec Danaé, cygne avec Léda, taureau avec Europe, mais, pour séduire Alcmène, il revêt la physionomie de son mari Amphitryon.

Yahvé, l'Éternel, n'engendre pas, mais Il bénit les pères

Aussi, quand Balzac fait dire au Père Goriot : « Lorsque j'ai été père, je me suis senti dieu », – il écrit « dieu » sans majuscule. Car Dieu, l'Unique, n'engendre pas. Il est le premier et le dernier, et non point maillon d'une chaîne. Il est l'Éternel. Yahvé n'a point d'épouse. La catégorie de la sexualité et de l'engendrement ne peuvent s'appliquer à Lui. Il crée les cieux et la terre, puis, avec la poussière de la terre, il « forme » l'homme, et le fait « vivre » en lui soufflant dans les narines. L'Éternel n'est pas père. Le seul texte de l'Ancien Testament qui le laisserait entendre (« Il m'a dit : tu es mon fils, je t'ai engendré aujourd'hui »), le psaume 2 de David, est une métaphore inspirée par la reconnaissance.

1. Cité par Jan ASSMAN, « Le père dans l'Ancienne Égypte », *op. cit.*

S'Il n'est pas père, l'Éternel bénit la paternité des hommes. Le mot « père » est cité mille deux cents fois dans l'Ancien Testament [1]. Israël est un peuple de pères. A commencer par le premier, Abraham, à qui Yahvé a promis « une récompense très grande ». Comme Abraham répond par une plainte : « Seigneur, je m'en vais sans enfants et l'héritier de ma maison sera Eliézer de Damas ! – Non, répond l'Éternel, ce n'est pas lui qui sera ton héritier, mais celui qui sortira de tes entrailles. » Et Il lui fait contempler le ciel étoilé pour se faire idée de la postérité innombrable qu'il engendrera.

Il s'est trouvé des Juifs pour arguer qu'aucune mention de rapport entre Abraham et Sarah ne précède la conception d'Isaac, au contraire de celle d'Ismaël, survenue après qu'Abraham ait « connu » Agar (Genèse, 16-4). Ce qui leur permet de distinguer entre « le fils selon la chair, Ismaël, et le fils selon l'esprit, Isaac [2] ». Cependant, l'Éternel l'avait bien annoncé, la postérité d'Abraham sortira de ses entrailles... Même si la paternité sociale n'est fondée chez les Juifs que sur la circoncision, la réalité de la paternité biologique et l'importance qui lui est accordée ne font aucun doute. Elle crée les lignées : « Voici la postérité des fils de Noé, Sem, Cham et Japhet. » Genèse (10, 1 ss). Seul l'homme a le pouvoir de conférer une identité à sa descendance. Moïse dit : « Les filles se marieront à qui elles voudront pourvu qu'elles se marient dans la tribu de leur père... Les enfants d'Israël s'attacheront chacun à l'héritage de la tribu de ses pères » (Nombres, 36, 6-9). Un homme s'appelle toujours X, fils de Y, son père et chaque tribu est nommée du nom du père qui l'a fondée : les fils de Zabulon, les fils de Juda, les fils d'Issacar, etc. Et, afin de dénombrer les Israélites dans le désert du Sinaï, l'Éternel commande à Moïse de les compter « selon leurs

1. D'après Lothar PERLITT, « Le père dans l'Ancien Testament », *in* H. TELLENBACH, *op. cit.*

2. Michel-Louis LÉVY, « Démographie, généalogie et Torah – Existe-t-il un peuple juif? », Xe Congrès mondial d'études juives, Jérusalem, 1989.

familles, selon les maisons de leurs pères », (Nombres, 1,2). La « maison du père » était tout ce qu'il possédait. Pour faire venir Jacob en Égypte, Joseph le mande, avec toute sa « maison » : « Toi, tes fils, et les fils de tes fils, tes brebis et tes bœufs, tout ce qui est à toi » (Genèse, 45, 10). Le même mot, *baal*, veut du reste dire possesseur (d'un bœuf, d'un puits, etc.) et époux. Les pères et leurs maisons font les tribus, qui font un peuple. Les fils sont une bénédiction : « Le fruit des entrailles est une récompense, comme les flèches dans la main d'un guerrier, ainsi sont les fils de la jeunesse : Heureux l'homme qui en a garni son carquois ! » (Psaume de Salomon, 127, 3-5). Le père est le transmetteur, il doit témoigner de Dieu, Le servir, enseigner la religion. Il est le médiateur entre Dieu et son fils aîné. C'est pourquoi Jacob ruse pour recevoir la bénédiction qui revenait à Esaü : « Sois le maître de tes frères, et que les fils de ta mère se prosternent devant toi ! »

Lignée paternelle et droit d'aînesse, le peuple d'Israël donnait l'image, alors classique dans la Méditerranée orientale, d'un peuple patriarcal. *Obéis à ton père, il t'a engendré*, précise un proverbe de Salomon qui fait écho au précepte égyptien : *Le père est le maître, le fils le serviteur*. Pourquoi, alors, va-t-on répétant que, jusqu'à aujourd'hui, le judaïsme se transmet par les femmes, la matrilinéarité étant plus sûre que la patrilinéarité, sur laquelle plane toujours l'incertitude ? C'est, il est vrai, la *halakha* la plus récente [1]. Il semble que le principe de la transmission par la mère de l'appartenance au judaïsme se soit dégagé au IIe ou IIIe siècle, au terme d'une évolution (après deux guerres contre les Romains) et après de savantes exégèses d'un texte du Deutéronome. Mais la loi biblique, elle, était sans équivoque, et le principe de la patrilinéarité est affirmé dans le Talmud, qu'il s'agisse du statut, de la parenté ou de la succession : « La famille du père est considérée comme

1. Voir Mireille HADAS-LEBEL, « La femme dans le Talmud », *in* « Femmes juives », *Nouveaux Cahiers*, n° 101, été 1990.

celle de l'enfant, pas la famille de la mère» (Baba Bathra, 109 b).

« Notre Père qui est aux Cieux » nous a donné son Fils unique, par amour et en esprit

Tout change avec le christianisme. Tout change avec l'Évangile.

Non pas le patriarcat, ni surtout la patrilinéarité. Elle demeure la règle qui fait les familles et fonde les lignées. L'évangile de Matthieu s'ouvre sur la « généalogie de Jésus-Christ, fils de David, fils d'Abraham ». Longue, si longue liste de noms d'hommes reliés l'un à l'autre par ce verbe mystérieux que, petite fille, je ne comprenais pas : « engendra ». « Salomon engendra Roboam, Roboam engendra Abia, Abia engendra Asa, Asa engendra Josaphat » et ainsi de suite, presque sans mention des mères, sauf trois dont une qui n'est pas même nommée (« Le roi David engendra Salomon de la femme d'Urie » – pauvre Bethsabée anonyme!), longue, interminable liste de pères, mais se terminant par un nom féminin : « ... Jacob engendra Joseph, l'époux de Marie, de laquelle est né Jésus, qui est appelé Christ. »

Tout le changement est là, qui sera d'une portée infinie pour la paternité dans le monde chrétien. Jésus n'a pas été engendré par Joseph. Il n'y a pas de père engendreur dans l'avènement de Jésus, venu sauver le monde. Mais l'autre paternité, non biologique, est là : Joseph est père par l'office qu'il remplit, il donne son nom, il assure à l'enfant sa protection, il le nourrit, il l'emmène au Temple, il lui apprend son métier. Joseph est « père social » et aussi « père de cœur », selon l'expression employée par Bossuet et qui fera fortune [1]. Mais ce père socio-affectif, pour par-

1. L'expression était de l'oratorien Gibieuf, dans le Premier Panégyrique de saint Joseph, 1660, reprise par Bossuet. Voir Odile Robert, « Porter le nom de Dieu », *in* Jean Delumeau, Daniel Roche et *alii*, *Histoire des pères et de la paternité,* Larousse, 1990, p. 146.

ler le jargon de notre temps, tout aimé et révéré qu'il ait été par les catholiques surtout, n'épuise pas à lui seul l'autre idée de la paternité que répand le christianisme.

Car le véritable père de Jésus, c'est Dieu. Voilà que l'Éternel qui a fait les cieux et la terre et créé l'homme, l'Éternel qui ne saurait être un maillon, même le premier, d'une généalogie, voilà que Dieu est Père par l'esprit. Il manifeste sa paternité envers les hommes en envoyant parmi eux son Fils pour leur annoncer la « bonne nouvelle » : Dieu le Père est amour, Il est miséricorde. Le cœur du Père est infini. Jésus, son Fils unique (les hommes et les femmes ne sont que « ses enfants »), ne cesse de parler de l'immense miséricorde de ce Père qui est comme l'essence même de la paternité, la paternité à l'état pur : « Si donc, vous qui êtes mauvais, vous savez donner de bonnes choses à vos enfants, combien plus le Père céleste en donnera de bonnes à ceux qui L'en prient ! » (Luc, 11-13) – ces « bonnes choses » étant le Saint-Esprit. Dans la parabole de l'Enfant prodigue, le fils aîné qui n'a pas quitté son père, qui n'a pas dilapidé son bien, qui s'est conduit selon la coutume en bon fils, ne comprend pas les réjouissances que le père organise pour le retour piteux de son fils le prodigue, ni la tendresse qu'il lui témoigne. Le père a pour toute réponse l'amour pour ses enfants : « Toi, mon enfant, tu es toujours avec moi et tout ce qui est à moi est à toi. Mais il fallait bien se réjouir parce que ton frère que voici était perdu et qu'il est retrouvé » (Luc, 15-31). N'est-ce pas là une image nouvelle du père? La morale n'est plus la défense du nom, de l'honneur familial, le respect des biens de « la maison du père » – c'est la compassion.

Les dieux dévoraient leurs fils de peur qu'ils ne prennent leur place. Dieu « a tant aimé le monde qu'Il a donné son Fils unique, afin que quiconque croit en lui ne périsse point mais qu'il ait la vie éternelle » (Jean, 3-16). Jésus témoigne de la paternité de Dieu, c'est-à-dire de son amour, non seulement protecteur mais également salvateur. L'apôtre Paul dira : « Dieu envoya son Fils, né d'une femme... afin de nous conférer l'adoption filiale » (Galates, 4-4,5). Cette paternité adoptive est plus remplie d'amour que la paternité selon la chair. Elle est spirituelle. Le Christ révélait une paternité nouvelle, et une naissance nouvelle « d'eau et d'esprit », mais il disait également que celui-là serait sauvé qui, pour Le suivre, quitterait son père, ou sa mère, ou sa femme ou ses enfants... (Matthieu, 19-29).

Aussi ni le père ni le patriarcat, ni même la famille et ses liens traditionnels ne furent renforcés par le christianisme. Mais bien une autre idée de la paternité : celle du père non par la chair mais par l'esprit, celle du maître qui guide son disciple, celle du directeur de conscience qui prend soin de l'âme de son élève, celle de l'éducateur qui transmet l'instruction et la morale à son enfant ou à l'enfant d'un autre. Ceux qui furent appelés les « Pères de l'Église », Ambroise et Augustin plus particulièrement, confortent cette conception de la véritable paternité, qui n'est pas d'engendrer, mais d'éloigner l'enfant de la bête et d'assurer sa croissance en humanité. Or, dans toute l'Église, bientôt, les prêtres furent appelés « pères », ou « abbés », et ceux-là nommèrent « mon fils » ou « ma fille » les chrétiens, même plus âgés qu'eux, qui venaient chercher auprès de l'Église les nourritures de l'esprit.

Et, chez lui, le père de famille dut transmettre le message de l'Église, tant il est vrai « que celui-là est indigne du nom de père, qui, ayant engendré un fils pour le monde, n'a pas le soin de l'engendrer aussi pour le ciel [1] ».

1. *Ibid*, p. 135, de Louys de Grenade, *Guide des pécheurs*.

CHAPITRE III

Du pouvoir absolu des Pères de la Patrie

Pourquoi, des origines de la paternité dans les sociétés humaines et des conceptions qu'elle a revêtues dans les civilisations de l'Antiquité, pourquoi sauter d'un coup à la fin XVIIIe siècle-début XIXe siècle?

C'est que, sociologue, je ne cherche pas à conter l'histoire des pères – des spécialistes historiens l'ont récemment fait avec talent [1]. Ce que je voudrais, c'est tenter de comprendre et d'expliquer le crépuscule des pères auquel nous assistons actuellement, lequel affecte à la fois leur statut civil et social; leur rôle biologique dans la génération; leur rôle dans la famille; leur image dans la société; l'idée qu'ils se font eux-mêmes de la paternité, de sa dignité, de ses devoirs et de ses droits; leur propre perception de leur identité de père, ainsi que la manière dont ils ressentent leurs relations avec les mères de leurs enfants et avec les femmes – et comment ils imaginent l'avenir de la paternité.

Vingt glorieuses révolutionnaires, patriotiques et patriarcales : 1785-1805

Avant de décrire les circonstances et les conséquences de ce déclin en statut, en rôle et en prestige, il semble

1. *Histoire des pères et de la paternité*, ouvrage collectif dirigé par Jean DELUMEAU et Daniel ROCHE, Larousse, 1990. Voir également Yvonne KNIBIELHER, *Les Pères aussi ont une histoire*, Hachette, 1988.

indispensable de préciser d'où l'on vient. On ne peut parler de bouleversement, de révolution, de renversement que si l'on a quelque idée de la situation antérieure. Pour différentes raisons, il m'apparaît que les années charnières 1785-1805 offrent, à cet effet, le plus éloquent des panoramas. D'abord parce que c'est alors que s'élaborèrent les lois sous lesquelles nous avons vécu jusque récemment.

Avant la Révolution, les règles régissant le statut des personnes et leurs relations variaient grandement d'une province à l'autre. En 1790, la Constituante décida la rédaction de « lois simples et claires » relatives à l'état et à la capacité des personnes, à la famille, à la transmission des biens, etc. Après divers projets (dont ceux de Cambacérès) rejetés ou abandonnés, le 21 mars, jour du printemps 1804, fut voté le Code civil. Si les quatre auteurs de l'avant-projet présenté au Conseil ont été Tronchet, Portalis, Bigot de Préameneu et Maleville, ce fut Bonaparte lui-même qui présida – et de quelle manière ! – les séances du Conseil d'État durant lesquelles ce projet fut amendé, remanié, récrit puis expéditivement adopté. Le premier consul, à la veille d'être empereur, peut, en somme, être considéré comme le père légitime du Code civil – qu'on n'appellera plus que « Code Napoléon ».

Clair, concis, d'un style admirable, le Code Napoléon a inspiré un grand nombre de Codes civils étrangers au cours du XIXe siècle. En France, pendant près de cent ans, il ne subit aucune modification. Par la suite, il n'a connu que des retouches superficielles s'agissant du droit des personnes et du droit de la famille – avant les grands remaniements des années 1965-1975 dont nous aurons à reparler. A cause de cette influence profonde et de cette pérennité, il est intéressant de rappeler comment ce code a été élaboré et quelles conceptions du père on y trouve.

Des individus libres qui aspirent au bonheur

La société de cette période charnière révèle, à l'état d'ébauches, plusieurs traits de notre modernité.

C'est alors que, sous l'influence des Lumières, des transformations économiques et des bouleversements des institutions politiques, on règle ses comptes à l'emprise catholique sur la famille. En premier lieu, la famille cesse d'être « par la naturelle révérence des enfants envers leurs parents, le lien de la légitime obéissance des sujets envers leur souverain [1] ». Le Roi de droit divin n'est plus. Or il était le Père de la Nation, le Père du peuple, le Père des pères de famille qui lui devaient révérence et obéissance. En outre, on rejette le despotisme des prêtres, ces soi-disant pères supérieurs qui usurpaient l'autorité paternelle au nom de l'Église et du Saint-Père le pape.

On aspire à retrouver « l'ordre de la Nature » et la place du père selon la Nature. Après les « dégénérescences » des mœurs de l'Ancien Régime, on cherche un « état naturel » qui laisserait place aux sentiments : on ne parle pas alors comme aujourd'hui de l'« amour » nécessaire à l'enfant comme la nourriture, mais beaucoup de la « tendresse » des pères qui, seule, peut les faire régner sur leurs enfants. On croit au bonheur : on l'a recherché dans la vie publique par les libertés, on pense à le favoriser dans la vie privée familiale par plus de liberté.

Par-dessus tout, la société est traversée d'une grande aspiration au bonheur individuel. Oui, il s'agit des premiers signes de l'individualisme qui ne se développe bien que dans les démocraties, cet individualisme qui connaîtra son apogée, peut-être même son paroxysme, en cette fin du XXe siècle que nous vivons. Voici deux siècles, l'individualisme naissant était déjà hédoniste, mais l'homme d'alors aspirait au bonheur tandis que l'homme d'aujourd'hui recherche les plaisirs, à travers la consommation, les loisirs et la sexualité.

La fin du XVIIIe siècle a vu l'introduction du mariage civil et l'instauration du divorce. Divers changements ont modifié profondément la continuité des familles : de plus

1. Déclaration royale du 26 novembre 1639, citée par P. PETOT, « La famille en France sous l'Ancien Régime », *Sociologie comparée de la famille contemporaine,* Paris, CNRS, 1955.

en plus d'hommes travaillent hors de leur foyer, de plus en plus de fils font un autre métier que leur père, voire émigrent à la ville – surtout les cadets. Si ces changements ressemblent à ceux que nous avons connus récemment, ils n'affectaient alors que les hommes, tandis que, durant ces trente dernières années, ils ont surtout modifié la vie des femmes et les rôles maternels.

La fécondité des ménages chute en France

En outre, à cette époque comme à la nôtre, on constate une forte diminution de la fécondité – mais alors, me semble-t-il, principalement imputable aux hommes qui ont découvert, en France du moins, un nouveau moyen de contraception masculine.

La baisse de la fécondité en France depuis le dernier tiers du XVIIIe siècle est un des grands phénomènes mis au jour par la démographie historique moderne (les populations françaises n'en ont pas été conscientes à l'époque : on croyait au contraire être plus nombreux que jamais). Pourquoi la France, seule, a-t-elle diminué sa fécondité? Les pays qui l'environnent, au contraire, ont vu leur population gonfler fortement, par l'effet de la réduction de la mortalité (mais pas plus qu'en France) et, surtout, par l'effet d'une fécondité très soutenue. La fécondité ne baisse alors qu'en France, avec cinquante à cent ans d'avance sur les autres pays européens. Ainsi, si l'on compare le nombre moyen d'enfants par femme en France et en Angleterre pour la période 1780-1785, il apparaît très voisin : 5,08 en France et 5,10 en Angleterre. Mais, en 1800, l'écart s'est déjà creusé, car la fécondité française a baissé : 4,46, tandis que la fécondité anglaise a continué de s'élever : 5,52. Quinze ans plus tard, l'écart est devenu énorme : la France n'a plus que 4,36 enfants par femme quand l'Angleterre en a 6,26 [1]!

1. Jean-Claude CHESNAIS, *La Transition démographique*, PUF, 1986, pp. 310-330.

La singularité du cas français a intrigué bien des historiens et les monographies régionales faites à partir des registres paroissiaux de l'époque se sont multipliées. Elles ont confirmé cette mystérieuse baisse de fécondité des ménages, surtout dans les villes. Ainsi Jean-Pierre Bardet a étudié la fécondité des cohortes de mariages conclus à Rouen depuis la moitié du XVIIe siècle jusqu'à la Révolution. L'élite des notables voit chuter le nombre de ses enfants de 7,05 naissances par ménage à 2,71 ! Les boutiquiers de la même ville : de 7,34 à 3,28 ; les artisans et les ouvriers : de 7,20 à 4,84. Et encore, ces nombres de naissances par mariage n'expriment-ils pas la descendance finale de ces couples, car il faudrait leur soustraire la mortalité en bas âge, qui n'est pas comptée là. On voit bien à ces chiffres que la réduction de la fécondité a été telle dans certaines couches sociales que les familles ne se reproduiront pas [1]. Même si elle fut moins considérable dans les campagnes, la chute de la fécondité se révèle partout, surtout dans le Midi.

Pourquoi un phénomène d'une telle ampleur dans le grand pays agraire (alors deux fois plus peuplé que l'Angleterre) qu'est la France? Les hypothèses ont fleuri. David R. Weir [2] attribue cette baisse de fécondité à des facteurs biologiques : moindre mortalité des nourrissons, donc prolongation de la durée d'allaitement pendant laquelle la femme n'est pas fertile – mais alors pourquoi la même baisse ne s'est-elle pas produite en Allemagne ou en Angleterre? Philippe Ariès [3], se fondant sur des publications qui reflètent plutôt les préoccupations de l'élite, pensait qu'il y avait eu limitation des rapports conjugaux, chambres séparées : mais sûrement pas à la campagne, et

1. Alain BIDEAU et Jean-Pierre BARDET, « Fluctuations chronologiques ou début de la révolution contraceptive? », *in* Jacques DUPÂQUIER *et alii, Histoire de la population française*, PUF, 1988, tome 2, pp. 373-399.

2. David R. WEIR, *Fertility Transition in Rural France, 1740-1829*, Ann Arbor, 1983.

3. Philippe ARIÈS, *Histoire des populations françaises et de leurs attitudes devant la vie depuis le XVIIIe siècle*, 1971.

puis cette accentuation de la continence va bien mal à cette fin de siècle hédoniste. Jean-Louis Flandrin [1] a plutôt opté pour une morale familiale plus exigeante vis-à-vis de l'enfant : certes, on en a voulu moins pour les élever mieux, mais comment en a-t-on eu moins ? Alain Bideau et Jean-Pierre Bardet [2] optent également pour un plus grand refus de l'enfant, mais par individualisme. La vérité se trouve peut-être entre ces deux dernières explications, qui, toutes deux, ont le mérite de rappeler que, en matière de fécondité, « tout se passe dans la tête », c'est-à-dire qu'il y a une attitude psychologique, un choix, une volonté, même si elle n'est guère consciente d'elle-même.

La contraception est le fait des hommes

En l'occurrence, il m'apparaît que la volonté de réduire la dimension des familles fut dans la tête des hommes, une volonté surtout des hommes. C'est eux en effet qui trouvèrent le moyen – le *coïtus interruptus* – ou plutôt le redécouvrirent, car c'est tout simplement le péché d'Onan, stigmatisé par la Bible pour avoir jeté à terre sa semence à la fin de l'acte sexuel. Ce moyen peu technique va se répandre d'autant plus vite que les hommes ne le considèrent plus comme un péché. Les hommes sont beaucoup plus souvent instruits que les femmes à l'époque car l'éducation avait fait de très rapides progrès, pour les garçons, durant le dernier tiers du siècle. « Des ferments culturels sont partout à l'œuvre [...] les Lumières se propagent, débordant de plus en plus les franges urbaines [3]. » A la veille de la Révolution, les signes de détachement des croyances religieuses se multiplient. Les hommes, particulièrement, n'assistent plus à la messe où vont leurs épouses, et les attendent en devisant sur les places. Ils vont

1. Jean-Louis FLANDRIN, *Famille, parenté, maison, sexualité dans l'ancienne société*, Paris, rééd. 1984.
2. Alain BIDEAU et Jean-Pierre BARDET, *op. cit.*
3. Jean-Claude CHESNAIS, *op. cit.*

de moins en moins à confesse. Confusément, ils sentent que la société est ébranlée et qu'il existe une chance pour celui qui osera et qui trouvera la stratégie. L'un des outils de cette stratégie sera la restriction des naissances. Le nombre s'oppose alors à la notion du bonheur – sentiment que nos contemporains peuvent bien comprendre, eux qui, en bons individualistes, opposent la qualité de la vie à la quantité des vivants.

Il faut prendre en compte le « moyen » utilisé, bien que Pierre Chaunu rappelle opportunément que l'histoire profonde « est moins question de moyens que de désirs ». Il ajoute pourtant : « Les moyens, nous les connaissons : massivement, le *coïtus interruptus*, très accessoirement les “ redingotes anglaises ” de Casanova (monde de la prostitution), la voie anale, qui suscite l'horreur, l'avortement dont tout nous montre qu'il est resté exceptionnel. [...] La contraception paysanne française est tout entière une contraception de l'acte incomplet qui achète la sécurité de la femme – et dans une certaine mesure celle du couple – au prix d'une frustration de plaisir ressentie plus par l'homme que par la femme [1]. » L'important, plus que l'affaire du plaisir ou de la gêne, est que c'est l'homme qui a l'initiative, c'est lui qui décide s'il veut ou non être père. Et cela a duré pendant près de deux cents ans.

Le sperme est survalorisé et tous les hommes se croient féconds

Il ne faut tout de même pas s'étonner autant que les hommes « se gênent » pour restreindre le nombre de leurs enfants : à l'époque, surtout dans les campagnes, on croit encore massivement ce qu'affirmait Aristote, à savoir que « la semence masculine possédait l'omnipotence fécondatrice ». Les paysans français n'avaient pas lu Aristote, ni les boutiquiers ni les artisans des villes. Mais ils étaient

1. Pierre CHAUNU, postface au tome II de l'*Histoire de la population française, op. cit.*

intimement convaincus que le sperme donne la vie, donc, sans sperme, pas d'enfants. C'est vrai, De Graaf et Stenon ont découvert, dès la fin du XVIIe siècle, l'existence des ovaires, et des ovocytes qu'ils « pondent » – et ils ont établi la part de la femme non seulement dans la grossesse et l'accouchement qui permettent au petit d'homme de croître en sa matrice puis de voir le jour quand il est viable, mais encore la part de la femme dans la formation de l'embryon. Au point qu'une grande querelle s'ensuivit et qu'il y eut des « ovistes » passionnés dans l'Europe cultivée d'alors.

Cependant, à la même date (1674-1678), presque simultanément, Ham, Leuwenhoek et Hartsoeker observent au microscope du liquide séminal et découvrent la multitude et la vitalité des spermatozoïdes. Une telle découverte réhabilite le pouvoir fécondant du mâle. Les « homonculistes » et les « ovistes » discuteront dans les savants cabinets de lecture, pour savoir, de l'homme ou de la femme, qui transmet la vie.

Dans les campagnes, on reste persuadé que c'est l'homme, ou, du moins, on reste persuadé que tout sperme est fécond. La stérilité ne peut être masculine. La femme peut être mal conformée, ou maudite, donc stérile. D'où les innombrables rites de fécondité que partout et de tout temps on a fait pratiquer aux femmes : les pierres auxquelles se frotter, les eaux à boire, les philtres à composer, les objets ou animaux symboles à posséder, les gestes à effectuer, les paroles magiques à dire, etc. Les folkloristes les plus minutieux dans leur recherche, comme Arnold Van Gennep qui a consacré sa vie à la récolte et aux classements de toutes les manifestations de la culture populaire [1], n'ont jamais trouvé trace de rites contre la stérilité masculine. La malédiction de l'homme, c'est l'impuissance. Et l'on craint toujours que quelque jeteur de sort ne « noue les aiguillettes » du malheureux marié. Pour y parer, il existe une infinité de précautions. Il est bien rare

1. Arnold VAN GENNEP, *Manuel de folklore français*, nouv. éd. 1972, 4 tomes.

qu'elles soient les mêmes que celles préconisées pour les femmes contre la stérilité, à l'exception, par exemple, de la pierre dite de « San Fouti » (!) à Tacros, près de Saint-Gilles, en Auvergne, qui, nous dit joliment Francis Perot, « recevait les hommages lubriques tant des hommes impuissants que des femmes stériles ». Qui éjaculait du sperme était toujours fécond, pensait-on. Aussi était-il logique de s'imposer le retrait avant l'éjaculation si l'on ne voulait pas d'enfant.

D'une manière générale, le sperme, liquide paternel par excellence, est survalorisé. Les médecins comme les illettrés des campagnes lui attribuent une vigueur et une activité incomparables. Dans le *Dictionnaire des sciences médicales* édité par Panckoucke sous l'Empire, Julien-Joseph Virey explique que la femme mariée a « quelque chose de plus assuré, de plus hardi que la vierge timide et délicate. [...] Il est certain que le sperme masculin imprègne l'organisme de la femme, qu'il avive toutes ses fonctions et les réchauffe, qu'elle s'en porte mieux [1]. » Bel exemple de la version médicale du discours « philosophique » de l'époque, qui ne cesse d'opposer les capacités physiques et morales des hommes et des femmes – donc, des pères et des mères. Aux pères, « tout ce qui exige de la force, de l'intelligence, de la capacité », aux mères le dévouement sans borne et l'abnégation. C'est là, pensent nos révolutionnaires, la fameuse « loi naturelle » qu'ils recherchent pour créer une société privée harmonieuse. Napoléon ne dira-t-il pas : « L'anatomie est un destin »? Née pour être mère, la femme doit se borner à cette finalité.

Vénération pour le père, magistrat domestique

Les rôles du père seront autrement glorieux. Ils ouvriront à l'enfant le monde du courage, de l'esprit : « Les

1. Cité par Yvonne KNIEBIHLER, « Les médecins et la nature féminine au temps du Code civil », *Annales, économies, sociétés, civilisations*, n° 4, juillet-août 1976.

pères sont les premiers instituteurs de leurs enfants [1]. » Pierre Guyomar, député en 1793, qui « ne conçoit pas comment une différence sexuelle en mettrait une dans l'égalité de droits », n'en admet pas moins « sans inconvénient » que la femme « s'occupe des affaires du dedans, tandis que l'homme fait les affaires du dehors ». Cependant que, dans les « affaires du dedans », le foyer domestique, le père est le maître, le « magistrat domestique » : « Une vérité qui, comme la lumière, se voit sans qu'on la regarde, c'est que le père est le premier magistrat de sa famille, c'est que cette magistrature, aussi ancienne que le monde et sur laquelle la pensée s'arrête avec tant de douceur [2]... » a inspiré, à l'époque pré-révolutionnaire et révolutionnaire, une vénération qu'on a peine à imaginer aujourd'hui.

Vénération, oui, car si la mère est aimée, le père est presque l'objet d'un culte. Nul n'a donné peinture plus saisissante de cette dévotion du père que l'étonnant Nicolas Rétif de la Bretonne. Septième enfant d'un paysan bourguignon aisé qui en eut quatorze, Nicolas, venu chercher fortune à Paris comme beaucoup de cadets, vit plutôt mal que bien de son artisanat – l'imprimerie – toujours à court d'argent pour éditer ses très nombreux romans, toujours en procès, fréquentant tantôt le grand monde, tantôt les auteurs, plus souvent les prostituées, « spectateur nocturne », comme il se nomme, des violences et des plaisirs du Paris de la Révolution à la nuit close, déambulateur insomniaque. En contrepoint de sa vie instable dans une société en décomposition dont il sent clairement qu'elle va s'effondrer, Nicolas, dans un récit qu'il intitule *La Vie de mon père*, évoque avec nostalgie et lyrisme l'ordre patriarcal qui régnait dans sa maison villageoise.

1. Sylvain MARÉCHAL, *Les Révolutions de Paris*, tome XV, cité par Dominique Godineau, « Enjeux et discours opposés de la différence des sexes pendant la Révolution 1789-1793 », *La Famille, la Loi, l'État, de la Révolution au Code civil*, CRI de Vaucresson, 1989.

2. PRUGNON, *in* Archives parlementaires, tome XXIV, p. 597, cité par Pierre MURAT, « La puissance paternelle et la Révolution française : essai de régénération de l'autorité des pères », *La Famille, la loi, l'État, op. cit.*

« Comment me suis-je aperçu de tout ce que vaut ton fils? C'est qu'il te respecte et t'honore comme un dieu et qu'il t'aime comme il n'y a pas de comparaison », s'écrie l'ami de son grand-père. L'être respecté dont il est question, honoré et aimé sans comparaison – son grand-père – Nicolas le dépeint sans fard : un paysan intelligent et vif, peu diligent en affaires, égoïste, dur et même injuste. Mais adulé des siens. Révéré, combien plus encore le fut le père de l'auteur, Edme, moins brillant, mais travailleur, vertueux, sage, autoritaire, un vrai « magistrat domestique ». « Frappait-il à la porte, le coup de heurtoir était répondu par un cri de joie de toute la maison. Je n'ai jamais entendu ce coup de heurtoir sans voir ma mère palpiter de plaisir. Elle se levait avec empressement, répétait l'ordre d'aller ouvrir quoique cinq ou six personnes y fussent déjà, elle s'agitait, préparait elle-même le bonnet de nuit, les sabots qu'elle remplissait de braise, quoique ses filles voulussent lui en éviter la peine, mettait sa chaise à la place qu'il aimait, lui versait un verre de vin chaud qu'elle lui présentait à l'entrée avant de lui dire aucune parole. Le patriarche buvait, l'air content. Ensuite il la saluait et nous saluait tous, jusqu'au petit berger [1]. » Sans doute Nicolas Retif a-t-il embelli de nostalgie personnelle son tableau de campagne patriarcale, mais la nature de ses enjolivures est révélatrice : c'est le modèle romain, que Camille Desmoulins, le peintre David et tant d'autres mettent à la mode. Ce sont les *Géorgiques*, et, parmi ces *fortunati agricolae*, le Père, un Caton incorruptible, un vaillant Cincinnatus, élu, année après année, meilleur laboureur de son canton.

Les historiens le reconnaissent et s'étonnent : la période est marquée par un « surinvestissement de l'image paternelle dans tous les domaines, social, philosophique, politique, symbolique, esthétique [2] ». C'est un engouement,

1. Nicolas Retif de la Bretonne, *La Vie de mon père*, Club des amis du livre progressiste, 1962, p. 201.
2. J.-C. Bonnet, « De la famille à la patrie », *Histoire des pères et de la paternité*, *op. cit.*, p. 237.

c'est une passion qui, toute extravagante qu'elle nous paraisse aujourd'hui, « avait une fonction militante : l'image du père, loin d'intéresser exclusivement le retrait privé d'un espace domestique, importait aussi à la scène, beaucoup plus large, d'un avenir collectif [1]. »

Culte du père, agent de l'intérêt général

On a beaucoup dit à l'époque, le très aimant père que fut le prince de Ligne le tout premier, que la paternité était « une mode », comme « les vanités de la mamelle » qui poussaient les grandes dames, disciples de Jean-Jacques, à nourrir elles-mêmes leurs enfants, en plein salon, au milieu de leurs hôtes. Mais une mode est un engouement passager et sans grandes conséquences. Bien plutôt que d'une mode, il s'est agi d'un culte (comme on connaîtra au XIXe siècle la divinisation de la mère, puis, au XXe siècle, l'individualisation de l'enfant et la sacralisation de la sexualité). Tout culte comporte des emphases insupportables aux sceptiques, des hypocrisies révoltant les moralistes, mais aussi l'élan d'enthousiasmes sincères qui balaie tout sous sa poussée. Lorsqu'un culte « prend », une société peut, en s'appuyant sur la ferveur des croyants du moment, changer en profondeur, muer.

Le but alors recherché, d'abord inconsciemment puis consciemment, était d'abord politique. Il fallait extirper le « despotisme », en finir avec l'arbitraire et libérer les hommes. Ce qui signifiait libérer chaque individu, mais aussi l'ensemble qu'ils formaient. A cette fin, pensait-on, il fallait trouver (ou re-trouver?) les « lois naturelles » de la société, lesquelles devaient procéder des dispositions physiques tempérées par la raison inhérente à la nature humaine et la morale qui en découle. L'homme est un animal qui raisonne et qui aime. Le « genre humain » (Diderot) que forment les hommes est un être réel, vivant et pensant. Le genre humain, si on le laisse libre de s'organi-

1. J.-C. BONNET, *op. cit.*

ser, sera raisonnable : « La volonté générale est toujours bonne », puisque naturelle.

A cet effet, il faut procéder du particulier au général. Alors que sera le particulier : l'individu ou la famille ? Faut-il libérer les individus au point que chacun soit « un tout membre du souverain » ? Mais, même Guyomar, qui le préconise en 1793, n'en affirme pas moins que le père, chargé par la Nature des affaires du dehors, sera forcément l'agent de l'« intérêt général ». C'est que chacun observe que la « loi naturelle » propre aux individus humains les a rapprochés non comme des animaux qui ont des rapports « fortuits ou périodiques dénués de toute moralité », mais en familles structurées et durables, protégeant les plus faibles de leurs membres. Chez l'homme, en effet, naturellement, « le sentiment est à côté de l'appétit, le droit succède à l'instinct, tout s'épure et s'anoblit » (Portalis). La patrie ne peut donc se construire qu'à partir de ces cellules « naturelles » que forment les familles, avec, à leur tête, le père. Il faut même « propager l'esprit de famille qui est si favorable, quoi qu'on en dise, à l'esprit de cité » (Portalis). Ce seront, bien sûr, les pères qui seront les gouverneurs de la « petite patrie » qu'est la famille, et, comme tels, membres actifs du tout « souverain » qu'est la Patrie.

Ainsi, pourrait-on dire, le culte de la paternité si frappant à la fin du XVIIIe siècle exprime-t-il une transcendance qui semble nécessaire à l'émergence de la démocratie. Il ne s'agit plus du culte de la royauté, donc du Père de la Nation par droit divin. Mais du culte de l'autorité naturelle bienveillante de tous les citoyens qui donnent la vie à des enfants et veillent sur eux. Culte du patriarcat, oui, mais d'un père aimant et tolérant, qui exerce son magistère dans l'esprit nécessaire à la régénération des mœurs, altérées par le despotisme. Les vertus, seules, donnent le droit à l'autorité paternelle (Berlier). Les pères ne doivent pas abuser de leur pouvoir sur leurs enfants, sinon ils reproduiraient « le despotisme qui ne voyait dans les nations que ses troupeaux » (Creusé de La Touche).

Nombreux étaient, au commencement de la Révolution, les esprits sensibles et les cœurs généreux qui pensaient de la sorte. « Dans le régime de l'égalité et de la liberté, il faut réduire à de justes bornes la puissance paternelle » (Oudot). Les grandes idées du jour s'accordaient mal avec le principe hiérarchique qui fondait la famille et faisait du père un petit despote.

Il faut mettre de l'ordre et de l'égalité entre tous les pères

D'autant que l'opinion avait été indignée, au cours des années précédentes, par des affaires retentissantes d'abus de puissance paternelle – surtout par celle du tonitruant Mirabeau fils, le futur tribun, envoyé à plusieurs reprises en prison, bien qu'adulte et marié, par son inflexible père, Mirabeau « l'Ami des Hommes » (!). Provençal, le père pouvait invoquer le droit (romain) écrit qui lui donnait autorité totale sur ses enfants, lui permettant de mettre la main sur leurs biens et de les déshériter, comme de les faire enfermer jusqu'à n'importe quel âge.

En réalité, ce droit exorbitant ne s'appliquait pas à tout le pays. Dans la plupart des régions, on ne connaissait que la coutume, qui ne mettait pas les enfants sous la dépendance totale du père. Mais la disparité même des dispositions semblait ajouter à l'arbitraire. Il fallait mettre de l'ordre et de l'égalité entre tous les citoyens, où qu'ils habitent, qu'ils soient nobles ou non, riches ou pauvres. Ces matières familiales touchent tout le monde. C'est pourquoi, très vite, la Constituante décida la rédaction d'un Code civil dans un but d'unification et d'équité.

Mais, malgré leurs généreuses dispositions et leur enthousiasme, les députés n'imitent pas les nobles qui ont d'eux-mêmes renoncé à leurs privilèges hérités d'un régime honni : il n'y a pas de nuit du 4 Août de la puissance paternelle ou maritale. On demande seulement aux juristes un projet qui « régénère » la société civile. On n'envisage pas une seconde de détrôner le « magistrat domestique » qu'est le père selon « la loi naturelle ». « En rédigeant le nouveau Code que nous venons vous offrir, déclare Cambacérès, auteur du premier projet, loin de nous d'avoir inventé une théorie ou un système. Un système! Nous n'en avons point, persuadés que toutes les sciences ont leurs chimères, la Nature est le seul oracle que nous ayions interrogé. Heureux, cent fois heureux, le retour filial vers cette commune mère [1]! »

Il ne faut pas être injuste : un grand souci d'égalité se manifesta durant les longues années troublées où différentes commissions, différents juristes – mais toujours l'inévitable Cambacérès – firent et défirent des projets de Code civil; une recherche vers plus d'égalité entre les sexes, entre le mari et la femme, entre le père et la mère; plus d'égalité entre les générations, entre les enfants et leurs parents; plus d'égalité entre les enfants, – non seulement entre l'aîné et les autres, les garçons et les filles, mais aussi entre les enfants nés dans le mariage et les enfants nés hors mariage, les bâtards. Mais ces tentatives sincères, ou bien ne connurent pas de commencement d'exécution à cause de la lenteur désespérante avec laquelle les différentes assemblées examinèrent puis abandonnèrent les projets, ou bien furent administrées à une population mal préparée qui les comprit mal (par exemple la loi sur les enfants hors mariage du 6 janvier 1794), ou bien furent remises en cause par leurs auteurs eux-mêmes quelques années plus tard, parce que l'esprit du temps et la réalité politique du moment avaient changé.

Aventures et avatars des projets de Code civil

Comme un vieux film accentuant la démarche saccadée des acteurs, voici, en accéléré, les avatars du Code civil,

1. *Recueil complet des travaux préparatoires du Code civil*, par P.-A. Fenet, 1836, tome I, pp. 10-11.

qui devait être la gloire, le « palladium [1] » de la République :

5 juillet 1790 : « Les lois civiles seront revues et réformées par les législateurs, et il sera fait un Code général de lois simples, claires », déclare la Constituante. Rien n'a été fait quand la Législative lui succède. Celle-ci, en octobre 1791, invite les citoyens à faire connaître leurs idées sur ce que devrait être le Code. Lorsque la Convention vient au pouvoir, elle rappelle, dans la Constitution de juin 1793, que « le Code de lois civiles sera le même pour toute la République ». Voilà que le rythme s'accélère, et ordre est donné au comité de législation de présenter un projet de Code civil *un mois plus tard...* ! Pari tenu ! Le 9 août 1793, Cambacérès lit les 695 articles dont il est l'auteur, aussitôt imprimés et distribués pour discussion. Parmi eux, la laïcisation du mariage (instaurée en 1792) et les dispositions sur le divorce également. Et des nouveautés, comme l'administration commune des biens des époux, la réduction de la puissance paternelle, l'assimilation des enfants naturels aux légitimes pour les successions. Six jours plus tard, envoyé à des « philosophes » chargés de l'épurer de restes de préjugés, le projet est enterré. Cependant, la loi sur les enfants naturels passe (2 novembre 1793) avec effet rétroactif. (Elle ne s'applique qu'à une catégorie privilégiée d'enfants hors mariage : ceux que leur père a reconnus. Les autres? Attention! il ne faut pas « léser l'ordre social » (Berlier). La reconnaissance doit être un acte volontaire du père. Elle ne peut lui être arrachée par une recherche en paternité. La Nature n'a-t-elle pas « jeté sur la conception un voile impénétrable »? Même hors de l'engagement marital, seule la volonté paternelle peut faire « exister » l'enfant... On voit que l'égalité connaît des limites.

Un an plus tard, le 9 septembre 1794, apparaît un nouveau projet de Code. En fait, il est du même Cambacérès,

1. *Ibid.*, p. 12, par Jean BART, « Il sera fait un code de lois civiles communes à tout le royaume », *La Famille, la Loi, l'État, op. cit.*, pp. 261-273.

qui a raccourci ses propositions (297 articles seulement) mais préservé les avancées égalitaires chères aux Robespierristes. Las! quand vient le jour de le présenter à la Convention, Thermidor vient de se produire, Robespierre a été guillotiné. Cambacérès jette un voile prudent sur tout ce que son texte contient de trop égalitaire. Discussion remise *sine die*... Une nouvelle Constitution délègue au Conseil des Cinq-Cents l'initiative législative, et la commission adéquate nomme... qui donc? Cambacérès! pour présenter un troisième projet de Code civil. Cette fois, son texte est beaucoup plus copieux (1 104 articles) mais surtout beaucoup plus prudent. De plus, son auteur lui-même laisse entendre qu'il est urgent d'attendre – les temps sont si incertains... Nous sommes en février 1797. Pendant plus de deux ans, le troisième projet de Cambacérès va d'une commission bavarde à un placard discret. Il allait être examiné, il était inscrit à l'ordre du jour à l'automne 1799, mais voilà que Bonaparte s'empare du pouvoir. Le nouveau ministre de la Justice, qui n'est autre que Cambacérès, prie Jacqueminot de rédiger un quatrième projet, lequel ne contient plus certaines dispositions qui avaient pourtant été votées comme lois durant la période révolutionnaire. Ce sera, ce quatrième projet, le canevas sur lequel vont travailler les quatre auteurs du Code Napoléon.

La « loi naturelle » a décidément bon dos

A titre d'exemple des avatars subis par une disposition, considérons l'égalité des époux dans l'administration des biens du ménage : dans le projet n° 1, elle est affirmée sans condition; dans le projet n° 2, avec possibilités de dérogation; dans le projet n° 3, il n'y a plus trace de l'égalité des époux, seul le mari administre les biens du ménage, mais il ne peut aliéner les biens propres de sa femme sans son consentement; dans le projet n° 4, une seule petite phrase concise : « Le mari administre seul les biens de la communauté. »

Telle quelle, la petite phrase deviendra l'article 1 421 du Code civil, dit Code Napoléon. Imperturbable, Cambacérès justifie à nouveau cette disposition par « la loi naturelle ». Ou plutôt, est-ce un détail?, il parle désormais de « l'ordre naturel » : « Quoique l'égalité doive servir de régulateur dans tous les actes de l'organisation sociale, ce n'est pas s'en écarter que de maintenir l'ordre naturel, et de prévenir ainsi les débats qui détruiraient les charmes de la vie domestique... »

« Les charmes de la vie domestique », pour Cambacérès dont nul n'ignorait alors les mœurs et le goût pour l'amour grec (on disait à l'époque qu'il avait « le petit défaut »), c'est une justification pleine d'humour. La Nature a bon dos, est-on tenté de penser. Les idées politiques changent et, chaque fois qu'une faction triomphe d'une autre, on change d'idées sur la place du père dans la famille, en justifiant chaque fois les nouvelles idées par une référence à la « loi naturelle » ou à « l'ordre naturel ». Elle finit par n'avoir plus aucun sens.

C'est en tout cas l'analyse d'historiens et juristes d'aujourd'hui qui, à l'occasion du bicentenaire de la Révolution, ont recherché les débats qui avaient précédé l'adoption de diverses lois révolutionnaires (divorce, droits des bâtards, réduction de la puissance paternelle) par la suite oubliées, et les débats qui avaient suivi la présentation des différents projets de Code civil non adoptés. Tous ont été frappés par les « avancées » égalitaires de lois révolutionnaires et des projets n° 2 et n° 3 de Code civil présentés par Cambacérès. Ils justifient ce terme d' « avancées » par le cours de l'Histoire : en avance sur leur temps, ces idées triompheront plus tard. Après le « recul » que représente à leurs yeux le Code Napoléon, qui se fonde sur des positions beaucoup plus masculinistes et patriarcales, l'esprit soufflera de nouveau vers l'égalité. De nos jours, les dispositions civiles ne gardent plus trace de la suprématie paternelle.

Est-ce à dire, comme l'expliquait déjà Philippe

Sagnac[1] que, jusqu'à l'an III, l'esprit philosophique domine, alors qu'ensuite, l'esprit juridique s'affirme, qu'on passe de l'amour de l'égalité à la recherche de l'ordre? Est-ce à dire que la cause profonde de ces revirements est politique? Que le sort réservé à la puissance paternelle, à l'administration des biens de la famille, aux enfants hors mariage et aux enfants légitimes, au divorce ou à l'adoption ait été étroitement lié aux séquences du pouvoir politique, à la puissance des Conventionnels, puis à leur chute, au coup d'État de Bonaparte triomphant des Cinq-Cents? Il y aurait eu un droit civil progressiste et égalitaire de la République, et un droit civil réactionnaire et inégalitaire dès que s'effondre la République et que s'installe un pouvoir autoritaire. Auquel cas, on serait autorisé à voir une relation subtile entre la figure paternelle et l'incarnation du pouvoir politique par le César, entre le pouvoir du père dans la « petite patrie » qu'est la famille et le pouvoir du chef dans la grande patrie qu'est la Nation. Le patriarcat – qui avait vacillé après la mort du Roi – serait consubstantiel à la société holiste – qu'elle soit royaliste, impérialiste ou dictatoriale. L'égalité entre les sexes et l'individualisation des droits des enfants seraient consubstantielles à la démocratie.

Quant à la sempiternelle référence à la loi naturelle de tous les Cambacérès de tous les avatars de Codes civils, à l'époque ce ne serait rien de plus qu'une mode, une caution philosophique obligatoire et sans signification, une clause de style.

Un contenu « masculiniste » qui traverse tous les régimes

Une aussi séduisante opposition conforte nos opinions politiques de démocrates modernes. Que nous soyons de

1. Ph. Sagnac, *La Législation civile de la Révolution française 1789-1804, Essai d'histoire sociale,* Paris, 1898, réimpr. Genève, 1979.

droite ou de gauche, nous y adhérons spontanément. Pour tous, désormais, sans hésitation, l'égalité ou l'équité pour les femmes est ressentie comme un irréversible progrès, et la défense du père tout-puissant comme un ridicule désuet sorti du bric-à-brac réactionnaire le plus dépassé. L'histoire politique en a apporté la preuve. Point n'est besoin d'évoquer la loi naturelle et ses ambiguïtés.

Les choses ne sont peut-être pas aussi simples. Pour l'intelligence de ce qui va suivre, c'est-à-dire pour mieux comprendre la perte en statut et en rôle des pères durant la seconde partie du XXe siècle, mieux vaut ne pas se contenter de ce qui paraît évident et le soumettre à la critique.

Tout d'abord, les régimes politiques et les principes qui les inspirent sont-ils si déterminants pour la définition du statut civil des personnes et pour les lois régissant la famille que celles-ci suivent les fluctuations de ceux-là? Comment alors expliquer la pérennité du Code Napoléon? Il a été adopté par maints pays d'Europe et d'Amérique du Sud qui ont connu bien des régimes politiques différents – dont le régime démocratique. Or ils n'ont pas changé leurs lois civiles à chaque aléa politique. En France, le Code Napoléon a été conservé sans changement pendant près de cent ans, alors que se sont succédé à la tête du pays deux rois, une révolution, un roi, une révolution, une république, un empire, une république... Un ensemble aussi cohérent que le Code civil aurait-il résisté si longtemps s'il n'était fondé que sur des principes politiques?

Et puis, il faudrait tout de même doucher certains enthousiasmes qui s'emballent pour l'égalitarisme des révolutionnaires et plus particulièrement des conventionnels. Qui s'oppose à l'administration des biens du ménage par mari et femme, au prétexte que la femme est généralement incapable d'administrer? Thuriot, membre du Comité de Salut public, qui vota la mort du roi et accusa Robespierre de « modérantisme ». Qui interdit aux femmes non seulement de participer à la vie politique mais également d'assister en spectatrices aux assemblées politiques, de s'associer, de former des clubs, de « se réunir à plus de cinq »? La Convention. Qui tonne contre les femmes, « ces êtres dégradés qui veulent franchir et *violer les lois de la Nature.* [...] Depuis quand leur est-il permis d'abjurer leur sexe et de se faire hommes? » C'est Pierre Gaspard Chaumette, celui qui fit fermer toutes les églises de Paris, qui fit proscrire les girondins et prit grande part à l'instauration de la Terreur. Quant à Amar, rapporteur devant le Comité de Sûreté générale, à la demande de Robespierre, il explique que « les femmes ne sont point appelées *dans l'ordre actuel des choses* et *par l'organisation* [physique] *qui leur est propre* [...] à remplir les emplois et les occupations auxquels les hommes sont *destinés* [1].

« *Par nature, l'homme est poussé par un attrait invincible à la reproduction* »

Non, la référence à la Nature, la quête de l'ordre naturel des choses n'est pas une mode : c'est une obsession. Elle est partagée par les révolutionnaires partisans de l'égalité économique comme par les modérés qui n'en demandent pas tant. Elle est fondamentale. Les uns et les autres cherchent le point d'ancrage pour leurs lois. Ce ne peut être le mariage, qui est, laïque ou religieux, une union sociale. Ils cherchent dans la nature biologique. « L'anatomie est un destin », conclut Napoléon.

Il est vrai que certains esprits, tel Condorcet, ne trouvent pas dans l'anatomie féminine, ni dans sa physiologie, quoi que ce soit qui la condamne à n'être pas maîtresse de ses biens, ni administratrice de son ménage, ni

1. Evelyne SULLEROT, *La Presse féminine des origines à 1848*, 1964, p. 65.

éducatrice de ses enfants [1] : « Je demande qu'on me montre chez les hommes et les femmes une différence naturelle qui puisse légitimement fonder l'exclusion d'un droit. » Mais ils sont rares.

L'écrasante majorité se retrouve pour trouver l'homme « différent » dans son destin biologique et social, et dans son attitude vis-à-vis de la génération. On le trouve plus libre et donc plus responsable. « Dans le grand livre de la raison », « le Code des Nations » que constitue la loi de la Nature, l'homme apparaît d'abord comme mû par un instinct très fort, « poussé par un attrait invincible vers la reproduction », dit-on. Ensuite, il est regardé, à l'époque, comme un être doté du pouvoir de forger son destin ici-bas, au contraire de la femme que l'on ressent comme faible, sensible, incapable de « se diriger avec sûreté ». A cause de cette liberté de sa volonté, l'homme est ressenti comme celui qui, par nature, détient l'initiative et a le rôle actif dans la génération. Le langage rend bien cette opposition qui dit de la femme qu'elle « porte » un enfant, qu'elle « a » un enfant; d'un homme qu'il « fait » un enfant. L'expression toujours employée de nos jours : « Il lui a fait un enfant » exprime la conviction profonde que la fécondité de la femme est passive, celle de l'homme est active.

Parce qu'on considérait que l'homme « faisait » les enfants génétiquement, on trouvait logique que ce fût également lui qui les fît socialement : il leur donne son nom, ils font partie de « sa » famille, dont il est le chef. Conférer son identité sociale à un enfant semblait chose si importante qu'elle devait avoir tous les caractères de la certitude et de la durée. Or, à l'époque, le mystère dont la Nature avait recouvert la paternité génétique n'était pas levé. *Mater certa est*, la mère, elle, est certaine : on peut

1. Il faudra attendre le XIXe siècle pour qu'apparaissent les institutrices, les éducatrices, pour que les mères conquièrent le droit d'éduquer leurs enfants. Madame d'Épinay, comme bien d'autres, se lamentait de ne pouvoir rien décider concernant l'éducation de son fils : c'était l'affaire des pères. Dans les couvents de jeunes filles, l'enseignement était donné par des hommes.

constater à la naissance qu'un vrai cordon de vie relie encore le nouveau-né à l'accouchée. Il fallait créer une certitude aussi incontestable pour lier l'enfant à son père. Ce fut le mariage, d'invention certainement masculine et patriarcale, qui fut créé à cet effet, depuis la plus haute antiquité.

Nos ancêtres royalistes, républicains ou bonapartistes n'ont eu qu'à le rappeler : « *L'objet principal du mariage* et de ses solennités, *c'est qu'il* se forme entre l'homme et la femme un lien d'attachement qui, excluant la pluralité des conjonctions avec une femme, *établisse la paternité* », redit Robin le 20 septembre 1792. C'est clair. Et Portalis : « La loi veut que le mariage indique le père. » C'est le fameux adage : *Pater is est quem nuptiae demonstrant* – celui-là est le père que désignent les noces –, le père, c'est le mari. Le mari est le père.

Assurer la paternité sociale par le mariage

Pater is est... Le voilà, cet adage célèbre et tant de fois répété ! Le père, c'est le mari ! Il me semble que, de nos jours, on lui donne un sens extensif et une importance exagérée. A entendre nombre de juristes, sociologues et psychologues, il faudrait y voir la preuve que la paternité a toujours été, et était encore à la Révolution et lorsque s'élabora le Code civil, une affaire sociale et non point un lien biologique. La paternité, prétendent-ils, a bien peu à voir avec la génétique et beaucoup avec la société. C'est une adoption filiale masculine, bien davantage qu'un engendrement. Je reviendrai sur ces arguments et les conséquences que ceux qui les avancent en tirent, s'agissant de la situation actuelle. Mais, *hic et nunc*, parce que j'ai souhaité étudier ce qu'était la paternité au temps de la Révolution et du Code civil pour savoir « d'où nous venons » avant de chercher à comprendre « vers quoi nous allons », il me semble nécessaire de ramener à de plus justes proportions le fameux *Pater is est...*

Faire du mari le père « certain » juridiquement était une solution élégante pour créer les conditions qui réduisaient les risques de l'incertitude biologique. Cela ne faisait que souligner l'importance capitale accordée à la filiation génétique. Puisque tout mari s'engage, par avance, à être le père devant la loi des enfants qui naîtront de son union, l'adultère de la femme mariée sera considéré comme « infiniment plus contraire au bon ordre de la société ». Ou, comme dit Portalis, pourtant grand chantre du mariage comme union « dont la volonté des époux fait la substance » : « Le mari et la femme doivent incontestablement être fidèles à la foi promise, mais l'infidélité de la femme suppose plus de corruption et des effets plus dangereux que celle du mari [1]. »

Le Code pénal prévoira pour son « délit » des peines infiniment plus lourdes et infamantes que pour le mari adultère. Lui, il peut courir sans grand danger. Son épouse n'aura que ses yeux pour pleurer. Elle n'est autorisée à dénoncer son mari devant la justice que « s'il entretient une concubine dans la maison commune » – et encore faudra-t-il que la malheureuse épouse parvienne à fournir de cet état de choses nécessairement vague des preuves recevables par le tribunal. Le tribunal a tout prévu pour qu'elle ne puisse à peu près jamais les réunir.

Tout mari est un juge conjugal, qui sera excusé s'il punit de sa main

L'autre homme, l'amant, le « complice » de la femme, comme le désigne le Code pénal qui souligne ainsi qu'elle est le principal auteur du forfait (!), lui, il s'en tirera avec une amende. La femme adultère ne paiera point d'amende, car ce serait son mari cocu, seul administrateur des biens du ménage, qui devrait la payer. Les juristes, pouvant être eux-mêmes des maris trompés, ont tout

1. PORTALIS, RÉAL et GALLI, *Motifs du Code Napoléon,* titre « Du divorce », Paris, 1803.

prévu. L'épouse adultère ira en prison – si son mari, qui a entamé les poursuites, ne les arrête pas lui-même. Même si la femme a été jugée et condamnée, le mari peut annuler la procédure. C'est un cas unique qui contrevient au principe de l'autorité de la chose jugée : tout mari est une sorte de juge conjugal, qui peut dénoncer sa femme, annuler les poursuites; ou l'envoyer au pénal et admettre le jugement; ou, lui-même, remettre le délit et annuler le jugement, s'il lui paraît que procès ou emprisonnement de son épouse risqueraient de lui causer plus de tort que de satisfaction de se savoir vengé. Les commentaires sur cette curieuse disposition expliquent qu'il faut lever tous les obstacles qui empêcheraient la réconciliation et « provoquer l'indulgence du mari ». Bien entendu, l'épouse n'a pas les mêmes prérogatives, elle n'est pas un juge privé, et si elle lance une action contre son mari, elle ne peut la suspendre. Comme elle la perdra...

Le mariage doit offrir au mari les conditions les meilleures pour qu'il soit assuré que son enfant est bien le sien génétiquement. La justice est là pour l'aider à menacer et à punir les femmes imprudentes. Elle va plus loin encore dans la reconnaissance du pouvoir quasi absolu des maris : l'article 324 alinéa 2 du Code pénal de 1810 estime « excusable » le meurtre commis par un époux sur son épouse et/ou sur son « complice » s'il les surprend en flagrant délit au domicile conjugal. C'est l'iniquité absolue entre homme et femme, c'est l'iniquité absolue à laquelle peut conduire le patriarcat absolu. Voilà à quelles extrémités a pu conduire le désir des hommes de « contrôler » la fécondité des femmes, et de s'assurer de leur progéniture.

Il faut bien convenir également que ces dispositions, qui remontent à la plus haute antiquité (méditerranéenne – bien qu'il en existât de semblables en Inde, en Chine ou au Japon, etc.) ne font aucune référence à la religion. Ce n'est pas le péché de chair qui est ici si férocement interdit. Non plus que la sexualité féminine libre : l'amant jaloux n'a pas le droit de tuer et n'est pas « excusable » s'il le fait. Non, ce que ces lois se proposaient de protéger, ce qu'elles ont effectivement protégé aussi longtemps qu'elles ont été appliquées (dans des cas, il faut en convenir, assez rares), c'est la génération du mari, c'est la propriété du père, son sang, sa postérité.

« L'affection et les soins du père sont attachés à la certitude de sa paternité »

C'est dire qu'il y tenait. Nier « l'instinct paternel » est la chose la plus aisée du monde. Mais cela n'affaiblit en rien *l'investissement profond que les hommes ont fait dans la paternité depuis des millénaires, dans leur paternité génétique.* Les plus simples, dans les campagnes, ne savaient qu'inventer pour introduire le père dans le mystère de la naissance. A l'époque où s'élaboraient les Codes civil et pénal post-révolutionnaires, « l'idée que se faisaient les vieilles sociétés rurales des origines de la vie conduisait logiquement à un rituel de reconnaissance du père [1] ».

Le plus connu est la couvade, surtout pratiquée chez les Basques et Béarnais, mais dont on retrouve des traces en Gascogne et en Limousin. Le père prend la place de l'accouchée dans le lit, il gémit, il se tord, il mime les douleurs de l'enfantement que la mère a traversées. Puis on lui donne le nouveau-né, qu'il se met à dorloter et, comme l'écrit Jacques Gélis, « à paterner ». Les psychanalystes ont exercé leur imagination interprétative sur cette pratique. Les sociologues, plus simplement, y ont vu avec bon sens un simulacre solennel d'avoir lui-même enfanté auquel se prête le père afin « de reconnaître et adopter publiquement et mystiquement » son rejeton [2]. Dans les campagnes françaises où la couvade avait disparu, on se servait encore, au début du XIXe siècle, des vêtements du père pour, en quelque sorte, consacrer sa paternité. En Normandie, on appliquait sa chemise entre les jambes de

1. Jacques GÉLIS, *L'Arbre et le fruit, la naissance dans l'Occident moderne, XVIe à XIXe siècle,* Fayard, 1984, p. 103.
2. Gaston BOUTHOUL, *Traité de sociologie*, Paris, 1946, p. 294.

l'accouchée. Dans la région de Toulouse, c'était son bonnet de nuit. En Bourgogne, au pays de Montbéliard, on enveloppait le nouveau-né avec la chemise du père [1].

Rien ne permet mieux de mesurer la force de l'investissement des hommes dans la paternité « de sang » que les débats qui se déroulèrent dans les assemblées révolutionnaires et au Conseil préparant le Code Napoléon sur la légitimation des bâtards, sur l'adoption, enfin sur la puissance paternelle.

Ne serait-ce que par réaction contre l'Ancien Régime qui faisait des bâtards des parias sans existence civile, nos révolutionnaires furent pleins de bons sentiments à l'endroit de ces pauvres fruits de la généreuse mère Nature. Dès juillet 1790, on demande pour eux que la mère puisse les légitimer (afin qu'ils puissent recueillir la succession de leurs ascendants maternels) et leur père également s'il y consent. Le 4 juin 1793 est votée la fameuse loi qui permet la légitimation des bâtards, toujours à la condition que ce soit la volonté exprimée de leur père. Oudot, qui voulait voir également reconnus les enfants adultérins et les enfants incestueux, explique fort clairement ce qui motive et limite les reconnaissances paternelles : pour qu'une légitimation soit un bienfait pour l'enfant, il faut qu'elle s'accompagne d'amour, or *« l'affection et les soins du père sont attachés à la certitude de sa paternité* [2] ». Un père ne peut aimer qu'un enfant « de lui ».

La reconnaissance de l'enfant sera donc une décision du père, seul juge de « la certitude de sa propre paternité » ; et elle doit être corroborée par « l'aveu » de la mère. (Nous verrons qu'aujourd'hui, en France mais surtout en Belgique ou en Angleterre, la situation est tout simplement inversée !) De telles dispositions laissaient toute latitude à l'homme de ne pas reconnaître des enfants dont il était

1. Différentes sources folkloristes citées par A. VAN GENNEP, *op. cit.*, tome I, p. 121.
2. OUDOT, 9 août 1793, Essai sur les principes de la législation des mariages privés et solennels, du divorce et de l'adoption, Archives parlementaires, t. 70, ann. 15.

bien certain d'être le père mais dont il ne voulait pas se charger. Tout au contraire, la femme engrossée et abandonnée n'avait nul recours, toute recherche en paternité lui étant interdite [1]. Elle le restera pour le Code civil, dont les rédacteurs redoutaient les attaques « d'une femme impudente ou d'enfants qui lui sont étrangers » pour « l'homme dont la conduite est la plus pure », pour « celui même dont les cheveux ont blanchi dans l'exercice de toutes les vertus [2] »!

« Le sang de mon sang, les os de mes os »

L'adoption n'était pas une idée neuve : au contraire, l'exemple romain fut à son propos cité maintes fois. Mais c'était une idée « sociale » : n'allait-elle pas contre la loi naturelle? Oui, elle permettrait de secourir des enfants malheureux; oui, elle permettrait de construire une famille nouvelle en même temps que l'on créait une société nouvelle; oui, elle permettrait de diviser les grandes fortunes : « Les hommes se rapprocheront de plus en plus, ils s'entre-secoureront, ils seront d'autant plus heureux [3]. »

Il n'est point question du tout du désir d'enfant des femmes stériles. Pas un instant. L'adoption qui est envisagée, et retenue, fait entrer un enfant orphelin dans une famille qui ne lui est rien par le sang. C'est le chef de famille, l'homme, qui adopte. De la mère adoptive, de ses sentiments ou de son rôle, on ne souffle mot. L'éducation était l'affaire des pères, qui assuraient également leur succession. On s'étend donc longuement sur cette nouveauté proposée : le père adoptif. Soit, on convient qu'il sauvera

1. La recherche en paternité était une des revendications de la Déclaration des droits de la femme d'Olympe de Gouges en 1791.

2. Bigot de Préameneu, Présentation au Corps Législatif et exposé des motifs du Code civil, 23 mars 1803, cité par Florence Boudouard et Laurence Bellivier, *op. cit.*

3. Azéma, dans FENET, *Recueil complet des travaux préparatoires du Code civil, op. cit.*

un enfant de la pauvreté. Mais n'y a-t-il pas mille moyens de faire du bien à un enfant et d'assurer son avenir sans se prétendre son père devant la loi? Pourquoi laisser entendre que la paternité peut se résumer à une disposition de la volonté secondée par un cœur charitable?

La « vraie » paternité, c'est tout de même autre chose, qu'on ne saurait « copier », s'écrie Maleville, l'un des quatre auteurs du Code civil : « Croit-on que ce titre de père donné par la loi mais tacitement désavoué par la Nature suffise pour transmettre avec lui tous les sentiments de la paternité? » Et il donne deux exemples de ces sentiments qui ne peuvent être « imités ». Le premier a trait au lien charnel, celui qui crée une continuité vitale, qui fait que le père sur-vit dans ses enfants, qu'il se reproduit : « Un homme peut dire, en voyant son véritable enfant : voilà le sang de mon sang et les os de mes os! » Aucun enfant étranger ne peut donner ce sentiment d'avoir quelque peu vaincu la mort. Le second exemple évoque la tendresse et l'indulgence qu'éprouve le cœur du père pour son « véritable » enfant : « Cette miséricorde inépuisable qui me fait oublier tous ses écarts à la première apparence de retour, l'aurais-je pour un fils adoptif qui tromperait mes espérances? » Maleville poursuit en expliquant que les plus « trompés » seraient les enfants adoptés. Car si le père adoptif se trouve devenir biologiquement père plus tard : « Les sentiments pour l'enfant de la Nature étoufferont toute affection pour l'enfant de la nécessité. »

De nos jours, de tels propos seraient considérés comme profondément choquants. Ils étaient pourtant sincères et reflétaient bien le sentiment de paternité tel qu'il était vécu à l'époque : un sentiment vif, charnel, instinctif. Ces propos laissèrent perplexe Bonaparte. Joséphine ne parvenait pas à avoir d'enfant, depuis leur mariage. Il songeait à adopter son beau-fils Eugène de Beauharnais ou un de ses neveux, afin de « faire souche ». Rêveur, alors, et inspiré, il convint que l'adoption « est une fiction qui singe la Nature ». Aussi proposa-t-il d'en faire une sorte de « sacrement politique » qui serait conféré par une très haute autorité de l'État, « comme un grand pontife de la France, image de la toute-puissance de Dieu » pour frapper l'imagination de l'adoptant et de l'adopté : « Les hommes ne se meuvent que par l'âme », conclut-il. Cependant, il ne fut pas suivi. Quant à lui, il n'adopta ni Eugène ni un autre, divorça, et quand il eut un fils « de ses œuvres », il fut fou de fierté. Il en parlait à tout le monde. Il avait l'âme touchée, profondément.

Puissance paternelle ou autorité d'affection

Les débats sur la notion juridique de « puissance paternelle » – sa justification? ses limites? – éclairent également l'idée qu'on avait alors du sentiment qui accompagnait la paternité génétique. « Dans la conception révolutionnaire, la loi est l'instrument du bonheur social et la régénération des mœurs [1]. » Aussi, dans un premier temps, on se montre choqué par cette notion de « puissance » : on n'a pas libéré l'homme dans la vie publique pour assujettir les enfants dans la vie privée! « La puissance paternelle est abolie! » demande Berlier. « Qu'on ne me parle plus de puissance paternelle! » renchérit Cambacérès. Ce qu'il faut, c'est de l'amour. Ce que le père prodigue à l'enfant, c'est un « soutien tutélaire », une « tendre protection ». La seule chose nécessaire, c'est une « autorité d'affection ». Alors, les enfants auront en retour pour leur père « cette franche amitié, cette douce reconnaissance plus fortes et moins fugitives qu'une autorité qui ne trouverait sa garantie que dans un Code » (Berlier). Alors, on observera une « douce co-relation de devoirs » pour laquelle le mot de « puissance » apparaît « bien trop fastueux » et hors de proportion avec le but recherché (Boulay). Berlier propose l'expression « autorité des pères et mères »... qui sera retenue en 1970!

On ratiocine sur la « puissance paternelle ». On

1. Pierre MURAT, *op. cit.*, p. 391.

reconnaît que c'est là « le mot reçu » (des Romains) dont on a l'habitude. On décide que les enfants majeurs y échapperont. On institue des « tribunaux domestiques » pour se substituer à la seule autorité du père : ils donnèrent des résultats déplorables, répandant la zizanie dans des villages entiers, ou ils ne fonctionnèrent pas. Au moment de trancher, pour la rédaction du Code civil, on en revint à la « puissance paternelle », atténuée en plusieurs de ses dispositions par rapport à l'Ancien Régime. Mais, surtout, pensait-on, bornée par la « tendresse paternelle », cette « donnée naturelle » qui gardera le père de tout abus. Autant, de nos jours, ainsi que nous le verrons, on peut trouver dans les prétoires et dans les médias maints exemples des préjugés contre les pères, autant, au début du XIXe siècle, nos lois furent faites dans un grand acte de confiance dans l'amour paternel. Portalis dira : « La puissance des pères n'est-elle pas éclairée par leur tendresse? [...] La loi peut sans inquiétude s'en rapporter à la Nature. » La loi, c'est l'autorité. La Nature, c'est l'amour, garde-fou de la « puissance ». Celui qui abuserait de sa « puissance » sans tendresse serait un père dé-naturé.

CHAPITRE IV

Deux décennies d'effacement des pères : 1965-1985, un bouleversement démographique

Ainsi, voilà d'où nous venons. Ce détour par l'Histoire était indispensable pour mieux comprendre le présent et tenter d'imaginer l'avenir. Tout d'abord, il permet d'apprécier la rapidité et l'ampleur des évolutions auxquelles nous avons assisté en cette fin du XXe siècle : les faits démographiques qui dessinent les formes de la famille et déterminent la place que tient le père ont bougé plus et plus vite en vingt ans, singulièrement de 1965 à 1985, qu'ils ne l'avaient fait durant plus d'un siècle et demi, après l'adoption du Code civil.

D'abord, un renversement de l'idéologie patriarcale

Mais surtout, cette courte plongée dans l'Histoire, à un moment où les hommes repensaient la société et refaisaient le monde (ou du moins en étaient persuadés), permet de mesurer le changement des mentalités intervenu depuis, qu'il s'agisse des opinions sur la famille, des idées sur les hommes, les femmes, les enfants, leurs droits et leurs devoirs. On pourrait presque parler d'un renversement complet de la manière de concevoir et de sentir la paternité. L'attendrissement et le respect admiratif que suscite l'image du père ou l'évocation du père; les arguments échangés par les politiques et par les juristes qui cherchaient à lui donner un statut – une stature, plutôt! – dans la vie familiale et civile : tout cela nous apparaît aujourd'hui comme pétri d'idéologie. L'idéologie en question est facile à identifier : c'est l'idéologie patriarcale, venue en droite ligne des Grecs et des Romains, atténuée quelque peu par une longue influence chrétienne, remise en cause par les ferments de l'esprit d'égalité qui souffla sur les droits de l'homme, mais tout de même triomphante.

Ce chapitre révolutionnaire et napoléonien a donc permis à chacun de vérifier combien nous sommes éloignés de cette idéologie. Une distance qui nous rend perspicaces : les épanchements lyriques du patriarcat nous font rire; son expression juridique et sociale nous indigne. C'est parce que nous sommes devenus étrangers à cette interprétation de la prétendue « loi naturelle » que nous en percevons les sophismes, les exagérations, les naïvetés, le ridicule, les mensonges – l'odieux.

Est-ce pour autant qu'aujourd'hui nous considérons la paternité d'une manière parfaitement réaliste et pertinente? Sûrement pas. Mais il est beaucoup plus difficile de percevoir les inflexions auxquelles nous plient les idéologies du présent, celles qui déterminent les jugements et les conduites, et poussent à changer les lois quand les mœurs ont trop changé.

D'autant plus difficile, en Occident, que nous sommes persuadés d'en avoir fini, sinon avec l'Histoire, du moins avec les idéologies. Tout le monde en convient, le XXe siècle a été dominé, déchiré par de grandes doctrines totalitaires qui avaient réponse à tout, contraignaient tout le monde, réclamaient l'engagement de chacun – ou éliminaient les déviants. Dieu merci! ces idéologies-là se sont effondrées. Outre leurs grands champs d'action politique et économique, elles se préoccupaient des conditions de reproduction des populations, des formes et des bornes de la famille, des rôles des hommes et des femmes dans la nation, de l'éducation des enfants destinés à devenir des citoyens d'un type nouveau, de la possession, gestion et transmission des biens des particuliers, etc., toutes questions qui concouraient à délimiter et définir la place et le rôle des pères dans la société : ils devaient être, ils ne devaient être que les roues de transmission de l'idéologie dominante. Rien de plus.

Toutes les sociétés autoritaires ont eu besoin, à toutes les époques, de ce relais hiérarchique que constitue le mari et père, le « chef de famille », qui a le pas sur sa femme et ses enfants. Même les sociétés organisées démocratiquement mais demeurées profondément « holistes », comme le Japon moderne, tout entier animé par un projet commun, conservent ce décalage inégalitaire en faveur du père.

Les lunettes idéologiques des démocraties individualistes

Après la chute du fascisme, du nazisme, du salazarisme, du franquisme, après l'effondrement du communisme à l'Est, nos sociétés démocratiques occidentales sont-elles indemnes de toute idéologie touchant à la famille et singulièrement à la paternité? Elles sont devenues non seulement démocratiques, mais de plus en plus individualistes, c'est-à-dire favorables à la liberté de tout individu, quels que soient son sexe, son âge, sa position dans la chaîne des familles. Ces sociétés ne peuvent qu'affaiblir peu à peu les tribus, les familles, les générations et leurs organisations internes pour promouvoir la liberté de chaque individu. En favorisant cette liberté individuelle, elles font progresser l'égalité entre les individus.

Davantage de liberté pour chacun, plus d'égalité entre le père, la mère, les enfants – est-ce à dire que nous voilà à l'abri des idéologies? Des idéologies politiques d'autorité, oui. Mais pas forcément des idéologies antisociales, et de leurs fortes influences dans la vie privée.

Nous avons à présent assez de recul pour reconnaître que divers mouvements dits de « libération », qui ont permis l'avènement de notre société plus individualiste et plus égalitaire, étaient eux-mêmes profondément idéologiques. Ainsi le sociologue Norbert Elias, individualiste raisonnable, qui a consacré sa vie à débusquer la réalité sociale dissimulée derrière les idéologies, tenait la méthode freudienne pour une approche « réaliste » – tel fut le qualificatif qu'il choisit. Or, qui ne convient aujourd'hui que la psychanalyse freudienne véhiculait une véritable idéologie pansexuelle assez peu « réaliste », dont les effets se font encore sentir, l'image paternelle ne s'en étant toujours pas remise?

Au fur et à mesure que s'éloigne dans le temps Mai 1968 qui « interdisait d'interdire » et écrivit sur les murs « A bas les pères! », ne discerne-t-on pas mieux que ce grand psychodrame adolescent, cherchant à briser les vieux modèles de la culture, de l'éducation, de l'autorité, de la famille, de la morale sexuelle, était l'expression d'une idéologie qui, du reste, n'a pas dit son dernier mot? Certes, la « pensée 68 » sur la politique et l'économie est morte et enterrée. On sourit même en découvrant *a posteriori* que ceux qui ont fait 1968 se sont crus collectivistes, alors qu'en réalité ils étaient les premiers militants de l'individualisme à l'état pur! Mais leur idéologie libertaire sexuelle, leur désir de se nicher dans le fossé des générations pour mieux dynamiter les vieux, les ministres, les profs et les parents, renverser leurs papas cul par-dessus tête – cette idéologie-là survit encore chez les quadragénaires aujourd'hui pères et souvent bien embarrassés ou même culpabilisés de l'être. Ils se défoulent en soutenant plutôt les femmes en toute occasion, et les homosexuels, et en étant le moins « pères » possible, des ectoplasmes de pères, des pères en pointillé.

Fortement idéologique également apparaît maintenant le néo-féminisme des années 70 débarqué d'Amérique et dirigé contre « les mecs » (il sévira plus tard en Italie, plus tard encore en Espagne). Idéologique, il le fut surtout dans la mesure où il ne fut pas tellement centré sur la juste recherche de l'égalité pour les femmes dans l'accès au savoir, au travail ou au pouvoir – mais sur une autocélébration narcissique qui se résumait par la revendication « Mon corps est à moi » dans son interprétation la plus extensive. Cette affirmation de la libre disposition de son corps par la femme, tout à fait légitime quand il s'agit de liberté sexuelle, englobait également la liberté de concevoir et la liberté d'interrompre une grossesse indésirée sans consultation du partenaire. A partir de ces données qui déjà bousculaient la paternité, le néo-féminisme alla plus loin. S'appropriant son corps, l'embryon et l'enfant, la femme en vint à prétendre s'approprier la parentalité, en marginalisant ou en niant le père.

Désormais, on voit poindre une nouvelle idéologie, construite à partir des prétendus droits de l'enfant. Non pas ceux solennellement reconnus par l'ONU, mais ceux que, seul, ouvrirait « l'amour ». Au nom de l'amour, on se dispute des enfants qui ne devraient plus aller qu'à celui qui parle le mieux de ses sentiments, au « mieux disant affectif », qu'il soit ou non le parent réel. Déjà, au nom de cette idéologie prétendument libératrice, on fait plaider en justice des enfants de quatre ans – qui choisit l'avocat? qui lui expose la situation? – et, comme par hasard, toujours contre leur père.

De la difficulté de désigner les victimes de l'idéologie dominante

Certes, les idéologies véhiculées par les sociétés individualistes font bien moins de victimes que les idéologies totalitaires. Mais ces victimes-là, enfouies qu'elles sont dans la forêt des bonnes intentions, sous le couvert des droits de l'homme, dans le maquis des libertés individuelles, courent le risque de ne pas se voir identifiées comme victimes, et victimes d'une idéologie, parce que le mécanisme de ladite idéologie n'est pas encore perceptible et donc bien difficile à démontrer. C'est sans doute le cas, aujourd'hui, des pères privés de leurs enfants.

Cependant, même si l'exercice est ardu et n'entraîne pas l'adhésion de l'opinion, toujours persuadée d'être équitable et même progressiste, c'est le devoir du sociologue de dépouiller les faits du présent des idéologies qui les maquillent. Je sais déjà que les médias se soucient assez peu du souci d'objectivité qui peut animer l'observateur scientifique. Lecteurs, auditeurs, téléspectateurs attendent des avis bien tranchés, surtout quand il s'agit de juger leurs propres manières de vivre, d'aimer, d'élever leurs enfants. Ils attendent tout particulièrement d'être confortés : non, ce qu'ils font n'est pas « mal », oui, ils sont dans le courant « moderne ». La plupart des journalistes chercheront donc vers quel « pour » et vers quel « contre » je penche, comme si tout sociologue devait être un militant, et me catalogueront. Comme je suis déjà enregistrée au catalogue « féministe », sans doute passerai-je dans la catégorie des « renégats », pour m'être mêlée de ce qui se passe du côté des hommes-pères.

D'autres, j'en suis sûre, comprendront que ce qui a changé ce n'est pas tant le militantisme de l'observatrice que l'idéologie dominante révélée par les faits. Voici trente ans, les victimes du système en place étaient les femmes, par millions. Il était aisé de dégager des faits en forme de preuves. Aujourd'hui, le moment me semble venu de s'intéresser aux millions d'enfants séparés de leur père, aux centaines de milliers d'enfants tout à fait privés de père. Qui peut nier un problème qui touche un si grand nombre d'individus, et un nombre en croissance rapide et continue?

Combien de pères? Nul ne peut le dire

Il faut donc compter. Dénombrer. Suivre, au cours des années récentes, la modification des données chiffrées qui caractérisent les familles : mariages, unions libres, naissances, reconnaissances par les pères et les mères, séparations, divorces, qui a la garde des enfants, qui vit avec qui... Nous voici au cœur de la démographie, science des grands nombres « qui cherche à percer les secrets de la vie, de la mort, de la procréation, des générations [1] ».

La démographie compte, pour donner à nos sociétés l'image la plus précise possible de la population qui les compose. Mais les comptes de la démographie dépendent des questions que se pose une société sur elle-même. En fait, depuis qu'ont commencé les premiers « dénombrements » des Hébreux dans le désert du Sinaï ou les « recensements » de César-Auguste « sur toute la terre », les sociétés n'ont compté que ceux qui comptaient à leurs yeux. Moïse ne dénombra que les mâles de plus de vingt ans. D'autres ont compté les soldats, les propriétaires contribuables, les « chefs de famille », etc. Pendant très longtemps, on n'a pas compté les femmes. Encore en 1986, lorsque l'Espagne rejoignit la Communauté économique européenne, les statistiques relatives aux femmes en emploi étaient si lacunaires qu'elles en étaient insignifiantes.

Les femmes, en France, et particulièrement les mères, sont très bien étudiées et suivies par nos démographes. Mais point du tout les pères. On ne peut pas dire combien d'hommes sont pères... Quel âge ont-ils? Combien d'enfants? Sont-ils mariés? Célibataires? Vivent-ils avec leurs enfants? A aucune de ces questions il n'est, aujourd'hui, possible de répondre. Les géniteurs n'intéressent pas les démographes, alors que des enquêtes poussées, sur d'énormes échantillons de femmes, permettent depuis des années de suivre la « carrière génésique » des mères, dont on sait combien se marient, leur âge à la première naissance, l'écart entre leurs enfants, et même la manière dont sont gardés les petits [2].

Comme j'avais demandé aux responsables du recensement d'inclure des hommes dans l' « Enquête famille » afin de chercher à mieux connaître la « carrière génésique » des pères, je m'étais entendu répondre qu'il y avait

1. Michel-Louis Lévy, *Déchiffrer la démographie*, Syros, 1990.
2. Grâce à « l'Enquête famille », couplée avec le recensement.

des questions, intéressant la « vie privée », qu'il n'était pas possible de poser, lors d'un recensement. Il était absolument exclu de demander aux femmes : « Qui est le père des enfants présents au foyer? » Mais, alors qu'on a demandé à 200 000 femmes de l' « Enquête famille » de donner le nombre et l'âge de leurs enfants, il paraît qu'il serait inconcevable de demander à 200 000 hommes combien ils ont d'enfants, car une telle question laisserait entendre que peut-être ils sont pères d'enfants qui ne sont pas dans le foyer visité... Et du reste, me répondaient en souriant les démographes, au regard de la reproduction de la population, les mâles ont si peu d'importance! Les femmes sont les régulatrices de la fécondité : on cherchera donc leur âge et leur « nombre moyen d'enfants » par tête – le très fameux indice de fécondité qui donne des dixièmes d'enfant après la virgule, celui dont on annonce solennellement s'il monte ou s'il descend. Mais il n'y a pas de rapport pertinent entre le nombre de géniteurs et le nombre de naissances dans une population. Donc, « ça ne compte pas » – et on ne compte pas les pères.

Un ministre de la Famille, qui se trouvait être femme [1], a cependant demandé que l' « Enquête famille » couplant le recensement de 1990, vu « les évolutions constatées », étudie « la population masculine afin d'obtenir des informations sur le célibat des hommes, sur leur devenir après un divorce et sur la liaison de ces phénomènes avec la fécondité ou la charge d'enfant ». Aurons-nous bientôt une meilleure image statistique du monde des pères? Est-ce un signe que les pères « comptent », si les géniteurs « ne comptent pas »? Faute de précisions ciblées sur les pères, il faut voir comment ont évolué les couples et les familles dont ils sont une composante.

1. Demande de Mme M. Barzach au directeur de l'INSEE en date du 1er mars 1988.

Avant 1965, les familles varient selon les déterminants sociaux du père

Les grands bouleversements démographiques qui affectent réellement la paternité commencent vers 1965. Jusque-là, certes, on avait connu de grands changements dans la fécondité moyenne des ménages : pour schématiser, une longue baisse qui fut suivie d'une remontée inattendue (le fameux *baby boom*) après la Seconde Guerre mondiale. Mais ces variations de la fécondité ne traduisaient pas un effacement ou un renforcement de la place du père dans la famille. En l'absence de toute contraception féminine vraiment fiable, il demeurait celui qui « faisait » les enfants, plus ou moins volontairement, en fonction de sa condition, de son milieu, du lieu où il habitait, et, bien sûr, de la fertilité de sa femme. Selon qu'il était agriculteur ou fonctionnaire, ouvrier ou commerçant, il « faisait » plus ou moins d'enfants. En effet, la taille des familles variait beaucoup avec la catégorie socio-professionnelle du père. Les paysans avaient en moyenne trois à quatre fois plus d'enfants par foyer que les instituteurs. Ces écarts statistiques, faciles à constater, renvoyaient à des modes de vie et des mentalités propres au milieu professionnel du père.

D'autres différences apparaissaient nettes : les pères catholiques avaient plus d'enfants que les pères protestants, qui en avaient plus que les libres-penseurs; on avait davantage d'enfants à la campagne qu'à la ville, en Italie qu'en Angleterre, davantage dans le nord-ouest de la France que dans le sud-est radical-socialiste.

Traditionnellement, les hommes se mariaient moins souvent en Irlande, où 30 % demeuraient célibataires toute leur vie [1]. Dans toute l'Europe, les fils de bourgeois se mariaient plus tard que les ouvriers, les citadins plus tard que les ruraux, les Scandinaves et les Néerlandais

1. Michèle Brahimi, « Nuptialité et fécondité des mariages en Irlande », *Population*, 1978, n° 3, pp. 663-703.

plus tard que les hommes d'Europe méridionale et orientale. Mais ces variations ethniques, religieuses ou professionnelles n'affectaient guère le statut des pères.

L'Europe n'a jamais connu beaucoup de « familles larges », du type de la *zadruga* yougoslave, en tout cas pas dans les pays du Nord et de l'Ouest. Il est vrai qu'en France, en milieu paysan, le fils succédant à son père à la ferme, deux générations de pères cohabitaient souvent, jusqu'à la mort de l'aïeul, « patriarche » en titre déjà supplanté par « le jeune maître ». Mais, depuis la fin de la guerre, le nombre des paysans fondait à vue d'œil, en France comme en Italie, comme en Allemagne où c'était les femmes qui conservaient la terre. Les hommes travaillaient désormais dans l'industrie ou le tertiaire. Les jeunes familles s'installaient en ville. L'État s'y occupait de plus en plus des enfants, de la maternelle à l'entrée en emploi, loin du regard des pères. La norme, de très loin dominante, c'était la famille mariée « nucléaire », père, mère et enfant(s) vivant sous le même toit, en ville le plus souvent, d'un seul revenu apporté par le père, « pourvoyeur » du foyer.

Depuis la fin de la guerre, en 1945, jusqu'en 1965, début du grand chambardement de la famille, on a assisté à un double phénomène. D'abord un rapprochement de tous les indicateurs qui distinguaient les familles entre elles. Les spécificités de telle ou telle région, de telle ou telle profession, l'influence de la religion, tout s'est trouvé raboté au profit d'une homogénéisation de plus en plus nette, en commençant par les pays les plus industrialisés et développés comme la Suède.

Europe d'après-guerre : naissance du « couple », mariages très jeunes, beaucoup d'enfants

C'est que, deuxième phénomène, l'Europe d'après-guerre, qui pleurait ses dizaines de millions de morts et reconstruisait son infrastructure et ses maisons détruites, montre un engouement très fort et comme tout nouveau pour la famille. Le cri de Gide : « Familles, je vous hais ! » ne réveille plus d'écho et Gide s'occupe de ses petits-enfants. On se marie à tour de bras, de plus en plus, de plus en plus jeune, on a plus jeune des enfants, on en a davantage.

Au début de cette période, de 1945 à 1955 en tout cas, tout le monde est pauvre ou vit dans les conditions les plus précaires : pénurie effarante de logements, pénurie totale de confort, pénurie de transports, de produits manufacturés, de tout ce qui facilite la vie. Les femmes sont englouties dans des tâches ménagères que n'imaginent même pas les femmes d'aujourd'hui. Les hommes travaillent en moyenne quarante-huit heures par semaine, samedi compris, et n'ont que deux semaines de congés payés. Ils doivent rafistoler des logements de fortune, bricoler des meubles, trimballer du charbon, du bois, des pommes de terre. Ils n'ont pas encore de voiture. Leur vie professionnelle et les diverses contraintes matérielles leur laissent peu de temps pour l'éducation des enfants, laquelle passe rapidement aux mères. Quant au mot « loisirs », au pluriel, ils ne l'apprendront que vers les années 60.

Or c'est alors que les jeunes gens se marièrent à 22 ans quand leurs pères convolaient à 29 ! Toute l'Europe, sans frontières, connaît une vraie fièvre de mariages. Bien sûr, on rattrape le déficit des années de guerre, pendant lesquelles de nombreuses unions n'avaient pu se faire ou avaient été brisées par la mort. Mais, même après 1950, et jusqu'en 1965, les indices de nuptialité pulvérisent tous les records en France, en Grande-Bretagne, en Belgique, aux Pays-Bas, en Suède, en Allemagne, au Danemark, en Italie... Même en Irlande, les célibataires fondent comme neige au soleil. On se marie.

Et on se marie de plus en plus tôt. A l'époque, on appelait cela la « modernisation » de la famille. Elle a duré vingt ans. Aux Pays-Bas, par exemple, par tranche de 10 000 mariages, la part des hommes âgés de moins de

25 ans passe de 2 753 à 5 714 [1]! En France, on voit apparaître un personnage jusque-là inconnu : l'étudiant marié, et bientôt père de famille. Leur nombre va tripler en trois ans! Car ces très jeunes mariés sont vite pères de famille à 22 ou 23 ans. Leurs parents s'en effraient. Dans les publications spécialisées, on s'inquiète de l'immaturité de ces jeunes sans expérience qui ont des bébés coup sur coup. Philippe Ariès les qualifie d'« adolescents mariés [2] ». Mais ces jeunes gens, qui ne croient plus aux mariages « de convenance » et qui n'ont eu de cesse de s'envoler très tôt du foyer de leurs parents, font la fortune d'un mot nouveau : le couple! Ils croient au couple. Ils veulent « former un vrai couple ».

Avant-guerre, on employait ce mot pour désigner des pigeons ou des serins, voire des danseurs de tango. Pour désigner les hommes et les femmes qui désiraient faire leur vie ensemble, mariés ou pas, on disait un « ménage ». Il y avait des « jeunes ménages », des « ménages mal assortis » et des « bons ménages ». Dans le peuple, quand une passade devenait liaison, on « se mettait en ménage », sans passer à la mairie. Le mot « ménage », qui a donné en anglais *to manage, manager, management*, etc., a une consonance économique qui ne trompe pas. Un ménage est une association de deux personnes, un homme et une femme, qui vont « porter ensemble le poids de la vie » comme disait poétiquement Portalis. Un couple, c'est tout autre chose! Sa racine latine l'apparente au verbe copuler, sans équivoque. Un couple, ce sont des amoureux, qui entendent s'aimer, physiquement et sentimentalement, comme on disait alors (on dirait aujourd'hui sexuellement et affectivement...). Le reste doit venir de surcroît.

De surcroît, il leur est venu beaucoup d'enfants, en dépit de leurs efforts pour assimiler la méthode Ogino de contraception par la continence temporaire, ou la méthode

1. Voir les tableaux pp. 356-380 à la fin de Patrick Festy, « Évolution de la nuptialité en Europe occidentale depuis la guerre », *Population,* 1971, n° 2.

2. Philippe Ariès, « Le retournement », *in* Robert Prigent *et alii, Renouveau des idées sur la famille,* PUF, 1954.

dite des températures, ou toute autre contrainte à deux dont l'époque était prodigue.

Si l'on ajoute que ces si nombreux « couples » mariés jeunes, sans logement souvent, sans argent, sans équipement ménager, du moins au début de la période, ces couples qui ont eu environ trois enfants en moyenne, si l'on ajoute qu'ils ont fort peu divorcé – un sur dix environ – on avouera que ces prémisses ne permettaient guère de prévoir la suite.

1964 : première secousse sismique démographique dans toute l'Europe

En 1964, voilà que se produit une cassure stupéfiante : pour la première fois depuis vingt ans, les taux de natalité décrochent et commencent une chute, la même année, en Allemagne fédérale, Belgique, Danemark, Espagne, France, Grèce, Italie, Pays-Bas, Portugal, Royaume-Uni, Suède et Suisse... Durant les trois années suivantes, de 1964 à 1967, la France, l'Angleterre et l'Allemagne perdent 1,3 naissances pour 1 000 habitants ; les Pays-Bas et l'Italie 1,8 ; la Belgique 2,0.

Les pays catholiques et les pays protestants sont semblablement touchés ; les pays où les nouveaux contraceptifs (la pilule) sont autorisés, c'est-à-dire tout le nord-ouest de l'Europe et la Suisse, ni plus ni moins que les pays où ils sont encore interdits, comme la France et l'Europe méridionale (c'est en 1967 que les contraceptifs oraux à usage féminin seront autorisés en France). Les « démocraties populaires », telles la Hongrie ou la Tchécoslovaquie, n'ont pas plus d'enfants que les démocraties « capitalistes ». Il faut bien le constater, la convergence des comportements dans les différents pays, régions, milieux socioprofessionnels, cette convergence qui, peu à peu, érodait les spécificités, est parvenue, face à la fécondité, à réaliser une bien troublante simultanéité en Europe occidentale.

D'autant que rien ne s'est produit qui puisse expliquer une inflexion si nette. La France en a enfin fini avec ses guerres coloniales ruineuses et démoralisantes, l'Angleterre sort de sa crise, l'Allemagne, regonflée par le plan Marshall et reconstruite, court à grandes guides vers la prospérité, l'Italie vit son « miracle économique », les Portugais qui viennent en France et les Yougoslaves qui vont en Allemagne chercher du travail en trouvent. Partout, les niveaux de vie s'élèvent très vite. Rien n'annonce un « changement de période ». Si ce n'est un curieux pessimisme ambiant, que rien ne justifie : les gens, jusque-là confiants en l'avenir, expriment, dans les enquêtes d'opinion, de l'appréhension, un manque d'enthousiasme, une « sinistrose » toute nouvelle. Sentent-ils que des changements se préparent qui vont « déglinguer » ce tissu de base qu'est la famille? Ou bien leur frilosité nouvelle de nantis explique-t-elle la suite?

Désormais, les démographes, alertés, vont appeler « tendances lourdes » ces comportements contagieux qui courent, sautent les frontières des États comme les barrières des couches sociales. On dirait des secousses sismiques qui se propagent en ondes successives. Leur épicentre paraît bien être la Suède, d'où tout part, pour aller ensuite du nord vers le sud, touchant d'abord le Danemark, puis la France et l'Angleterre, puis l'Italie, plus tardivement l'Espagne et le Portugal. Quand elles arrivent en France, elles affectent d'abord les jeunes gens des grandes villes et de niveau d'éducation élevé, puis progressent rapidement dans les couches moyennes et les villes de taille modérée, pour finir par toucher toute une tranche d'âge, tous milieux et tous niveaux confondus.

Puis la crise du mariage, elle aussi, part de Scandinavie

C'est ce qui va se passer avec la crise du mariage. Juste après la chute de la fécondité, la baisse de la nuptialité part de Suède. En 1966, on célébra 61 100 mariage en

Suède. En 1973, seulement 38 100. Dans les classes d'âge les plus jeunes, la baisse atteint 80 %. On croit donc, dans un premier temps, qu'il s'agit d'un report, d'un recul de l'âge du mariage, après vingt années de mariages précoces. Très vite, le même phénomène va balayer l'Europe occidentale : si l'on compare l'indice de nuptialité des hommes en 1975 à celui constaté en 1965, on découvre une chute de 1 024 à 622 au Danemark; de 1 124 à 767 aux Pays-Bas; de 1 013 à 822 en France.

Mais les années passent sans que la nuptialité se redresse. Ceux qui ne se sont pas mariés à 25 ans ne se sont pas mariés à 30. Il s'agit bel et bien d'une forme nouvelle de refus du mariage, qui s'accélère et touche tous les pays d'Europe occidentale. La nuptialité atteint des niveaux si bas qu'ils n'ont jamais été observés : ainsi au Danemark, en 1981, l'indice de nuptialité des hommes est passé à 448, ce qui signifie que, toutes choses égales par ailleurs, la proportion d'hommes danois qui demeureront célibataires toute leur vie sera de 55,2 %! Plus d'un homme sur deux ne se mariant jamais – à moins d'un retournement spectaculaire de la tendance.

En France, durant les mêmes années, l'âge moyen au mariage pour les hommes passe de 26 à 29 ans. Quant au nombre annuel des mariages, il chute de 417 000 en 1972 à 265 000 en 1987, soit une baisse de 37,5 %. Mais ce ne sont pas les courbes plongeantes qui expriment de la façon la plus éloquente les changements dans la situation familiale des hommes des jeunes générations. Les effets de « stocks » sont plus parlants. Année après année, on a constaté un déficit du nombre des mariages toujours plus important alors que les effectifs des personnes en âge de se marier demeuraient du même ordre. Cela signifie que, chaque année, le nombre des célibataires dans la population se gonflait un peu plus. Ainsi, pour les dix années 80, les mariages non célébrés constituent un énorme déficit de 1 103 000 : donc voilà 1 103 000 hommes célibataires de plus dans la population – sans doute davantage car une certaine proportion des mariages concernait des divorcés se remariant.

Qui donc refusait le mariage?

C'étaient les hommes qui renâclaient ou renonçaient au mariage, on en était sûr. Jusque-là, les jeunes filles recherchaient tellement le statut envié de « femme mariée » et redoutaient tellement de « rester vieilles filles » qu'on a pensé que c'étaient les jeunes gens qui ne voulaient plus s'engager « dans des liens éternels » et encore moins fonder une famille. Désormais, la liberté sexuelle était sans danger, la contraception étant devenue fiable. La vie commune sans mariage ne faisait plus scandale : les parents fermaient les yeux, ou même s'attendrissaient, et payaient le loyer du studio des amoureux. Les études étaient de plus en plus longues pour les uns, la phase « petits-boulots-chômage-petits-boulots-chômage » s'étirait pour les autres – et tous ne voyaient qu'avantages à repousser toujours le moment de devenir adultes, mariés et pères de famille.

Il fallut les enquêtes plus poussées conduites sur les couples de cohabitants [1] ainsi que quelques études d'opinion aux résultats inattendus pour que l'on prenne conscience du rôle déterminant des jeunes femmes dans le recul du mariage. Non, elles ne subissaient pas cette situation par amour, elles ne se sacrifiaient pas au désir d'indépendance de l'homme de leur vie. La plupart affirmaient tranquillement que c'était elles qui préféraient éviter les promesses et les alliances. Après tout, n'étaient-elles pas maîtresses du jeu? Elles aussi, elles faisaient des études ou de petits boulots, elles aussi travaillaient ensuite et gagnaient leur vie. Elle aussi avaient des parents indulgents qui comprenaient très bien que les choses n'étaient plus ce qu'elles avaient été de leur temps. Et, surtout, c'est elles qui avaient la pilule. Le jour où elles auraient envie d'un enfant, elles verraient bien. Ou elles se marieraient, ou elles demanderaient au

1. Sabine CHALVON-DEMERSEY, *Concubins, concubines,* Seuil, 1984.

père de reconnaître l'enfant. C'est elles qui choisiraient. Et elles choisirent.

De plus en plus de pères célibataires qui reconnaissaient leurs enfants

Une proportion de plus en plus importante de nos célibataires attardés sont ainsi devenus pères, pères et célibataires. Non pas seuls et abandonnés avec l'enfant, mais en cohabitation avec la mère, le plus souvent. Ou bien vivant chacun de son côté, mais tous deux reconnaissant l'enfant que la mère avait voulu et voulu hors mariage. En 1965, sur le total des nouveau-nés, 50 700 étaient nés hors mariage, soit 5,8 % des naissances. En 1990, ils furent 229 100, soit 30 % des naissances. Année après année, la proportion des naissances hors mariages s'est accrue. Elle concerne près d'une naissance sur trois en France. En Suède et au Danemark, on a frôlé une naissance sur deux hors mariage vers 1983, avec 45 %. Mais ces naissances hors mariage n'ont pas grand-chose à voir avec les drames des « mères célibataires » de naguère.

Les 50 000 enfants naturels qui naissaient chaque année au début de la décennie 60 avaient des mères très jeunes, dont beaucoup n'avaient pas 20 ans, ou des mères de plus de 35 ans, toutes d'origine très modeste. Elles étaient ouvrières agricoles, serveuses, domestiques, manœuvres ou O.S. Elles avaient été délaissées enceintes. Dans huit cas sur dix, elles étaient seules à reconnaître leur enfant, sans doute non voulu – mais l'interruption volontaire de grossesse était alors interdite. L'enfant était « né de père inconnu », et le restait, à moins que, plus tard, un compagnon de la mère ne légitime par gentillesse cet enfant sans père. A l'époque, environ 40 000 des naissances hors-mariage annuelles étaient des naissances sans père.

Vingt ans plus tard, le tableau a changé du tout au tout. La contraception féminine est désormais très efficace, légale, et remboursée par la Sécurité sociale. L'interruption volontaire de grossesse aussi. Les femmes n'ont maintenant que bien rarement des enfants malgré elles. On peut estimer que ceux qu'elles mettent au monde ont été désirés et parfois programmés par elles, ou ils sont bien accueillis : au terme d'une vaste étude, Henri Leridon peut écrire : « La contraception tend à devenir un comportement médical comparable à d'autres comportements de prévention. En vingt ans (1967-1987), sa diffusion a permis aux femmes d'avoir trois fois moins de naissances non désirées. Quant à l'avortement, il constitue un dernier recours. » La diminution des naissances observée durant ces deux décennies s'est opérée sur les naissances non désirées [1].

Or, durant les mêmes vingt années, le nombre d'enfants nés hors mariage est multiplié par trois. Leurs mères ne sont plus des adolescentes piégées par la grossesse ou de pauvres ouvrières abandonnées. Leurs mères ont les mêmes âges que les mères mariées, un bon métier, un niveau d'éducation égal, voire supérieur : les chercheurs de l'INSEE qui suivent leur évolution intitulent leur étude : « Les institutrices à la place des bonnes [2]? » Dès 1980, sept sur dix de ces enfants sont, dans l'année qui suit, reconnus par leur père. En 1989, 80 % des 214 600 enfants naturels sont reconnus par leurs papas non mariés. Les mamans sont professeurs ou décoratrices (deux professions qui ont vu s'accroître le plus vite la proportion des mères célibataires) ou ressemblent de plus en plus aux mères mariées. Presque toutes, on peut l'affirmer, ont désiré et attendu volontairement cet enfant, ou l'ont accepté de grand cœur.

Voilà ce que l'on ne saurait affirmer à propos des 160 000 pères qui ont reconnu cette année-là un enfant né hors mariage. Dans quelle mesure ont-ils voulu ou subi la venue de cet enfant? On ne peut davantage le savoir pour

1. Henri Leridon et Laurent Toulebon, *Données sociales 1990*, pp. 293-295.
2. J.-C. Deville et E. Naulleau, « Les enfants naturels et leurs parents », *Économie et statistique*, juin 1982, pp. 61-81.

les pères mariés. C'est désormais la femme qui décide de la naissance, et fait ce qu'il faut pour qu'elle puisse se produire, même si elle parvient à faire croire à certains que c'est eux qui l'ont demandée, et à la plupart qu'ils l'ont voulue tous les deux ensemble.

Qui sont ces pères non mariés au statut minoré?

Qui sont ces centaines de milliers de pères célibataires d'un nouveau type? Hélas on n'en sait pas si long sur eux que sur les mères. Les statisticiens se sont sans doute habitués à considérer les pères des enfants naturels comme des inconnus en fuite – toujours est-il qu'aucune étude n'a été faite à leur sujet. On ne sait pas leur âge, ni leur profession – ce qui serait pourtant facile à repérer.

Sans doute, comme les mères célibataires, ils ressemblent de plus en plus aux pères mariés. Ils sont de plus en plus nombreux, plus nombreux chaque année, le contingent 1985 ayant été dix fois plus important que le contingent 1965. Bien sûr, certains épousent, par la suite, la mère de leur enfant. Mais les dizaines de milliers d'autres? Par rapport à ceux qui, naguère encore, fuyaient leur paternité, comptent-ils moins d'ouvriers et davantage de professeurs? Tout le monde en connaît, du reste, dans les bonnes familles bourgeoises catholiques comme dans les familles ouvrières ex-communistes.

Si rien ne les distingue plus, ou presque, des pères mariés, pourquoi s'y intéresser particulièrement? Chacun est prêt à citer des exemples de ces bons « papas poules » non mariés qui changent les bébés et jouent avec leurs gosses tout en entretenant la famille. On les rencontre qui font les courses, le petit en bandoulière, la petite dans la poussette, des modèles de « nouveaux pères » sur lesquels pourraient prendre exemple certains jeunes cadres dûment mariés à l'église et pères absentéistes. Pourquoi donc classer à part les pères d'enfants hors mariage et s'inquiéter de leur accroissement continu en nombre?

Une partie de la réponse sera détaillée au chapitre suivant : les pères non mariés n'ont juridiquement pas les mêmes droits sur les enfants qu'ils ont reconnus, qu'ils les élèvent ou non, que les pères mariés. En outre, ces droits dont ils ne disposent pas sont d'office octroyés à la mère non mariée, qu'elle soit ou non bonne mère, simplement parce qu'elle est femme. La plupart des pères non mariés ignorent ces dispositions : ils ne sont pas des pères à part entière, même quand ils vivent avec leur enfant. S'ils viennent à se séparer de la mère, ils sont en grand risque de perdre tout à fait contact avec leur enfant. Si la mère ne leur permet pas de le voir, il leur faudra faire un long et coûteux procès pour tenter d'obtenir un droit de visite qu'aucune loi ne prévoit pour eux. Les concernant, la loi dispose seulement qu'ils doivent continuer à payer des subsides pour l'enfant. Cet enfant, sa mère seule décidera de sa vie. La société ne considère pas vraiment les pères non mariés comme de vrais pères. C'est à la mère qu'elle paiera d'éventuelles aides sociales. (En Suède, on a fini par décider que les aides pourraient être touchées également par les pères et mères non mariés.)

Qu'ils aient ou non choisi d'avoir un enfant, les célibataires, qui sont des pères minorés tant qu'ils vivent avec la mère, peuvent être tout à fait gommés après séparation. Or les couples non mariés, même avec enfant(s), se séparent plus fréquemment et plus précocement encore que les couples mariés ne divorcent. Ces séparations ne faisant l'objet d'aucun acte consigné à l'état civil, il est impossible d'en établir l'incidence et la fréquence, ni d'en suivre l'évolution dans le temps, comme on le fait pour les divorces. Les enquêtes sur des échantillons représentatifs de jeunes couples vivant en cohabitation ont donc été, depuis l'apparition du phénomène, le seul mode d'investigation scientifique permettant de le mieux connaître et de le mesurer. Il a fallu des enquêtes répétées sur une assez longue période pour pouvoir comparer le devenir de ces couples à celui des couples mariés des mêmes générations.

Les illusions de l'idéologie libérale sur la solidité des couples

Comment ne pas rappeler l'optimisme résolu qui, durant ces mêmes années, a animé les partisans du libéralisme sexuel, par exemple en Suède, où le phénomène « sambo » (la cohabitation sans mariage) a commencé, pour toucher, en 1985, plus de la moitié des moins de 35 ans – reléguant le mariage dans la situation d'option minoritaire... Tout d'abord, on a parlé de « mariage à l'essai », et on y a vu la voie conduisant à une consolidation des mariages qui ne manqueraient pas de suivre. Mais les mariages ne sont pas venus. Alors on s'est plu à considérer les cohabitations, en France, comme « des mariages sans papiers » ayant donc toutes les garanties de stabilité des mariages, sauf la « paperasserie ». Au Danemark, on a fait remarquer qu'il ne s'agissait, ni plus ni moins, que du décalque des mariages d'autrefois, « possession d'état » avant d'être union civile et/ou sacrement religieux. Tout a été bon pour minimiser le changement, voire le nier.

Les médias, comme les « spécialistes », nous ont expliqué que ces couples qui ne voulaient pas s'engager l'un envers l'autre devant la société étaient finalement plus sincères, moins hypocrites que les époux consacrés, et que leurs unions plus solides seraient sûrement plus durables. J'ai connu de très nombreux parents de cohabitants qui en étaient persuadés, et aussi des prêtres et des pasteurs ! Il apparaissait à tous ces aînés sincères que ces jeunes avaient une manière nouvelle de fonder une famille plus pure et plus désintéressée, basée seulement sur l'amour et tenant le plus grand compte de la liberté de l'autre, qui régénérerait l'union et la parentalité. Alors que les cohabitants avec enfant(s) m'avouaient ingénument que « pour les impôts, c'était mieux d'avoir un enfant hors mariage et c'est celui qui gagne le plus qui le déclare », et que « pour la Sécurité sociale, avec un certificat de concubinage, on a les mêmes avantages que les mariés [1] », alors... Cependant, quiconque mettait en question la solidité de ces unions passait pour moralisateur et réactionnaire.

Il fallut attendre 1984-1985 en Suède, pour que, avec suffisamment de recul, on pût comparer les cohortes de jeunes gens sur les quinze dernières années et constater que la propension à se séparer augmentait en même temps que la propension à se marier diminuait [2]. Jan Trost, bien connu pour avoir prédit que la cohabitation conduirait vers des couples plus heureux et plus stables, avoua en 1987 que « le taux de séparation était sensiblement plus élevé chez les cohabitants [3] ». Même quand ils ont des enfants.

Après séparation, les pères non mariés « perdent » leurs enfants

Or les enfants des cohabitants séparés vont vivre avec la mère. Avec la mère vivant seule, ou vivant avec un autre homme, ou mariée à un autre homme que le père.

En dépit de mon désir de tenter d'évaluer au plus près la proportion des pères célibataires qui conservent leur(s) enfant(s) auprès d'eux après s'être séparés de la mère, je dois me contenter d'affirmer qu'ils sont extrêmement rares. De longues recherches dans les annuaires statistiques de plusieurs pays m'ont convaincue que je n'y trouverai jamais la situation des pères. Mais, oui, souvent celle des enfants, et particulièrement des enfants de ce qu'on appelle aujourd'hui les « familles monoparentales ».

Cette appellation est singulièrement abusive : les

1. Evelyne SULLEROT, *Pour le meilleur et sans le pire*, Paris, Fayard, 1984.
2. Thora NILSSON, « Les ménages en Suède », *Population*, 1985, n° 2, pp. 223-249.
3. Jan TROST, « Stabilité et transformations de la famille », *La Famille dans les pays développés, permanences et changements*, Séminaire de l'Union internationale pour l'étude scientifique de la population, INED et UISP, 1990.

enfants appartenant à ces « familles monoparentales » ou « uniparentales » ont, le plus souvent, deux parents vivants. Simplement ils vivent avec un seul de ces deux parents. Ce n'est donc pas la « famille » de ces enfants qui n'a qu'un parent, mais le « foyer », le « ménage » au sein duquel ils vivent. On peut d'ailleurs s'interroger sur l'intention cachée de l'emploi de ce mot : c'est une manière curieuse de gommer le parent absent, le parent séparé de l'enfant, comme s'il n'existait plus. Comme c'est presque toujours le père qui n'est pas auprès de l'enfant, verbalement, on tue le père. Les seules familles réellement monoparentales sont celles des veufs ou des veuves.

Donc, on trouve de nombreuses données, soit sur les enfants vivant dans des foyers monoparentaux, soit sur les foyers monoparentaux composés d'une mère sans conjoint.

Les enquêtes sur les enfants sont rarement comparables. Les « enfants » envisagés ont parfois moins de 15 ans, parfois moins de 16, ou de 17 ou de 18, et parfois moins de 25 ans, comme en Suisse ! Mais, surtout, ces études mélangent les enfants nés hors mariage dont les parents sont séparés et les enfants nés dans le mariage dont les parents sont divorcés. Or les rapports avec le père n'ont pas la même fréquence dans les deux cas.

Les conditions d'exercice de la paternité du célibataire qui a reconnu son enfant dépendent essentiellement de la nature et de la qualité des relations qu'il a nouées avec la mère de l'enfant et qu'il entretient avec elle par la suite.

Premier cas : au moment de la naissance de l'enfant, le père qui l'a reconnu ne vivait pas avec la mère. *Près de 60 % de ces pères ne verront jamais leur enfant, et 12 % environ le verront très rarement* [1]. A qui incombe la responsabilité de cet éloignement? Ne cherchent-ils nullement, ou guère à voir leur enfant? La mère les en tient-elle volontairement éloignés? Aucune enquête démographique ne peut le dire. Mais certaines enquêtes sociales sur les mères isolées, leurs conditions de vie, leurs rapports

1. Henri LERIDON et Catherine VILLENEUVE-GOKALP, « Entre père et mère », *Population et société*, nº 220, janvier 1988.

à l'enfant, etc. font apparaître que sept à huit sur dix mentionnent le fait qu'elles ne désirent pas que l'enfant connaisse ou revoie son père.

Deuxième cas : le jeune homme célibataire est devenu père pendant sa cohabitation avec la mère. C'est ce cas qui devient le plus fréquent. L'avenir des relations que cet ancien cohabitant entretiendra avec son ou ses enfants dépend alors, d'une part, de la durée de sa vie commune avec la mère, durée pendant laquelle il s'est occupé de l'enfant; d'autre part, de la manière dont le couple s'est séparé. « D'une manière générale, les pères qui ont peu vécu avec leurs enfants leur deviennent plus souvent étrangers que ceux qui les ont élevés au moins cinq ans », écrit Henri Léridon. D'autre part, les ruptures dramatiques entraînant une forte hostilité entre les ex-concubins se traduisent souvent par une cassure complète des relations de l'enfant avec le père, tandis que les séparations amiables préservent les rapports suivis père/enfant(s). Pour l'ensemble des cohabitants séparés interrogés par l'équipe de l'INED sous la direction d'Henri Léridon, *39 % des enfants ne voyaient plus du tout leur père et 20 % le voyaient moins d'une fois par mois.*

Quelle différence entre l'indulgence montrée par la société envers le concubin et l'indifférence envers le père non marié! Le premier est « assimilé » à un époux, par le droit social en tout cas. Le second n'a que le droit de payer. On s'inquiète peu des conditions d'exercice de sa paternité. Les mères célibataires sont encore considérées comme les victimes des hommes, et l'on se préoccupe de leur formation, de leur logement, de leurs ressources. Des pères séparés on ne sait rien, si ce n'est, de temps en temps, l'écho d'un procès intenté par l'un d'entre eux qui veut voir ses enfants et qui croyait pouvoir en obtenir le droit tout comme un divorcé. Mais il n'est pas divorcé.

Hausse des divorces en même temps que baisse des mariages

Les divorcés... Toutes les données statistiques récentes sur le divorce semblent vouloir narguer les prévisions optimistes des généreux libéraux. Ceux-ci attendaient de la large acceptation des cohabitations sans mariage une plus grande stabilité des unions déclarées : point du tout ! Le nombre des divorces s'est accru exactement à partir de la même année qui a vu débuter la chute des mariages : 1967 en Suède, 1970 en Angleterre, 1972 en France...

Une fois de plus, le mouvement, contagieux, part du Nord, où la baisse des mariages est la plus précoce et la plus profonde. Dès 1975, en Suède, un mariage sur trois se rompt. De 1975 à 1985, dans tous les pays où la cohabitation s'étend, le divorce gagne toujours plus de terrain. Les indices de divortialité grimpent, grimpent. On passe en France et en Allemagne fédérale de 15,6 % à 30,4 %, en Autriche de 19,7 à 30,8 %, aux Pays-Bas de 20 à 34,4 %, etc. En Angleterre, on atteint 43,8 % – alors que, en 1960, on était à 10,7 % ! Moins nombreux, donc, les mariages sont également plus fragiles.

Ainsi que nous le verrons au chapitre suivant, durant la même période, les motifs de recours au divorce furent élargis et les procédures assouplies dans la plupart des pays d'Europe occidentale. De cette facilitation, certains attendaient avec optimisme de nombreux et prompts remariages. Mais, comme le fait remarquer Louis Roussel, « cette interprétation s'est trouvée erronée : les remariages ont augmenté beaucoup moins vite que les divorces et la probabilité pour un homme divorcé de se remarier n'a cessé de décroître [1] ». Ainsi, en France, si en 1970, 35,7 % des divorcés se remariaient dans les trois ans suivant la rupture, s'ils étaient encore 33,7 % en 1975, ils

1. Louis ROUSSEL, « Deux décennies de mutations démographiques dans les pays industrialisés, 1965-1985 », *Population*, 1987, n° 3, pp. 429-448.

n'étaient plus que 25,4 % en 1980 et, en 1985, seulement 18 %, moitié moins que quinze ans plus tôt [1].

Depuis 1980, dans les pays scandinaves toujours précurseurs, un tassement des taux de divortialité se fait sentir, qui, quelques années plus tard, s'observe en Europe occidentale. Mais alors les pays d'Europe méridionale, où le divorce était jusque-là interdit ou très difficile – Italie, Espagne, Portugal –, libéralisent leurs législations et voient s'accroître très rapidement les séparations. Même s'il part de très bas, le taux d'accroissement de + 50 % en un an en Italie ne laisse pas d'être impressionnant!

Divorces modernes : précoces, avec enfants

Partout, on constate une forte augmentation des divorces précoces, intervenant moins de sept ans et même moins de cinq ans après le mariage. Qui sont ces couples qui ne peuvent supporter la vie commune? L'étude la plus pertinente a été conduite en Suisse par Jean Kellerhals [2] qui a suivi pendant dix ans la totalité des couples qui s'étaient mariés à Genève en 1975. Il apparaît que ni l'âge ni la situation économique ni la différence de religion n'ont joué de rôle dans les séparations intervenues. En revanche, ont divorcé plus que les autres ceux qui avaient cohabité avant, et ceux qui, interrogés au moment de leur mariage, ne pensaient pas « fonder une famille », mais seulement « vivre ensemble ». Ceux-là ne faisaient pas de pari sur l'avenir; ils vivaient dans l'immédiateté, à l'image de nombreux jeunes de nos sociétés prospères après quarante années de paix, qui semblent avoir bien plus peur d'assu-

1. Dix-huitième rapport sur la situation démographique de la France 1989, INED.

2. J. KELLERHALS, N. LANGUIN, J.-F. PERRIN et G. WIRTH, « Statut social, projet familial et divorce : une analyse longitudinale des ruptures d'union dans une promotion de mariages », *Population*, 1985, n° 6, pp. 811-827; Jean KELLERHALS et J. COENEN-HUTHER, « Familles suisses d'aujourd'hui : évolution récente et diversité », *Les Cahiers médico-sociaux*, Genève, 1990.

mer des rôles (ceux d'époux, d'épouse, de père, de mère) ayant besoin de la durée et impliquant une responsabilité envers autrui, que ce n'était le cas pour leurs parents plus pauvres dans un monde moins stable.

Or, malgré cette précocité des divorces, de plus en plus de couples avec enfants ont divorcé. Naguère, les couples avec enfants reculaient devant la séparation, évidemment à cause des difficultés matérielles que pouvait redouter la femme qui ne travaillait pas, pourtant aussi en pensant à l'opprobre qui s'abattrait non seulement sur le « divorcé à ses torts », mais également sur les enfants innocents qui se voyaient montrés du doigt comme « enfants de divorcés ». D'innombrables couples sont ainsi restés mariés « pour les enfants ». Désormais, la présence d'enfants n'est plus un frein au divorce chez les couples jeunes. Même si la fréquence des divorces est légèrement plus forte pour les couples avec un enfant que pour les couples avec deux enfants, on peut noter une probabilité de divorce plus grande et plus précoce chez les couples qui ont eu très vite plusieurs enfants. Par exemple, remarque Patrick Festy pour la France, les couples qui ont eu trois enfants en moins de sept ans ont une probabilité de rupture élevée.

Certains observateurs, en Allemagne particulièrement, avaient avancé que la chute de la fécondité était la cause de la flambée des divorces. Mais toutes les études montrent que le lien est ténu entre les deux phénomènes. En Allemagne fédérale, où les naissances ont chuté de façon drastique, on a vu augmenter le nombre et la proportion des enfants dont les parents sont divorcés : ils représentaient 10,6 % des enfants nés de couples mariés en 1965, mais 18 % dix ans plus tard [1]. On constate donc un accroissement du nombre des divorcés qui sont pères de un ou même plusieurs enfants.

1. C. Höhn, *Der Familienzyklus – zur Netwendigkeit einer Konzepterweiterung*, Schriftenreihe des Bundesinstituts für Bevölkerungsforschung, 12, 1982.

Les mères demandent le divorce, sûres de garder leurs enfants

Le trait le plus frappant des divorces intervenus entre 1965 et 1985 est qu'ils ont été demandés par les femmes dans des proportions allant des deux tiers aux trois quarts : 74 % en France. Naguère, les femmes redoutaient le statut de « divorcées ». A partir de 1970, elles semblent l'envisager sans crainte aucune, en dépit de la situation précaire où les laisse souvent une rupture.

Certes, elles travaillent. Mais cela ne paraît pas être le facteur le plus déterminant. Tout se passe plutôt comme si leur seuil de tolérance pour la vie commune s'était abaissé, comme si leur seuil de tolérance pour un engagement long avait diminué au fur et à mesure qu'elles acquéraient une conscience plus grande de leurs aspirations personnelles : elles se sentent l'envie de rechercher leur autonomie alors que, par le passé, elles se sentaient contraintes de s'accrocher à ce qu'on leur désignait comme « la sécurité », économique, mais aussi sociale et affective. Mais les normes sociales ont changé et les femmes, très sensibles à la morale explicite et implicite qui s'en dégage, ont de plus en plus mal vécu une dépendance conjugale sans bonheur.

L'autonomie est devenue la valeur cardinale de nos sociétés individualistes. Toute éducation, toute formation doit tendre à favoriser l'épanouissement personnel et l'autonomie de ceux auxquels elle s'adresse. La dépendance est ressentie comme une aliénation, et dénoncée comme telle. Son acceptation n'est plus vertu. En outre, l'obsession sexuelle ambiante et la surévaluation du couple par rapport à la famille ont transformé les médiocrités conjugales en autant d'échecs personnels dramatiques. Les femmes pensent qu'il faut, qu'elles doivent, qu'elles *se doivent* de sortir de ce qu'elles considèrent comme une impasse. Sinon, les idéologies modernes, qui opèrent sans cesse des reclassements, les condamnent aux derniers rangs, presque à l'opprobre.

Pour avoir reçu et aidé, depuis 1973, des milliers de femmes désirant divorcer et sans emploi à se reclasser dans la vie professionnelle, mes collaboratrices des centres *Retravailler* et moi-même avons constaté une rapide et nette évolution. Voici vingt ans, les femmes avec enfants qui manifestaient l'intention de divorcer étaient submergées de culpabilité, quelque rude que fût parfois leur situation matrimoniale. Elles n'osaient s'ouvrir de leur projet à leurs beaux-parents, ni même à leurs parents, dont elles craignaient de heurter les convictions. Elles tergiversaient « à cause des enfants ».

Puis, année après année, nous avons vu arriver des femmes plus jeunes, beaucoup moins abattues et beaucoup plus résolues. Sans ambages, elles expliquent leur désir de divorcer vite, « afin d'avoir encore des chances de refaire ma vie ». Que leurs enfants soient petits ne les arrêtent pas : les enfants, pour être heureux, n'ont-ils pas besoin d'une mère épanouie? C'est ce qu'aujourd'hui leur répètent inlassablement les magazines féminins – et les conseillers familiaux et conjugaux, aussi bien. Le divorce, pour elles, c'est la rupture du lien qui les attache à un homme qu'elles n'aiment plus, ou qui leur a fait du tort. Ce n'est en aucun cas la rupture du lien qui les attache à leurs enfants. Du reste, elles le savent bien, la société tout entière pense comme elles, est pour elles : les juges aux affaires matrimoniales leur confieront la garde des enfants. C'est, à leurs yeux, un « droit naturel » qui ne se discute même pas. Les rares mères un peu réticentes pour assumer cette garde s'attendent du reste à ce qu'on fasse pression sur elles. Cela leur semble dans l'ordre des choses : les femmes doivent être autonomes, sexuellement épanouies, mais bonnes mères. C'est la morale ambiante.

Familles éclatées = pères éjectés

Ainsi, de nos jours, les familles semblent tournoyer dans l'espace au gré de la recherche d'autonomie et de bonheur des individus adultes qui la composent. Leur structure paraît se modifier sans cesse, au point que nombreux sont ceux qui rejettent vivement le terme générique de « famille » et entendent qu'on ne parle plus que « des familles » différentes, modulables, à géométrie variable. Mais les familles tournent autour d'un axe : le segment mère/enfant. Elles ne sont ni matrilinéaires ni matriarcales, mais elles sont *matricentrées*. Le maillon faible qui lâche, c'est le père. C'est le père qui est éjecté du système familial qu'il avait contribué à créer. A lui de chercher alors à s'intégrer, comme une pièce rapportée, à un autre système familial, par exemple en devenant le partenaire d'une mère isolée, elle-même divorcée ou cohabitante séparée. Ou bien en formant un nouveau couple sexuel et en recommençant une famille nouvelle, sans ses premiers enfants. Aussi longtemps que sa nouvelle femme ou sa nouvelle compagne ne désirera pas partir, avec l'enfant bien sûr.

Si la dépendance matrimoniale sans bonheur affectif et sexuel représente désormais pour les femmes l'échec – le divorce étant une porte de sortie, une libération –, pour les hommes, c'est le divorce qui est ressenti comme un échec. Pour les pères, la sanction la plus grave et la plus sensible de leur échec est l'attribution des enfants à la garde de la mère. La plupart d'entre eux ne désiraient pas ou ne désiraient guère divorcer. Même si leur couple n'était pas parfait, « il n'y avait pas de quoi tout flanquer en l'air ». Surtout, ils n'avaient pas du tout l'intention de divorcer de leurs enfants. Elles sont parvenues à leur imposer le divorce contre leur gré, ou à leur arracher leur consentement. Déjà, c'est un échec, ils ne sont pas maîtres du jeu. Et puis, elles prennent les enfants. Elles les rejettent comme mari et comme amant, ce qui n'est pas très facile à vivre, mais surtout elles les nient comme père, elles s'arrogent la première place parentale. Même ceux qui eussent été bien embarrassés d'avoir à se charger tout seuls de leurs marmots se sentent blessés. C'est non seulement un échec, mais une défaite, une déroute. Ils ont perdu.

Certains n'ont eu aucun tort particulier, n'ont commis aucune faute comme pères, mais ils sont battus, parce que hommes, dans une guerre qu'ils n'ont pas voulue. C'est à dessein que j'use de termes guerriers ou sportifs, que je parle de « gagner » et de « perdre ». Car c'est ainsi que s'expriment tous les pères divorcés. Bien sûr ceux qui réclamaient la garde exclusive, mais aussi ceux qui demandaient la garde conjointe, mais également ceux qui ne demandaient pas la garde, tous, tous disent qu'à l'énoncé du jugement, « comme père, j'étais K.-O. »...

De moins en moins de pères ont la garde de l'enfant

Combien nombreuses ont été ces défaites paternelles! D'un bout à l'autre de l'Europe, la garde des enfants est attribuée à la mère dans 76 à 90 % des cas, et lorsqu'il y a garde conjointe, l'enfant réside avec la mère généralement. En France, pour les deux décennies qui nous intéressent, malgré l'introduction en 1975 du divorce par consentement mutuel, sans « faute », on observe plutôt une aggravation de la tendance qui veut que la mère ait la « garde exclusive » de l'enfant ou des enfants.

Année	*Garde à la mère*	*Garde au père*	*Partage*
1965	79,9 %	15,0 %	5,1 %
1968	82,9 %	13,1 %	4,0 %
1970	83,0 %	10,7 %	4,1 %
1975	84,9 %	9,7 %	3,8 %
1982	85,4 %	9,5 %	4,4 %
1985	84,8 %	9,3 %	5,2 %

SOURCES : Jusqu'en 1970, J. Commaille et Y. Dezalay « Les caractéristiques judiciaires du divorce en France », *Population*, juin 1971. Puis, ministère de la Justice, Statistique annuelle, Documentation française.

N.B. Les pourcentages manquants se rapportent à l'attribution de la garde à une autre personne : grand-parent, tante, etc.

Les proportions de « garde exclusive à la mère », toujours très élevées, varient cependant d'un tribunal à l'autre. Les associations de pères divorcés conseillent ainsi à des pères divorçant d'éviter, autant que faire se peut, certains tribunaux dont les juges sont réputés particulièrement « anti-pères [1] »...

Les proportions citées ci-dessus concernent des décisions juridiques. Elles ne permettent pas d'évaluer le nombre de pères divorcés ni leur situation : combien ont-ils d'enfants? Vivent-ils avec un de leurs enfants ou avec tous? Ceux qui n'ont pas la garde voient-ils souvent leurs enfants? A quel rythme? Sont-ils seuls ou à nouveau en couple? Pour répondre à ces questions, il faut tenter d'envisager par un biais indirect le continent des pères, jamais exploré en tant que tel. Il existe de nombreuses statistiques sur les enfants de couples divorcés, dont on peut tirer des indications; et les études sur les foyers monoparentaux, bien que toujours établies à partir des femmes, peuvent receler des informations indirectes sur les pères.

La première chose qui frappe, c'est la ressemblance des situations entre les pays, dont pourtant les dispositions juridiques ne sont pas les mêmes. En Allemagne fédérale, les enfants mineurs de parents divorcés vivent avec leur père dans 11,5 % des cas en 1970, 9,6 % en 1975, 12,1 % en 1985. Une comparaison France-Angleterre faite à partir de la « Longitudinal Study 1981 » pour l'Angleterre, le Recensement 1982 pour la France sur « les enfants de moins de 15 ans vivant avec un seul de leurs parents », donne 12 % avec le père pour la France, 15 % pour l'Angleterre. Dans les trois pays, les enfants au-dessus de 10-12 ans sont plus volontiers confiés au père; en Angleterre, en outre, les garçons de plus de 10 ans vivent un peu plus souvent avec le père que les filles du même âge.

Il faut garder en mémoire les masses d'enfants à partir desquelles ces pourcentages s'expriment : il s'agit en l'occurrence de 761 040 enfants français de moins de 15 ans, et de 1 112 700 enfants anglais et gallois de moins de 15 ans.

1. Voir chapitre VIII.

Les pères divorcés voient-ils les enfants dont ils sont séparés?

D'où l'importance de la question : et les 88 % ou 85 % confiés à la mère, voient-ils leurs pères? Dans ce chapitre volontairement « quantitatif », ne cherchons pas à juger de la qualité de ces rencontres, mais seulement de leur fréquence. Une enquête danoise, dirigée par I. Koch-Nielsen et publiée en 1985, portait sur des couples divorcés en 1980 : donc, sans beaucoup de recul dans le temps. Il apparaît que 56 % des pères voyaient leur(s) enfant(s) au moins une fois tous les quinze jours; 22 % moins fréquemment; 20 % rarement ou plus du tout [1].

Une enquête allemande de A. Napp-Peters (1985) établissait que 60 % des enfants avaient des contacts plus ou moins réguliers avec le père non gardien, mais que la fréquence en diminuait au fur et à mesure que le temps passe, après le divorce. Dans cette enquête, pour 40 % des enfants, les relations avec le père avaient été « totalement rompues », le plus souvent à l'initiative de la mère « gardienne [2] ».

En France, la grande enquête de l'INED, elle aussi réalisée en 1985, fait apparaître que 13 % des enfants de divorcés vivent avec leur père; s'agissant des autres, qui ne lui ont pas été confiés : 18 % le voient fréquemment; 27 % le voient une ou deux fois par mois; 23 % le voient moins d'une fois par mois; et 19 % ne le voient plus du tout (8 % de « non réponses »).

Même si les pères divorcés restent plus souvent en rapports suivis avec leurs enfants que les pères non mariés séparés, *on ne peut que s'alarmer du total effarant des liens pères/enfants à jamais mutilés ou rompus par l'éclatement des couples : à la fin de la période que*

1. Koch-Nielsen, *Divorces*, The Danish National Institute of Research, 1985.
2. A. Napp-Peters, *Ein Eltern Familien*, Soziale Arbeit Verlag, 1985.

nous étudions ici, en 1985, c'étaient, en France, 2 000 000 d'enfants qui vivaient séparés de leur père, dont 600 000 ne le voyaient plus du tout. Il y a tout lieu de penser que leur nombre n'a fait que croître depuis l'étude de l'INED.

C'est de la mère surtout que vont dépendre les possibilités de visites et de séjours chez le père. Sera-t-il un père épisodique du premier week-end du mois? Un père que ses enfants ne voient jamais qu'en vacances, un père ludique, en short, qui achète des glaces et loue des pédalos, qui ne va pas au bureau, qui n'a pas d'épaisseur sociale? Ou un père enfui, mythique? Chassé? Qui les a oubliés? Qui cherche à les reprendre et à qui on leur dit qu'il faut échapper?

La paternité aujourd'hui est déterminée par la mère

Ainsi, toute incomplète et ingrate qu'elle soit, cette tentative d'approche statistique nous a conduite au cœur de la crise actuelle de la paternité. On pourrait la résumer d'une formule paradoxale: *la paternité, désormais, dépend entièrement de la mère, de sa volonté propre et des rapports qu'elle a avec le père.*

C'est la mère qui décide concrètement s'il aura ou non un enfant. N'est père que l'amant dont une femme désire un enfant ou laisse venir un enfant. Certes, il choisit d'être amant, dans le mariage ou hors mariage. Mais ensuite, comment savoir ce qu'il souhaite et ce qu'il subit? Nul ne peut évaluer la proportion d'enfants qui ont été voulus par leur père, acceptés par leur père, ou refusés par leur père. Nul ne sait, sur le total des interruptions volontaires de grossesse, combien ont été pratiquées sans que le père de l'embryon n'en sache rien, ou contre son gré, ou avec son assentiment, ou à son instigation.

Lorsque l'enfant est né et que l'amant est devenu père, l'exercice de sa paternité va dépendre des relations instaurées avec la mère, du point de vue juridique et social, et des rapports vécus avec la mère du point de vue affectif et psychologique. Les pères mariés à la mère ont davantage de droits propres vis-à-vis de leurs enfants et de meilleures chances de pouvoir vivre leur paternité et voir se développer entre leurs enfants et eux une histoire chaleureuse et solide que les pères divorcés ou que les pères célibataires cohabitants, ou, pire, cohabitants séparés. C'est pourquoi il est préoccupant de voir diminuer avec une telle rapidité le nombre et la proportion des pères mariés à la mère de leurs enfants. Ainsi, au 31 décembre 1986, les hommes suédois de 25 à 44 ans, donc en âge d'être pères, se répartissaient entre 1 261 000 mariés et 1 146 000 célibataires et divorcés !

Nous avons vu que le mot « géniteur » s'apparentait au mot « genèse » ou « origine ». Le père, longtemps, s'est cru l'auteur des jours d'un enfant. La mère était instrument pour qu'il accède à la paternité. Désormais, la femme est le décideur, elle est devenue l'auteur. L'homme est instrument pour qu'elle réalise sa maternité. Après la naissance de l'enfant, l'exercice de la paternité ne va pas dépendre tant de la qualité du rapport père/enfant que de la qualité du rapport mère/père. Le couple prime sur la filiation paternelle. Si la mère ne veut plus vivre avec ce mari ou ce compagnon, le père ne pourra que rarement continuer à vivre avec son enfant. Si elle ne l'apprécie pas en tant que père, elle peut le priver tout à fait de rapports avec son enfant.

Pour être père à part entière, désormais, il faut plaire à la mère, avant, pendant, après. C'est la stratégie des faibles – les femmes le savent bien qui l'ont pratiquée pendant des siècles. Bien des hommes l'ignorent ou la dédaignent, et perdent leurs enfants – lesquels perdent leur père – sans que ni les uns ni les autres n'aient souhaité une telle rupture.

CHAPITRE V

Deux décennies d'effacement des pères : 1965-1985, un bouleversement juridique

C'est pendant ces années décisives 1965-1985, qui ont vu se déliter tant d'engagements, éclater tant de familles, séparer tant d'enfants de leurs pères, que la plupart des pays d'Europe occidentale ont modifié ou réformé en profondeur leurs lois régissant le mariage, la filiation, l'autorité parentale et le divorce.

La célèbre question d'Horace vient alors à l'esprit : l'évolution des mœurs a-t-elle poussé à modifier les lois? Ou les possibilités introduites par les lois nouvelles ont-elles induit et précipité les changements des mœurs?

On pourrait répondre « oui » aux deux questions. Il semble plus juste de faire remarquer qu'il y eut, en fait, « co-incidence » au sens fort du terme : les bouleversements sociologiques qui viennent d'être relatés et les remaniements juridiques qui font l'objet de ce chapitre se sont réellement produits en même temps, et il apparaît donc impossible de démêler nettement la cause de l'effet.

Les lois nouvelles n'ont pas provoqué les bouleversements des mœurs

On peut exclure l'influence mécanique et immédiate du juridique sur le social, à de rares exceptions près. D'abord, parce qu'une grande partie du public était, au moment où les lois furent changées, dans l'ignorance de leurs prescriptions. Et, aujourd'hui encore, une grande partie du public, et tout particulièrement les hommes – futurs pères ou mères – demeurent dans l'ignorance des lois nouvelles.

Ainsi, en France, au début des années 70, il était fort question de modifier les dispositions législatives relatives au divorce, que l'on estimait dépassées. Mais dans quelle mesure? Mais par quoi les remplacer? Il fut entendu que trois organismes distincts (le service de coordination de la recherche au ministère de la Justice, le laboratoire de sociologie juridique de l'Université de Paris II et le département de psycho-sociologie de l'Institut national d'études démographiques) entreprendraient en commun une série de recherches sur les « mœurs », c'est-à-dire, en l'occurrence, sur l'information, les opinions et les attitudes des Français face au divorce. Comment les lois en vigueur étaient-elles considérées? Les Français souhaitaient-ils les modifier? Dans quel sens? Pourquoi? Comment? Une vaste et minutieuse enquête fut faite auprès de 2 142 personnes [1]. Or elle révéla une connaissance très imparfaite de la loi : par exemple, 57 % des femmes interrogées et 52 % des hommes croyaient alors que le divorce « à l'amiable », par consentement mutuel, était chose possible – bien que ce motif, à l'époque, ne fût pas recevable. Des lois ignorées ne peuvent guère influencer les mœurs.

Autre manifestation de l'indifférence ou du moins de l'indépendance relative des mœurs par rapport aux lois : l'augmentation soudaine et soutenue du nombre des divorces en France à partir de 1972, c'est-à-dire trois ans avant le vote de la nouvelle loi plus libérale qui interviendra le 11 juillet 1975. Une telle observation n'est pas propre à la France : « Dans les quatre ou cinq décennies qui précèdent l'ensemble des réformes du droit du divorce, on note à la fois une forte augmentation de la proportion de couples divorcés dans tous les pays d'Europe

1. A. Boigeol, J. Commaille, M.-L. Lamy, A. Monnier et L. Roussel, *Le Divorce et les Français*, enquête d'opinion, avant-propos d'A. Girard, Paris, PUF, 1974.

occidentale et un remarquable immobilisme législatif [1]. »
On ne peut donc imputer la croissance soutenue des divorces 1965-1975 aux changements législatifs.

Aux Pays-Bas, on baptisa même « le grand mensonge » la période durant laquelle les couples désirant divorcer, les avocats et les juges s'entendirent pour interpréter très largement, pour infléchir, voire contourner une législation ressentie comme trop rigide et inadaptée. Il en fut de même dans les pays qui avaient plus ou moins suivi le Code Napoléon, en France, en Belgique, au Luxembourg et en Suisse. Dans les pays nordiques, l'augmentation du nombre des divorces précéda d'environ quatre ans les changements juridiques et poursuivit ensuite son ascension. Dans les pays de droit germanique plus souple, comme l'Autriche et la RFA, la presque totalité de l'augmentation des divorces a eu lieu avant les changements de la loi (1977 et 1978) dans un sens encore plus libéral. Ces constats dissuadent de conclure à l'influence directe des lois sur les mœurs et de faire porter au législateur une responsabilité sociale qu'il n'a pas.

Pourtant, çà et là, les lois nouvelles ont suscité ou favorisé une poussée de divorces. En Grande-Bretagne, la courbe de l'indice de divortialité a également grimpé pendant les dix années qui ont précédé les réformes juridiques décisives de 1969. Mais, à peine le *Divorce Reform Act* 1969 est-il entré en vigueur, le 1er janvier 1971, que l'indice de divortialité s'emballe : de 16 % en 1970, il saute à 21 % en 1971 et à 33 % en 1972 ! Cependant, quand elle se produisit, la flambée de divorces après une loi nouvelle fut de courte durée : sans doute recouvrait-elle des séparations projetées, ou même effectives, qui pouvaient enfin se transformer en divorces légaux.

1. P. Festy, *Le Divorce en Europe occidentale, la Loi et le Nombre,* ouvrage collectif, préface du doyen J. Carbonnier, GIRD International, CETEL Genève, INED Paris, 1983, p. 124.

Est-ce le bouleversement des mœurs qui a poussé à modifier les lois?

Doit-on, en conséquence, affirmer que ce sont les mœurs qui ont eu une influence directe et déterminante sur les lois? Le profond bouleversement juridique des années 70 en Europe, qui va si nettement affaiblir le statut et le rôle des pères n'aurait été qu'une adaptation à la réalité des faits?

Nombreux sont aujourd'hui ceux qui l'affirment : à leurs yeux, le droit n'a fait que « prendre acte » des changements intervenus dans les familles. Ils font remarquer les changements économiques : la famille n'est plus une cellule de production comme dans la société agricole traditionnelle où elle formait un groupe économiquement soudé et solidaire. Désormais, le revenu de la famille n'est plus assuré par une seule personne – le père « pourvoyeur du foyer » – mais également par la mère, qui a un travail et un salaire, une autonomie financière. Droit civil et droit social ont bien dû s'adapter à cette réalité nouvelle.

Ils insistent plus encore sur le rôle des changements intervenus dans la structure même des familles : nombreux sont ceux qui estiment que la volonté de vivre autrement des individus a poussé à l'affaiblissement du mariage, à la révision des droits et devoirs paternels et maternels et, par conséquent, au changement des lois régissant la famille. Les jeunes ne cherchant plus à « fonder une famille », le mariage ne pouvait plus jouer son rôle d' « assise » pour la pérennité. La vie de couple, envisagée comme une tentative de bonheur et d'épanouissement personnel, n'a pas besoin du même soutien de la loi puisqu'elle n'envisage pas forcément la durée et encore moins l'indissolubilité. De même pour les rôles parentaux : du moment où on a un enfant par amour et non pour continuer une lignée, n'est-il pas légitime de demander à la loi de privilégier le couple par rapport à la filiation? C'est le couple, désormais, qui crée la famille et qui la dissout en se séparant.

On va appeler « famille » le petit groupe formé par la mère séparée et ses enfants, mais aussi le couple qu'elle peut reformer avec un autre que le père de ses enfants. Ce sont ces « familles » à géométrie variable se multipliant qui auraient contraint le législateur à adapter la loi à cette nouvelle réalité. En 1986, des spécialistes du droit de la famille écrivent, pour la revue de la Caisse nationale d'allocations familiales : « Le changement du droit de la famille peut s'analyser comme un ajustement de la législation à de nouveaux modes d'unions conjugales et, plus généralement, à de nouvelles pratiques familiales qui ne cessent de se développer [1]. » Ils affirment même que, pour correspondre à ces « situations plurielles », il fallait bien un droit qui fût souple voire « flexible » – un « flexible droit sans rigueur », pour citer l'expression fameuse forgée par l'inspirateur et auteur de ce nouveau droit en France, le doyen Jean Carbonnier [2] à qui fut confiée pour l'essentiel la rédaction des lois du 13 juillet 1965 (régimes matrimoniaux), du 4 janvier 1970 (autorité parentale), du 3 janvier 1972 (filiation) et du 11 juillet 1975 (divorce).

Non, le droit nouveau ne s'est pas ajusté aux mœurs

Ce sont là des raisonnements *a posteriori*, qui montrent une grande méconnaissance des faits sociologiques. Car une observation des mœurs qui ont précédé ces lois interdit d'en faire une cause prégnante.

Par exemple, quand fut votée la loi sur les régimes matrimoniaux, en 1965, l'autonomie économique de la femme mariée par l'emploi n'était qu'un rêve. La proportion de femmes actives et le nombre total de femmes au travail étaient, en France, les plus bas jamais observés. En 1921, la France comptait 8 393 000 femmes actives; en

1. Catherine BLANC et Rémi LENOIR, « Le nouvel espace juridique de la famille », *Droit, Famille et Société*, numéro spécial de *Informations sociales*, n° 7, 1986.
2. Jean CARBONNIER, *Flexible droit, textes pour une sociologie du droit sans rigueur*, LGDJ, 1979.

1931 : 7 756 000; en 1946 : 7 853 00; en 1954 : 6 506 000; et en 1962, recensement le plus proche de la loi : seulement 6 489 000. Soit un taux global d'activité féminine de 27,9 % contre 36 % au début du siècle. En outre, ces femmes au travail sont surtout des célibataires et des veuves : moins d'une femme d'ouvrier sur trois travaille; à peine 40 % des femmes mariées à un employé, un cadre moyen ou un commerçant. Et ces modestes proportions s'effondrent encore bien plus bas si on ne retient que les mères de famille. Non, l'augmentation du nombre des femmes mariées au travail a eu lieu plus tard, et la quasi-généralisation du couple à deux salaires et de la mère qui travaille n'intervient qu'après 1975. Le droit de la famille était déjà modifié.

Quant aux « situations plurielles » qui auraient contraint le législateur à « ajuster » le droit, on les chercherait vainement dans la France d'avant 1970, année du vote de la loi sur l'autorité parentale qui allait avoir de si importants effets sur les pères non mariés. En 1970, on ne parlait pas encore de « cohabitation », pas même encore de « mariage à l'essai ». Le phénomène nouveau à l'époque, ce sont les « conceptions prénuptiales », c'est-à-dire les premiers-nés qui arrivent moins de neuf mois après la noce car leurs parents avaient pris « de l'avance », comme on disait alors. En 1965, on dénombre 65 000 conceptions prénuptiales, mais 86 000 en 1972. Ce qui signifie que, bon gré mal gré, on se mariait du moment où un enfant s'annonçait.

Les unions libres sont si rares qu'aucune étude ne cherche à en évaluer le nombre et les caractéristiques : la famille mariée triomphe. Il n'y a alors pas même 60 000 naissances hors mariage par an (230 000 aujourd'hui), soit 6 % des naissances, et elles sont le fait de mères célibataires surprises par une grossesse indésirée, et abandonnées par le père de l'enfant dans la proportion de 80 %. La « forme nouvelle de famille » non mariée qui a eu volontairement un enfant hors mariage reconnu par les deux parents n'est pas encore née. On divorce peu :

l'indice de divortialité est à 11,5 % en 1970, soit pas même 1 % de plus qu'en 1950 ! Rien, mais vraiment rien ne laisse soupçonner ni l'effondrement du mariage, ni la multiplication des unions libres, ni l'envol des divorces, encore moins la multiplication par trois du nombre des enfants hors mariage.

Tous ces phénomènes ont du reste surpris les auteurs de ces lois, tellement surpris qu'ils ont un temps cherché à les minimiser. Je puis en témoigner : j'ai rencontré ces juristes lors de débats dans diverses instances, au début des années 80, alors que j'essayais d'attirer l'attention sur les grandes mutations de la famille que commençaient de révéler les statistiques. Ils minimisaient ces constats, leur opposaient d'autres statistiques, parfois bien peu significatives, mais qui avaient à leurs yeux une vertu, noyer le poisson. Non, disaient-ils, il n'y avait pas crise du mariage. Non, la famille restait aussi solide. Pas un instant, ils ne justifiaient leurs réformes juridiques en proclamant qu'elles étaient en phase avec les mœurs. Au contraire, il apparaissait qu'en se modifiant très vite et pas du tout dans le sens qu'ils imaginaient, les mœurs avaient « déphasé » leurs lois, qui se sont mises à produire des effets pervers – comme on qualifie les conséquences maheureuses qui n'étaient pas prévues, ni encore moins voulues, par le législateur.

Aucun des juristes qui ont préparé ces réformes, pas plus que les députés qui les ont votées, n'avaient imaginé que leur application feraient, en quinze ou vingt ans, de centaines de milliers de pères responsables des « parents sans droits », sépareraient quelque deux millions d'enfants de leur père, que six cent mille d'entre eux ne verraient plus jamais. Pas un instant, ils n'ont cherché, par leur œuvre, à anticiper une débandade des formes de la famille. Ils n'ont pas été poussés par la nécessité de « s'ajuster » aux mœurs.

Les réformes du droit obéirent à des idées et des principes nouveaux

Alors, pour quelles raisons ont-ils entrepris ces réformes et ces novations? Par un désir sincère et profond d'honorer certains principes fondamentaux dont le respect devait, à leurs yeux, caractériser la société moderne.

Nous sommes en 1965, 1970, 1972, 1975. Les principes qui comptent alors sont avant tout le *principe d'égalité*, lui-même corollaire de la recherche de *libération de l'individu*. Pour devenir une personne, et respectée en tant que telle, l'individu doit être délivré du poids des aliénations, des hiérarchies, des institutions. Du « système », disaient les situationnistes puis les soixante-huitards, pour désigner l'ensemble des formes sociales et culturelles conférant aux individus des statuts, des rôles, des limites, des devoirs différents.

Le grand mouvement d'idées qui agite alors la société n'est pas seulement politique. Il ne s'agit pas uniquement de démocratie politique, mais aussi de démocratie civile, et, pourrait-on dire, psychologique. Le citoyen doit être délivré de sa « classe » sociale, mais plus encore l'individu des formes de vie et des rôles que lui imposent sa catégorie, son niveau, son métier, son âge, son sexe, son état mental – et sa famille bien sûr. Durant ces années bouillonnantes, tous les cloisonnements et tous les signes de hiérarchie furent ressentis comme insupportables, depuis les titres et les privilèges jusqu'au simple vouvoiement. Toutes les « valeurs » qui reposaient sur l'inégalité ou instauraient de l'inégalité furent proprement déboulonnées et jetées aux poubelles de l'Histoire : le respect, l'autorité, l'engagement, l'honneur, la foi, l'adoration, etc.

Il n'est pas inutile de remarquer l'importance relative des vertus et valeurs dites viriles dans cette rageuse mise au rancart. L'image paternelle se délitait d'autant. « Mort aux pères », trouva-t-on écrit sur un mur, en 1968. Les rôles familiaux des « assujettis » – femmes et enfants... –

leur étaient devenus lourds comme des carcans. Un immense psychodrame faisait partout craquer les repères sociaux et surgissaient de tous bords des « moi » en quête d'*alter ego* – ou plutôt, d'autres égaux – qui projetaient également de reconquérir leurs corps et de se défaire de toute inhibition psychologique (attribuée au « système », ou à « la société ») et aspiraient au tout dire, tout faire, tout jouir.

Il faut avoir vécu cette décennie pour comprendre la vague de réformes du droit civil qui a déferlé sur l'Europe.

Le « principe d'égalité » à l'œuvre pour l'autorité parentale

Dans sa phase la plus active, l'aspiration à l'égalité modifie profondément le jugement que l'on peut porter sur l'altérité. Dans toute différence manifeste, on tend à rechercher l'injustice. On veut la corriger. On est, bien entendu, tout naturellement plus attentif aux victimes souffrant d'injustices qu'aux privilégiés à qui on retire ou rogne leurs privilèges. Il y a, dans l'établissement de l'égalité et l'extinction d'une injustice, une urgence qui pousse à agir, sans trop se préoccuper du devenir lointain de ceux à qui l'on a pris ou rabattu. Le Code civil traitait alors de manière indéniablement inégale les hommes et les femmes, les pères et les mères. Les juristes ont désiré corriger cette injustice.

Corriger peut aussi signifier punir. Disons que l'opération d'égalisation des statuts et des droits des pères et mères a été un peu loin, et ne s'est pas retenue de punir un peu les pères – pour les péchés passés des pères tout-puissants. Il ne faut pas oublier que ce sont des hommes et des pères de famille qui ont voté ces lois. Voilà qui rappelle singulièrement l'abolition des privilèges, la nuit du 4 août 1789, qui fut l'œuvre des nobles eux-mêmes et du clergé, dans une belle surenchère de sacrifice. Car il faut en convenir, ces lois n'ont nullement été réformées dans l'intérêt des hommes, non plus que dans l'« intérêt des familles ». Mais seulement pour assurer aux femmes une égalisation – qui s'est révélée à la longue être en fait une suprématie.

Un exemple : le vote de la loi de 1970 sur l'autorité parentale. Dès le début des années 50, Julliot de la Morandière déclarait : « L'autorité d'un " chef " se justifie si la famille a à se défendre par les armes, si l'homme est plus fort ou seul à agir : il n'en est pas, il n'en est plus ainsi. La femme a la même instruction, les mêmes droits politiques. La qualité de " chef de famille " devient un contresens et une contre-vérité. » La commission de réforme du Code civil était prête à le suivre, et à supprimer la trop fameuse « puissance paternelle », que nous traînions dans notre Code depuis 1804. Cependant, à l'époque, la Faculté de droit de Paris s'y était opposée. En juin 1958, une loi allemande a proclamé l'égalité des époux devant la loi. Dès lors, les associations féminines et les sociologues de la famille ne cessent de réclamer la même réforme pour la France. Leurs arguments sont inattaquables et d'autant plus forts que les enquêtes sociologiques qui commencent à devenir courantes démontrent que, dans la réalité de la vie familiale, ce sont les femmes qui s'occupent des enfants et prennent les décisions les concernant. J'ai, à l'époque, participé sur le terrain, à certaines de ces enquêtes : le hiatus que nous constations entre le rôle effectif des mères et leur statut juridique était un vrai scandale.

Quand, en 1970, la réforme aboutit, on attache la plus grande importance à la suppression du mot « puissance » paternelle. Le changement de mot se veut changement d'esprit : l'« autorité parentale » n'est plus une « prérogative mais un complexe de droits et de devoirs qui correspond à ce qu'on nomme aujourd'hui une fonction. Sa finalité n'est plus la domination mais la protection. » Enfin elle est égalitaire, elle est exercée « par les deux parents, chacun des époux étant réputé agir avec l'accord de l'autre quand il fait seul un acte usuel relativement à la personne de l'enfant ». Voilà bien appliqués les principes d'égalité, entre les père et mère, et d'individualisation des fonctions.

Un procès « anti-pères » fait outrepasser le point d'équité

Pourtant, à la lecture des débats qui eurent lieu à l'Assemblée, on sent que la recherche d'égalité fut vite exagérée en revanche contre les pères. Comme si le pendule, qui était depuis des siècles dans le camp des pères, revenait lourdement dans l'autre sens, dépassait le point d'équité, et favorisait les mères par compassion et compensation pour un long passé, sans s'émouvoir de l'inégalité ainsi instaurée.

C'est lorsqu'il fut question des enfants naturels – « en un temps où l'idée d'une maternité naturelle paraît moins effrayante » – que s'exprima le plus nettement le parti pris anti-pères. Des mères naturelles, il n'est dit et pensé que du bien : elles sont toujours « attachées à l'enfant », elles sont toujours victimes. Elles auront toute l'autorité parentale quand le père, lâchement, les a abandonnées et n'a pas reconnu l'enfant. Mais que faire dans les cas où le père naturel reconnaît l'enfant et s'engage donc à l'entretenir par des subsides et à lui donner son nom – peut-être même à l'éduquer? Accorder l'autorité paternelle au père naturel, ce serait « contredire la réalité sociologique, dit-on, car seule la mère élève l'enfant ». Le garde des Sceaux (9 avril 1970) s'écrie que « l'expérience démontre qu'il faut protéger les mères naturelles contre les chantages à l'enfant, trop souvent pratiqués par des compagnons éphémères qui ne se rappellent leur paternité et les droits que les textes anciens leur accordaient que pour menacer les mères de leur retirer l'enfant si elles ne se soumettent pas à leur volonté ».

Ainsi, les pères naturels qui reconnaissent leur enfant cachent de noirs desseins, ils sont des « compagnons éphémères », ce qui laisse entendre que leurs compagnes ne le sont pas et que c'est eux qui ont imposé cette situation éprouvante, même si elle est « moins effrayante » qu'autrefois, de non mariage à la mère. Si on leur accorde le partage à égalité de l'autorité parentale, ils seront incapables de partager, ils menaceront et imposeront leur seule volonté, et les mères ne sauront pas se défendre, même si la loi leur donne les mêmes prérogatives. L'intérêt pour l'enfant d'établir un vrai lien filial avec celui qui l'a reconnu semble oublié : préfère-t-on qu'il s'en passe? – le sentiment paternel, lui, ne paraît pas exister chez les pères non mariés...

Sans doute se référait-on alors aux pères naturels « compagnons éphémères ». Mais, interroge quelqu'un, ne pourrait-on accorder l'autorité parentale au père naturel comme à la mère naturelle lorsque tous deux vivent ensemble et que leur concubinage ressemble fort à un mariage? Ces cas (si fréquents de nos jours), l'Assemblée refuse de les envisager, et l'intervention en leur faveur est ressentie comme « une tentative de faire une dernière faveur au père », manœuvre qu'il convient de déjouer. Comment? En flétrissant ces unions libres, ou, plus exactement, l'homme qui n'épouse pas et n'a pas droit vraiment au statut de père. On répond qu'il faut se méfier, car, dans l'euphorie des débuts d'un concubinage, les concubins peuvent demander ce partage, « mais comme les concubins se séparent assez rapidement, la mère n'aurait pas toujours la ressource de s'adresser à son compagnon qui disparaît parfois sans laisser d'adresse [1] ».

On sent bien là une prévention contre les pères non mariés, dont il n'est pas question de favoriser le rôle parental pour les attacher à la mère et à l'enfant. Ils vont lever le pied inopinément, comme des malhonnêtes : soupçon vaut jugement. Seule la mère aura l'autorité parentale, au bénéfice de son sexe, car c'est elle qui règne sur les soins et l'éducation, quels que soient ses défauts et ses qualités, quel que soit son attachement pour l'enfant.

1. *Cf.* Claude Colombet, *L'Autorité parentale*, Dalloz, 1971.

Les femmes deviennent le « premier sexe parental » devant la loi

Dépouillé de sa *potestas*, le père peut partager la « fonction » parentale que définit la nouvelle « autorité parentale » avec la mère seulement s'il est marié à celle-ci. Et encore... On sent, au cours des débats, combien forte est la méfiance envers tout père, fût-il marié. Il est question de « limiter la fonction paternelle, au besoin, pour assurer la sécurité de l'enfant ». Sociologues et magistrats expriment leurs soupçons : bien des pères sont peu capables d'amour, brutaux, inconstants, tyranniques, égoïstes. A aucun moment, pas une fois, ne seront évoqués les bienfaits qui peuvent, pour l'enfant, découler de l'existence d'un père présent, responsable, impliqué dans l'éducation, aimant. Pas une fois ne sera évoqué le sentiment paternel, l'amour paternel. Où est la « miséricorde inépuisable » qui jaillissait naturellement, au XVIIIe siècle, du cœur des pères?

C'est qu'on est passé d'un extrême à l'autre dans la vision que l'on a des deux sexes et de leurs rôles dans la société. En 1970, *obnubilés par l'idée de réformer les lois dans le seul intérêt des enfants*, juristes et législateurs *n'ont pas conscience* d'avoir opéré un changement d'optique complet à propos des sexes, lequel, comme toute généralisation, ne va pas sans une part d'aveuglement et, à terme, d'injustice. Ils s'opposent à une généralisation passée, désormais ressentie comme imbécile et injuste : les auteurs du Code civil n'avaient-ils pas investi les seuls pères des rôles nobles de chefs de famille, éducateurs et gestionnaires de biens des enfants parce qu'ils considéraient les femmes, toutes les femmes, comme inférieures par nature? Ils avaient donc fait de l'ensemble des mères une sorte de « deuxième sexe parental » à la remorque des pères. Eux, les réformateurs de 1970, persuadés de l'inanité de la doctrine de la supériorité masculine qui a produit le patriarcat, ne sont pas loin d'opérer la généralisation inverse. Non, ils ne vont pas jusqu'à considérer tous les hommes comme inférieurs, mais ils établissent bel et bien toutes les femmes, l'ensemble des mères légitimes ou naturelles, comme « premier sexe parental », plus responsables, plus aimantes, plus capables d'assurer les soins et l'éducation des enfants que les pères. Parce que femmes.

Bien sûr, le temps n'est plus aux justifications par la « nature » féminine, lorsque, précisément, les féministes réclament à juste titre contre les limitations de rôle que cette prétendue « nature » a entraînées. On partira donc de la nécessaire protection de l'enfant dans sa sécurité, sa santé et sa moralité, et on invoquera « la réalité sociologique » observée. Encore en 1988, dix-huit ans plus tard, le directeur du Laboratoire d'études et de recherches sur le droit privé, Françoise Dekeuwer-Défossez, déclarera : « Cette législation n'est pas le résultat de la réflexion perverse d'un technocrate en délire : c'est le fruit de la nécessité sociale, à la suite de siècles de désintérêt des pères pour les enfants illégitimes, et même parfois pour des enfants légitimes, de difficultés des mères célibataires ou divorcées, de rancœur des enfants abandonnés. [...] La voie de l'amélioration future des droits des pères est donc clairement tracée : les pères ne gagneront de nouveaux droits qu'en assumant volontairement de nouvelles charges [1]. » Ce qui revient à avouer que les pères naturels qui, depuis la révision juridique des années 70, ont rempli leurs obligations n'en ont pas moins été et sont privés de leurs droits du fait de leur appartenance au sexe masculin, car la loi n'a pas tranché en faveur de qui remplit ses charges contre qui les néglige, mais elle a généralisé pour l'ensemble des pères non mariés.

Ces dispositions, dira-t-on, ont été modifiées par la loi du 22 juillet 1987, dite loi Malhuret (car elle a été votée à l'instigation du premier secrétaire d'État aux droits de l'homme que la France ait eu) à la suite de nombreuses réclamations de pères. Cette loi, qui autorise deux parents

1. Françoise DEKEUWER-DÉFOSSEZ, « Les problèmes de la paternité sous les aspects du droit civil », *Pères et paternité*, numéro spécial de la *Revue française des affaires sociales*, novembre 1988, pp. 109-119.

non mariés à déposer une demande conjointe d'autorité parentale auprès du juge des tutelles, n'a-t-elle pas normalisé la situation des pères naturels et effacé l'injustice qui leur était faite en tant qu'hommes?

Non point. Elle a eu pour but, dans l'intérêt de l'enfant, de favoriser les liens père/mère/enfants dans les familles naturelles unies, où père et mère s'entendent bien. Elle n'a nullement rétabli l'égalité des droits entre homme et femme, entre père et mère. En effet, toutes les mères naturelles, bonnes ou mauvaises, attentives ou indifférentes, avec ou sans ressources, se voient automatiquement conférer l'autorité parentale. Aux pères naturels, elle n'est jamais automatiquement attribuée, même s'ils reconnaissent l'enfant à sa naissance, l'entretiennent et veillent sur lui, mais seulement si la mère consent à partager avec eux les prérogatives dont elle jouit au seul titre de son sexe.

Le droit nouveau est aussitôt dépassé par les idées et par les faits

N'est-il pas curieux que le droit fasse sienne cette dichotomie sexuelle pères/mères au moment même où tout le monde (les féministes, les psychologues, les sociologues, les éducateurs, etc.) répète à l'envi qu'hommes et femmes, pères et mères ne sont ni différents ni complémentaires, mais qu'ils peuvent et doivent tous deux accomplir les mêmes tâches et remplir les mêmes rôles? Langer bébé, payer l'assurance, faire la vaisselle, aller voir les professeurs, conduire les enfants en classe, caresser ou gronder, ce doit être indifféremment le père ou la mère : la fameuse « interchangeabilité des rôles parentaux » dont il sera question au chapitre suivant...

N'est-il pas plus curieux encore d'observer que, par cette dichotomie sexuelle préférentielle, le nouveau droit cherche à montrer, enfin!, de la compréhension et même de la générosité à l'égard des femmes si longtemps victimes de séducteurs oublieux et lâches, à l'égard des mères si longtemps contraintes d'élever seules des enfants qu'elles n'avaient pas été seules à faire, et qu'elles n'avaient pas voulus – ... et cela alors que l'arme d'une contraception efficace vient d'être donnée aux femmes, alors que commence pour elles la revanche, une nouvelle ère, celle de leur responsabilité et de leur puissance? Désormais, elles ne seront plus des victimes involontaires. Désormais, c'est elles qui pourront choisir et décider...

Quel singulier paradoxe! En fortifiant le statut et le pouvoir des mères, afin que la réalité juridique soit en harmonie avec la réalité quotidienne des mères éducatrices, le droit pensait corriger également quelque peu l'inéquité de la Nature. Et voici que, juste au même moment, la contraception permet aux femmes de surmonter leur vulnérabilité naturelle et en fait les régulatrices de leur propre fécondité – aucun homme ne pouvant plus les rendre mères malgré elles –, mais aussi les décideuses de la paternité de leurs partenaires! Elles ne feront un enfant à un homme que si elles le veulent bien. Voilà donc la bascule qui penche en sens inverse.

Et le droit en rajoute : elles ne reconnaîtront l'autorité parentale au père naturel que si elles le veulent bien. Cet homme qu'elles ont choisi pour être père de leur enfant, elles peuvent lui dénier l'autorité parentale, tout en l'obligeant à payer. Certes, ce renversement ne s'est pas opéré en un jour : bien des femmes ont encore des mentalités et des vies de victimes, bien des hommes sont encore des pères irresponsables sans remords. Mais, tout de même, à la mesure de la très longue histoire des rapports hommes/femmes, à la mesure de la très longue histoire de la famille et de la paternité, quel changement brutal! Si brutal que très nombreux sont ceux et celles qui ne savent plus très bien où nous en sommes, et qui ne croient pas à un quelconque effacement des pères.

Situation juridique des pères en Europe après vingt ans de réformes

Récapitulons leur position après deux décennies de réformes juridiques du droit de la famille. Pour ce faire, il faut comparer la situation juridique des hommes et des femmes à l'égard : 1° de la procréation; 2° de l'établissement de leur parenté avec l'enfant; 3° de l'exercice de leurs droits parentaux, en particulier de l'autorité parentale [1].

1° Droits des hommes vis-à-vis de la procréation :

L'évolution récente pourrait se résumer ainsi : les femmes sont devenues, en fait et en droit, maîtresses de la décision de procréation dont les hommes avaient été maîtres, en fait et en droit, pendant des siècles. Dans les sociétés patriarcales, la procréation est décision de l'homme; il peut exiger de sa femme le « devoir conjugal » et la répudier si elle est stérile. Elle n'a pas le droit de se faire avorter : en droit romain, elle était alors coupable, non d'avoir attenté à une vie conçue, mais d'avoir privé son mari de sa progéniture. Il était, en quelque sorte, seul propriétaire de ses enfants, avant leur naissance comme après leur naissance.

Depuis l'origine des temps jusqu'aux années 1960, les femmes qui avaient des rapports avec un homme ne pouvaient agir sur leur procréation, ni de manière efficace ni de manière licite. Si elles décidaient de ne pas procréer, elles n'avaient ni le droit ni les moyens pratiques de mettre en œuvre leur intention. Les hommes, en revanche, pouvaient prendre l'initiative de rapports incomplets, déjà

1. M'inspirant ici assez largement des connaissances et conceptions de Marie-Thérèse Meulders, professeur à l'université de Louvain (Belgique) et présidente de l'Association internationale de droit de la famille, je tiens à rendre hommage à ses écrits. *Cf.* « La place du père dans les législations européennes », *Pères et paternité*, numéro spécial de la *Revue française des affaires sociales*, 1988, pp. 189-219, et « Vers la coresponsabilité parentale dans la famille européenne », *Familles d'Europe sans Frontières*, Actes du colloque des 4-5 décembre 1989, pp. 125-145.

évoqués dans l'Ancien Testament : n'est-ce pas le vrai « péché d'Onan » qui avait volontairement répandu sa semence sur la terre pour ne pas concevoir? A partir du moment où les techniques permirent de fabriquer des préservatifs masculins, ceux-ci furent licites et en vente libre partout, sous le prétexte de leur finalité prophylactique, alors que des préservatifs à usage féminin de même type (comme les diaphragmes) demeuraient interdits dans de nombreux pays.

Mœurs et mentalités étaient profondément imprégnées par cette distribution des rôles : c'était l'homme qui décidait de la procréation ou qui cherchait à l'éviter. Il en était, sinon propriétaire, du moins « responsable ». Et voilà qu'en quelques années cette séculaire répartition fut renversée. La plupart des hommes n'en virent pas toutes les conséquences à terme. Ce sont des hommes qui cherchèrent et enfin découvrirent des méthodes contraceptives à usage féminin enfin efficaces. Ainsi, ils se trouvaient libérés de la gêne d'avoir à « prendre leurs précautions » lors des rapports sexuels et exonérés de leur pesante responsabilité à l'égard de la procréation. Après tout, ce sont les femmes qui font les enfants : il n'était que justice qu'elles pussent elles-mêmes refuser des grossesses indésirées.

La femme peut disposer de l'embryon contre la volonté du père

Dans la foulée, quelques années après la découverte et la légalisation de la pilule contraceptive, l'interruption volontaire de grossesse fut autorisée dans presque tous les pays européens et devint un nouveau droit des femmes. Droit sur leur propre corps (« mon ventre est à moi ! »), mais aussi droit sur la vie ou la mort de l'embryon. Les oppositions à l'avortement, dont beaucoup n'ont pas désarmé, se fondèrent alors et se fondent encore sur le respect dû à toute vie humaine, dès sa conception. Bien rares furent les hommes qui arguèrent que c'était accorder aux femmes un privilège exorbitant par rapport à eux-mêmes, que de leur permettre de disposer, *in utero*, de leur progéniture commune. En fait, les bouleversements des mœurs ont été si rapides que les consciences masculines n'ont pas été profondément éclairées : beaucoup d'hommes restent plus ou moins vaguement persuadés qu'ils sont maîtres de leur procréation.

Or il n'en est rien. Le père d'un embryon ne peut empêcher la mère de le détruire. En 1980, un mari français avait fait requête au Conseil d'État pour n'avoir pas été associé à la consultation précédant l'interruption de grossesse de sa femme, alors que l'article L-162-4 du Code de la Santé publique prévoit la participation du « couple » à cet entretien chaque fois que c'est possible. Il lui a été opposé que cette association du mari était purement facultative et que, « quelque regret qu'on en ait », seule la femme est détentrice du droit d'interrompre volontairement sa grossesse. La Convention européenne des droits de l'homme que ce père invoquait pour la protection de la vie de l'embryon que portait sa femme ne pouvait prévaloir sur une loi française postérieure [1].

La même année, un mari britannique dont la femme avait avorté contre sa volonté à lui s'est adressé à la Commission européenne des droits de l'homme en invoquant non seulement l'article 2 de la Convention européenne des droits de l'homme (protection du droit à la vie), mais également l'article 8 qui assure le droit au respect de la vie familiale. Il lui fut répondu que le droit du père potentiel au respect de sa vie familiale devait céder devant le droit de sa femme de recourir à l'interruption de grossesse fondé sur l'*Abortion Act* 1967 [2].

On pourrait multiplier les exemples tirés de la jurisprudence européenne (et américaine dans certains États)

1. Conseil d'État, 31 octobre 1980, conclusion de M. Genevois, commissaire du gouvernement, Recueil Dalloz-Sirey, 1981, p. 38 *sq.*
2. X contre Royaume-Uni, requête n° 8416/78, avis de la commission du 13 mai 1980.

qui illustrent ce retournement complet des pouvoirs et des droits des hommes et des femmes au regard de la procréation. C'est désormais la femme qui est seule maîtresse du refus de procréer, car elle détient à la fois les moyens anticonceptionnels efficaces et le droit d'interrompre une grossesse, et elle peut faire usage des uns et de l'autre sans autorisation de son partenaire, et même sans l'en informer.

La femme peut faire un enfant sans père

En symétrique, en même temps que le droit et les moyens de ne pas procréer, la femme a acquis la possibilité pratique de procréer sans le consentement du père, contre la volonté du père ou à l'insu du père – sans que le droit s'oppose à son projet. Il lui suffit de s'abstenir de prendre des mesures contraceptives tout en assurant son partenaire du contraire; elle a alors bien des chances d'être enceinte et son partenaire, *nolens, volens*, est contraint d'accepter la situation et d'assumer une paternité qui lui a été imposée par tromperie.

La maîtrise pratique de la procréation a conduit également certaines femmes à désirer gommer le père : elles ne recherchent, dans un partenaire sexuel à qui elles cachent leur projet, qu'un géniteur potentiel. Une fois enceintes, elles dissimulent leur grossesse, disparaissent et vont ailleurs accoucher d'un enfant qu'elles ont voulu sans père. Sous la revendication radicale du « droit à l'enfant » pour la femme seule ou lesbienne, certaines cherchent à éviter l'intervention du partenaire géniteur en se faisant inséminer artificiellement avec le sperme d'un donneur à jamais anonyme. Cet acte médical, qui aboutit à l'éviction complète du père dans la procréation d'un enfant, n'est, à l'heure actuelle, pas interdit par la loi en France. Toutefois, les équipes médicales françaises pratiquant l'insémination artificielle avec donneur réunies au sein des CECOS (Centres d'étude et de conservation du sperme) se sont dotées elles-mêmes d'une éthique qui les conduit à refuser d'inséminer une femme seule, au prétexte qu'il n'est pas dans l'intérêt d'un enfant de naître sans père.

Si, en France, c'est dans la clandestinité que certaines équipes médicales sont soupçonnées d'avoir inséminé des femmes seules, en Belgique ou aux Pays-Bas, des cliniques et des équipes universitaires le font ouvertement. Une équipe belge a ainsi déclaré avoir accepté, en 1986, 21 demandes sur 26 émanant de lesbiennes. Aux Pays-Bas, l'éviction de l'homme de tout rôle et tout droit dans la procréation a été conduite jusqu'à l'absurde, puisque une femme lesbienne dont la compagne avait été inséminée lors de leur vie commune s'est vu reconnaître, après leur séparation, un droit de visite auprès de l'enfant, comme un père divorcé [1].

Ainsi, en quelques années, l'addition d'une contraception efficace avec un avortement autorisé a donné aux femmes une liberté et un pouvoir sur la procréation bien supérieurs à ceux dont peuvent disposer les hommes. S'y ajoute, en France, une survivance des temps si durs aux femmes où elles ne pouvaient ni empêcher une conception ni interrompre une grossesse : la possibilité ouverte à la mère, au moment de la naissance d'un enfant non désiré, de l'abandonner sans encourir ni poursuites ni condamnation. Il suffit qu'elle ne révèle pas son identité à la maternité. On dit qu'elle accouche « sous X ». L'enfant sera confié immédiatement à l'Aide sociale à l'enfance, qui le fera adopter.

Aucune possibilité n'est, en symétrique, ouverte à l'homme reconnu pour père de se dérober à sa paternité. Sous peine de poursuites, il est obligé d'assumer tout enfant qu'il a procréé, même s'il l'a procréé involontairement et à son insu. On ne voit pas qu'il soit possible de modifier cette obligation de responsabilité du père à l'égard de l'enfant dont il est le géniteur. Mais on comprend que le sentiment paternel ne se développe que difficilement quand l'homme a été piégé et que sa parte-

1. Hoge Raad, 5 décembre 1986, *Nederlands Juristenblad*, 1987, p. 12.

naire, ou une femme qu'il n'a que peu fréquentée, lui impose un enfant malgré lui.

Le don de sperme : générosité ou « chosification » du père ?

Mais, dira-t-on, que vient faire le sentiment paternel face à la procréation à l'heure du sperme congelé qui attend son utilisatrice? Ne trouve-t-on pas louable qu'un homme donne son sperme à une équipe médicale dans le but d'aider un couple où l'homme est stérile à avoir un enfant? C'est-à-dire abandonne sa progéniture potentielle sans espoir de jamais connaître les éventuels enfants qui peuvent naître de ces paillettes conservées dans une thermos? Pour trois raisons au moins, cet acte n'est pas considéré comme un abandon mais très apprécié pour sa générosité :

1° parce qu'il s'agit d'un don gratuit (on mépriserait qui vendrait sa semence);

2° parce qu'il va combler un très douloureux manque et un très vif désir chez une femme;

3° parce qu'il peut permettre de cimenter un couple injustement éprouvé par la Nature.

Voilà qui s'enveloppe parfaitement dans l'éthique en honneur dans la France fin de siècle. Cependant, on conçoit bien que cette « procréatique » soit récusée par des esprits religieux qui refusent de telles manipulations de la vie.

Certaines voix masculines, bien rares il est vrai, ont tout de même cherché à se faire entendre en s'opposant à l'insémination avec donneur pour des motifs autres que religieux. Ces hommes y voient une « chosification » du géniteur, qui lui retire toute dignité, l'ampute de la dimension sacrée du (pro)créateur et du sentiment qui embellit la fonction paternelle. L'un d'eux, écrit : « Nous ne pensons pas que l'homme puisse accepter d'être réduit à un peu de liquide blanc au fond d'éprouvettes interchangeables, tandis que la femme élève et éduque seule les enfants. Nos sentiments masculins et paternels nous invitent à un rôle plus ambitieux vis-à-vis des générations à venir [1]. »

Leurs inquiétudes ont pu se trouver justifiées par l'étrange jugement rendu le 17 avril 1989 par le tribunal de la jeunesse d'Utrecht, aux Pays-Bas : un homme, accédant à la demande d'un couple de lesbiennes vivant près de chez lui, avait accepté de donner son sperme pour que l'une d'elles fût inséminée. Une naissance s'ensuivit. L'homme se rendit ensuite très souvent chez ses voisines pour voir l'enfant. Au bout d'un an, elles lui fermèrent la porte au nez et lui interdirent de voir le bébé. Il fit un recours en justice et fut débouté au motif qu'« il n'avait pas de relations familiales avec l'enfant [2] ». Selon la plus récente loi hollandaise, il n'aurait pu visiter son enfant que si la mère l'y autorisait, ce que, bien entendu, elle refusait. Mais le paradoxe est que ce même homme pourrait, selon l'article 405 du Code civil néerlandais, être condamné à payer une pension alimentaire à cet enfant...

La paternité ne peut être établie qu'en référence à la mère

2° Droit des hommes touchant à l'établissement de leur parenté avec l'enfant :

Car procréer ne suffit pas pour être père, même si l'homme reconnaît être le géniteur d'un enfant. Encore faut-il qu'il puisse établir sa paternité. Pour une femme, du moment où elle décline ses nom et prénom, elle est reconnue comme la mère de l'enfant. Sa parenté avec l'enfant revêt un caractère d'évidence physiologique. Il n'en va pas de même pour le père, dont la parenté, jusqu'ici, a un caractère social et ne peut être établie qu'en référence à la mère.

1. Didier PETIT, « Papa CECOS, Maman FIVETE », *Condition masculine*, n° 52, 1988.
2. M.-Th. MEULDERS, *op. cit.*, p. 132.

Ainsi, lorsque l'enfant naît de « mère inconnue », comme dans le cas évoqué ci-dessus de l'accouchement « sous X » possible en France mais également au Luxembourg, ou en Italie, le père se trouve privé de sa paternité, qu'il ne peut établir – et l'enfant se trouve, du fait de l'anonymat de sa mère, privé tout aussi bien de sa filiation paternelle, à jamais. Cette possibilité pour la mère d'empêcher l'établissement de toute filiation pour son enfant est de plus en plus contestée en Europe. Ainsi, un arrêt de la Cour européenne des droits de l'homme rendu contre l'Irlande évoque l'« obligation positive des États membres de permettre l'établissement de la double filiation de l'enfant hors mariage », donc l'obligation pour la mère, non seulement de décliner son identité, mais encore de donner le nom du père – comme les pays nordiques l'ont toujours exigé [1].

Même lorsque l'identité de la mère est connue, l'établissement de la filiation paternelle reste un problème juridiquement complexe. Dans le Code Napoléon, c'était à la fois simple et injuste. 1° Le mari était le père de tous les enfants nés de sa femme. 2° Il n'était jamais père des enfants nés de son adultère. 3° Non marié, il n'était père que des enfants qu'il reconnaissait (nous avons vu avec quel fiel machiste la recherche en paternité avait été écartée par les auteurs du Code, en dépit qu'elle fût réclamée par les femmes depuis Olympe de Gouges, en 1791!) jusqu'en 1912, date à laquelle la recherche en paternité fut autorisée.

En 1972, une nouvelle loi sur la filiation a cassé tout à fait ce simplisme patriarcal, refondu tout un titre du Code civil et, avec subtilité, a cherché à instaurer à la fois plus de justice entre les enfants (légitimes, naturels et adultérins) et plus d'égalité entre les père et mère. Elle a atteint son premier but, mais pas le second. Certes, elle a pleinement satisfait les mères, mais s'est trouvée, pour établir la filiation paternelle, rapidement dépassée. A preuve, la

1. Arrêt Johnston et autres contre République d'Irlande, 18 décembre 1986.

jurisprudence en matière de filiation paternelle apparaît bien sinueuse; comme si les magistrats n'étaient pas parvenus à « dire la loi » et avaient tenté de s'accrocher aux faits – tantôt aux situations familiales de plus en plus diverses et imprévues qu'ils avaient à connaître, tantôt aux faits biologiques, c'est-à-dire au recours à des tests de plus en plus raffinés et fiables qu'ils demandent à des laboratoires pour établir une filiation paternelle sans réplique.

Les juristes sont, parfois, navrés ou révoltés par cet appel à la preuve génétique, qui leur paraît un dévoiement du droit, dans la mesure où se trouve diminué ou éliminé « l'élément moral », comme dit Catherine Labrusse-Riou [1] qu'était la reconnaissance d'un lien social entre celui qui est en position sociale de père, – en « possession d'état », comme dit vilainement le langage juridique – et l'enfant qui est ou n'est pas génétiquement le sien. Aussi, les dénonciations de l'interprétation « biologisante » de la loi sur la filiation sont-elles nombreuses : pouvons-nous, dans notre culture, construire la paternité en l'absence de l'alliance du père et de la mère, détruire la présomption de paternité qui identifiait le mari comme père et créait entre lui et l'enfant des liens affectifs et civils (le nom, le rattachement à des ascendants, la vie commune, etc.) ? Deux arrêts de la Cour de cassation, en 1985, ont été ainsi très discutés, car ils interprétaient la loi de 1972 comme ayant pour objectif « d'attribuer à chacun son vrai rapport de filiation » – donc d'établir et respecter la filiation biologique, seule « vraie » [2].

Une discrimination illégale reconnue légitime

Mais la mère ayant droit, par nature, à la certitude de la filiation biologique qui l'attache à l'enfant, pourquoi le père n'aurait-il pas droit à la même certitude, puisqu'elle n'est plus, aujourd'hui, impossible à atteindre? Il n'en est

1. Catherine Labrusse-Riou, « Les problèmes de la paternité sous les aspects du droit civil », *Pères et paternité, op. cit.*, pp. 109-118.
2. Voir chapitre IX.

pas moins vrai qu'on ne donne pas à l'homme marié des conditions vraiment équitables pour établir sa paternité et, éventuellement, introduire une procédure en désaveu de paternité s'il s'avère que l'enfant qu'a eu son épouse n'est pas de lui.

« Il faut vous y résigner », semble conseiller la Cour européenne des droits de l'homme à un mari danois qui, au terme d'une procédure à rebondissements au Danemark, s'était tourné vers elle pour demander justice. Il dénonçait la « discrimination exercée contre lui » (interdite par l'article 14 de la Convention européenne des droits de l'homme) et arguait de son « droit à un procès équitable » (article 6 de la même Convention). On lui répondit qu'il avait effectivement été discriminé et n'avait pas eu un procès équitable, mais que cette inégalité se justifiait « car les intérêts de la mère rejoignent ceux de l'enfant dont, dans la majorité des cas de divorce et de séparation, elle se voit attribuer la garde ». Ainsi, au nom des droits de l'homme, on justifiait l'inéquité par l'inégalité [1] !

En Scandinavie, tout enfant doit avoir un père

Désaveux et contestations de paternité entre gens mariés demeurent rares. Très fréquents, en revanche, de plus en plus fréquents sont les problèmes posés par l'établissement de la filiation paternelle des enfants nés hors mariage, si nombreux.

Exception remarquable à méditer, les pays scandinaves : la loi exige que tout enfant, né hors mariage ou dans le mariage, ait un père qui figure sur son acte de naissance. Après une naissance hors mariage, si aucun homme ne reconnaît spontanément l'enfant, la mère est interrogée. Elle doit désigner le père. Si nécessaire, une enquête sera diligentée pour le retrouver. Des tests biologiques permettront de vérifier s'il est bien le géniteur de

1. Arrêt Rasmussen, 28 novembre 1984.

l'enfant. Si l'homme désigné par la mère n'est pas le géniteur, interrogatoire et enquête recommencent jusqu'à ce que l'on trouve et identifie le « vrai » père.

Ah! vont s'indigner les esprits forts, obligation, coercition, forcing pour que la femme « donne » son amant – quel contrôle de la vie privée! quelle hypocrisie! quel manque de liberté! quel vilain début pour la constitution d'une famille! Avant de condamner, il serait bon de considérer le contexte social d'une part, et les résultats d'autre part, de cette forte exigence.

Il n'y a pas de pays au monde où la liberté de mœurs des adultes soit plus respectée, où la femme soit plus égale et mieux aidée que la Suède ou le Danemark. Unions libres, séparations, couples homosexuels y sont acceptés et les aides sociales vont à tous. Le nombre des enfants qui naissent hors mariage atteint des records : presque une sur deux des naissances! Mais ces mœurs libres pour adultes n'ont pas entamé la conviction, partagée par tous, qu'un enfant a besoin de connaître ses deux parents. Cette adhésion à l'idée que la bi-parentalité est l'intérêt de l'enfant n'encourage pas les femmes à vouloir des enfants pour elles seules et confère de la dignité au père qui reconnaît son enfant. Aussi presque tous les enfants naturels sont-ils volontairement reconnus par leurs pères, sans coercition.

Où le père ne peut reconnaître son propre enfant que si la mère l'y autorise

En regard, combien étrange et choquante apparaît la manière anglaise de traiter la paternité hors mariage! Pour déclarer son enfant à l'état civil, le père non marié doit produire une... autorisation signée de la mère! Soit sous forme d'une déclaration commune signée des deux parents, soit sous forme d'un accord écrit et signé de la mère, lui permettant de déclarer son enfant! Une femme peut donc empêcher un homme de reconnaître son propre enfant, qu'il a l'intention d'élever!

En Hollande également, la mère doit donner son consentement écrit pour que le père puisse reconnaître son enfant. Le père auquel elle oppose son veto n'a, en principe, aucun recours. La Cour d'Amsterdam a réussi à faire valoir, en 1985, que si la mère ne donnait aucune raison valable à son refus, le père devrait pouvoir en appeler à la justice. Cette jurisprudence a été ratifiée par la Cour de cassation en 1988 et un projet de réforme du droit de la filiation proposé : la reconnaissance par le père resterait soumise à l'autorisation de la mère, mais, en cas de refus non ou mal motivé, le père aurait un recours.

En Belgique – où s'est si longtemps appliqué un droit proche du droit français –, en 1987, sous l'influence de groupes féminins flamands, la loi sur la filiation a été radicalement modifiée : le père n'a plus l'autonomie de sa reconnaissance, il est, là aussi, soumis à l'autorisation de la mère. Si la mère le récuse, le tribunal fera vérifier par des tests biologiques s'il était ou non le géniteur, mais, même s'il est le « vrai » père, l'autorisation de reconnaître son enfant ne lui sera accordée que si le tribunal juge qu'il y va de l'intérêt de l'enfant, ce qui sous-entend que l'intérêt de l'enfant peut être de n'avoir pas de père et de renvoyer dans les ténèbres le vrai père prêt à reconnaître l'enfant...

Voilà bien des cas de discriminations patentes : la mère peut reconnaître son enfant sans preuves, sans autorisations, de sa propre volonté; le père doit produire un consentement signé de la mère et encourt le risque d'être récusé même contre l'évidence biologique... La mère est un parent majeur et le père un parent mineur, tenu en suspicion. « On voit clairement qu'il pèse sur le père non marié, dans un certain nombre de pays, une présomption de méfiance qui ne frappe jamais la mère [1]. »

1. M.-Th. MEULDERS, *op. cit.*, p. 206.

S'agissant du père naturel, il faut déjà revoir les lois des années 70

3° Droits des hommes à l'autorité parentale et exercice de leurs droits parentaux :

Les révisions législatives de ces décennies décisives ont toutes été dans le même sens s'agissant des droits des pères mariés : on est passé, dans un louable souci d'égalité, d'une prépondérance paternelle plus ou moins affirmée, ou de ce qu'il en restait, à l'autorité parentale conjointe, véritable partage des responsabilités entre père et mère – ce qui cimente le couple conjugal et représente l'intérêt de l'enfant.

Ce bel équilibre n'existe pas dans la famille non mariée : nous avons vu [1] à propos du vote de la loi sur l'autorité parentale en 1970 en France que, dans la famille naturelle, l'autorité parentale est toujours dévolue à la mère, et jamais au père, même s'il a reconnu l'enfant à sa naissance, même s'il l'élève, même s'il est seul à s'en occuper réellement; néanmoins, à la suite de nombreuses critiques, la loi de 1987 a autorisé les parents non mariés à faire, devant le juge des tutelles, une demande conjointe de partage de l'autorité parentale – ce qui, en tout état de cause, n'entame pas la position clé de la mère, puisque le partage de ce droit qu'elle détient est soumis à son bon vouloir. La loi de 1987 a quand même le mérite insigne de clore le chapitre des années 70 qui consacrait l'image du père naturel séducteur lâche et fuyant ses responsabilités, absent quand on avait besoin de lui et ne revenant que pour importuner la mère et la plier à ses exigences louches. Comme le dit J. Rubellin-Devichi, directeur du Centre du droit de la famille, cette loi correctrice est intervenue dans un domaine « où le droit était devenu injuste à force d'être inadapté ».

Entre 1965 et 1975, décennie de forte poussée féministe, la plupart des pays européens ont également pris le

1. Voir *supra*, pp. 121-124.

parti de confier l'enfant naturel à la seule responsabilité de sa mère et d'écarter le père, cependant que, dans les années 80, des atténuations et des corrections ont été recherchées, soit par souci de rééquilibrage pour ne pas discriminer un sexe par rapport à l'autre, soit pour s'adapter mieux aux familles nouvelles qui, de plus en plus nombreuses, se constituaient hors mariage et ne pas les diviser d'emblée.

En Suède où, comme nous l'avons vu, tout enfant naturel a obligatoirement un père, c'est la multiplication et le « militantisme » des couples non mariés qui ont joué un rôle moteur. En 1969, une commission gouvernementale avait été chargée de réviser le droit de la famille et s'était heurtée à ce problème épineux : pouvait-il y avoir autorité parentale conjointe pour des non mariés? Certains estimaient que le père pouvait partager la responsabilité légale si le couple habitait ensemble, d'autres s'y opposaient fortement. Le résultat fut un projet ambigu voté en 1972. Le ministère de la Justice nomma un groupe de réflexion sur ce sujet, qui ne parvint à une position claire qu'après bien des années, alors que le nombre des enfants hors mariage se multipliait : une loi, en 1977, trancha que les parents non mariés pouvaient se voir accorder l'autorité parentale conjointe s'ils le demandaient au tribunal (plus tard, en 1983, une simple notification du bureau paroissial suffit). Ils doivent alors « prendre conjointement les décisions importantes pour l'enfant » – et ceci même s'ils ne vivent plus ensemble.

Aux Pays-Bas, si la mère n'y consent pas, le père ne peut partager avec elle l'autorité parentale, mais une révision est en cours qui permettra aux couples non mariés, quand la mère est d'accord, d'obtenir l'autorité parentale conjointe plus facilement, à leur demande, même s'ils sont séparés.

En Allemagne fédérale, en vertu d'une loi de 1969, seule la mère a la responsabilité parentale. Si le père reconnaît l'enfant, il doit payer et devient un *Zahlvater* (un « père payeur ») comme nombre de ses congénères, mais il ne pourra voir son enfant que si la mère l'y autorise et selon les modalités qu'elle choisit! Il ne pourra légitimer ou adopter son propre enfant que si la mère y consent – et généralement elle n'y consent pas, car elle y perdrait ses droits. En 1979, ces dispositions draconiennes ont été quelque peu corrigées, et désormais les pères auxquels la mère ne permet aucun contact avec leur enfant peuvent avoir recours au tribunal des tutelles : celui-ci juge s'il est de l'intérêt de l'enfant de recevoir des visites de son père. C'est peu de dire que de telles mesures n'encouragent pas la famille naturelle : elles lui interdisent de se constituer en excluant d'emblée le père. Il paraît que la décision en 1969 de laisser l'enfant à la mère qui jugera s'il peut voir son père a été prise sur le conseil des psychologues, qui estimaient que la mère avait vocation à la maternité et à l'éducation, en quelque sorte par nature. Vérité des psychologues dans les années 60, à laquelle succédera la vérité proclamée par les psychologues des années 70, pour lesquels pères et mères ont été conditionnés par la société à remplir des rôles distincts alors qu'en fait, ces rôles sont partiellement interchangeables, et seule la coparentalité assurera l'égalité entre hommes et femmes, entre pères et mères. Aujourd'hui, la plupart de ces lois régissant les droits parentaux des pères non mariés ont été remaniées ou vont l'être, car elles sont apparues bien mal adaptées à des situations qui se multiplient. Pourtant, elles demeurent peu connues du grand public, et peu ou mal connues des hommes qu'elles concernent.

En revanche, tout le monde sait qu'un lourd contentieux existe entre hommes et femmes divorcés, entre pères et mères séparés qui se disputent la garde des enfants.

Une crise qui va s'aggravant année après année, ponctuée de contestations, d'affrontements, de révoltes virulentes, de souffrances privées et de drames médiatisés : des associations de pères cherchent à alerter l'opinion, car ils se sentent lésés dans leurs droits et douloureusement éprouvés dans leurs sentiments. De telles associations existent maintenant dans tous les pays d'Europe occidentale. Est-ce à dire que les révisions des lois régissant le divorce se sont faites à leurs dépens?

Toute l'Europe occidentale a réformé pareillement la législation du divorce

Toute l'Europe a opéré un toilettage, une remise à neuf ou une transformation radicale de la législation du divorce en quelques années. Qu'on en juge : 1969, le Danemark et l'Angleterre; 1970, l'Italie (introduction du divorce jusque-là interdit); 1971, les Pays-Bas; 1972, la Belgique; 1973, la Suède; 1974, la Belgique (nouvelles modifications); 1975, la France, le Luxembourg, l'Italie (modifications); 1976, l'Écosse et la République fédérale d'Allemagne; 1977, le Portugal; 1978, l'Autriche et le Luxembourg (modifications); 1981, l'Espagne (réintroduction du divorce interdit depuis 1938); 1982, la Belgique (nouveaux ajustements). Une telle concomitance n'est pas fortuite : les Belges expriment leur souci de « s'aligner sur les législations européennes » et les Espagnols, présentant leur loi, en soulignent « la profonde analogie avec les réformes intervenues en Europe occidentale durant les dix dernières années ».

Qu'ont en commun tous ces changements contemporains?

1° A coup sûr, le développement du divorce par consentement mutuel, sous toutes ses formes : treize pays l'ont introduit ou aménagé.

2° Le déclin du divorce-sanction ou divorce pour faute, les « fautes » étant souvent relativisées, revues, ou éliminées de la liste des causes.

3° La prise en compte des situations de fait, comme par exemple la séparation des époux, déjà intervenue : en somme le divorce devient un constat de faillite. (Aucune de ces dispositions fort libérales n'est systématiquement défavorable aux hommes.)

4° On note une tendance convergente, s'agissant des effets du divorce, à souligner les besoins du conjoint (le plus défavorisé : la femme) qu'il faut tenter de soulager : n'est-pas simple justice? Le mariage était pour bien des femmes un statut et une protection; elles n'ont pu au cours de l'union acquérir la qualification ou l'expérience professionnelle du mari. Si la dissolution du mariage est facilitée, il faut atténuer les conséquences déstabilisantes que la séparation aura sur les femmes dont la situation socio-économique sera plus vulnérable. Ces dispositions sont en harmonie avec la nouvelle philosophie du divorce : on le déculpabilise, on exonère les ex-conjoints des fautes passées commises contre le mariage, qui les ont conduits à se séparer; mais on responsabilise pour les conséquences, pour les années après la dissolution de l'alliance. Les hommes paieront, en argent, bien plus souvent que les femmes, mais dans un vrai souci d'équité.

Les stéréotypes parentaux triomphent : esprit des lois ou esprit des juges?

Une dernière convergence peut être relevée qui semble neutre, mais peut-être a-t-elle joué un rôle important dans l'injuste déséquilibre entre les droits parentaux des ex-époux? C'est le renforcement du pouvoir et l'élargissement de l'espace d'autonomie du juge [1]. Partout, on observe un déclin de la prise en compte de la loi au profit de la prise en compte de la réalité telle que la perçoit le juge. Il n'appliquera pas simplement la loi, comme du temps où la garde des enfants allait à celui qui n'avait pas commis de faute, qui était « innocent », qui avait « gagné » le divorce, et non point à celui qui était « fautif » et qui « avait les torts ». Il soupèsera le pour et le contre de situations individuelles sans coupable, et décidera ce qu'il estime équitable et souhaitable.

1. J.-F. Perrin, « Tendances des changements législatifs en matière de divorce en Europe occidentale », *Le Divorce en Europe occidentale, op. cit.*, pp. 207-221.

Au début de ce chapitre, j'ai cru pouvoir avancer que ce n'était pas les mœurs qui avaient changé les lois sur la famille, mais que les réformes législatives avaient été entreprises dans le but d'obéir à de grands principes qui prenaient une importance nouvelle et déterminante dans la société démocratique de l'Europe en paix et prospère : le principe d'égalité, lui-même corollaire du principe de libération de l'individu. Le divorce déculpabilisé et facilité est un chapitre de la mise en œuvre de ces principes. Dans une société où chaque individu indépendant a des droits équivalents, logiquement, toute contrainte supra-individuelle émanant d'une institution (comme le mariage) ou d'une structure (comme la famille) ne peut exister; il ne peut y avoir de rôles stéréotypés, ni pendant le mariage ni après la dissolution du mariage. Aussi la loi ne définit-elle aucun stéréotype parental : la mère fait ceci, le père fait cela. Mais ces stéréotypes ne continuent-ils pas d'exister dans l'esprit des juges sinon dans l'esprit des lois?

Les juges voient des gens qui sont d'accord pour se séparer, mais qui ne sont pas d'accord s'agissant de la garde des enfants. Les juges ne peuvent couper les enfants en deux. Ils ne parviennent que fort difficilement, et dans certains pays ils n'y sont pas encore parvenus, à concevoir une « garde conjointe » attribuée à des gens séparés. Appelés à prendre en compte, de manière pragmatique, des situations concrètes, ils (et elles, car de plus en plus de juges aux affaires matrimoniales sont des femmes, et elles sont, en France, plus nombreuses que les hommes) n'ont guère résisté au stéréotype de la mère, meilleure gardienne pour l'enfant, qui avait pour lui des siècles d'histoire et l'appui de nombreux psychologues. Tout le reste (qui fera l'objet d'un chapitre ultérieur) est jurisprudence : huit à neuf sur dix des enfants sont confiés à la mère, la garde alternée et la garde conjointe ne progressent guère...

On ne peut, de cela, rendre la loi responsable : elle n'en parlait pas. La loi ne parle que de l'intérêt de l'enfant. En période de mutation des rôles parentaux, il n'est pas toujours aisé à déterminer.

CHAPITRE VI

Deux décennies d'effacement des pères : 1965-1985, incertitudes sur leurs rôles

Non seulement, de 1965 à 1985, les statuts sociaux des pères se sont trouvés bousculés et brouillés, non seulement leurs libertés et prérogatives se sont trouvées réduites par le droit, mais encore leurs rôles auprès de leurs enfants, leurs manières d'exercer leur fonction parentale ont été l'objet d'une mise en question fondamentale, de critiques acerbes, d'un bouleversement complet.

En trois phases, une remise en cause fondamentale des rôles du père

Sur tous les plans. Celui de la finalité assignée à leurs rôles d'abord : un père, à quoi ça sert ? Est-ce vraiment indispensable ? Est-ce utile ? En quoi ? Celui des modèles de comportement parental à leur proposer, ensuite : s'il a un rôle, cet acteur familial, quelles sont les paroles qu'il doit dire, les attitudes qu'il doit prendre, les tâches qu'il doit assumer ? Selon quelles normes doit-il agir, dans la vie quotidienne et au long des années, pour être un « bon » père d'aujourd'hui, ou plutôt, pour employer la formule désormais consacrée et bien révélatrice, un « nouveau » père ? Celui de la justification de son rôle paternel, enfin : au nom de quoi se fait-il appeler papa et se comporte-t-il en père ? Est-ce parce qu'il est le géniteur de l'enfant ?

Est-ce parce qu'il vit avec l'enfant? Est-ce parce qu'il couche avec la mère de l'enfant?

Quels seront ses rôles si le père ne remplit pas ces trois conditions, mais seulement deux, ou seulement une? S'il se trouve en quelque sorte en concurrence avec un autre homme qui remplit aussi des rôles de père à l'égard du même enfant? Une pluie de questionnements a déstabilisé les pères : Comment être un père? Pourquoi et de qui être le père? Quand est-on un bon, vrai, nouveau père qu'on ne peut déprécier ni déposséder? Cette déstabilisation s'est opérée en trois phases.

La première, qui va crescendo jusqu'en 1968, est occupée par un débat d'idées autour de la figure paternelle, idées lancées depuis longtemps par des théoriciens, mais qui vont alors se répandre dans des champs variés de la psychologie sociale et de la réflexion politique, car, alors, tout tend à être politique. Il s'agit d'une contestation des valeurs attachées au personnage du père et des rôles à lui assignés. Mais, en même temps, les mères prétendent que les hommes ne remplissent plus leurs rôles et déplorent à qui mieux mieux les « carences paternelles ».

La deuxième phase, qui occupe les années 70, est dominée par la formidable évolution économique et sociale vécue par les femmes, y compris les femmes mères, et donc par les répercussions directes, on pourrait dire mécaniques, que ces changements ont eues sur la répartition des rôles du père et de la mère dans les familles. Les femmes ont moins de temps à consacrer à leurs rôles maternels traditionnels, mais, en contrepartie, elles investissent très vite des rôles jusque-là dévolus aux pères. De plus, les femmes, durant cette phase, sont animées d'un véritable élan révolutionnaire : elles désirent changer la vie – donc la vie familiale aussi – elles cherchent à instaurer de nouvelles valeurs et même à décréter de nouvelles normes, qui redistribuent autrement les pouvoirs et les rôles.

La troisième phase recouvre les années 80 et n'est pas terminée, surtout au sud de l'Europe. Les normes féministes se diffusent largement dans le vaste domaine de la psychologie appliquée à l'éducation, la formation, l'animation culturelle ainsi que dans les médias. On assiste à la mise en pratique des nouvelles théories, dont celle de l'interchangeabilité des rôles paternel et maternel. Est-ce à cause des échecs? Déjà, on commence à parler plutôt de « coparentalité ». Les « nouveaux pères » semblent sûrs d'eux. Les pères séparés, de plus en plus nombreux, sont, un à un, « sonnés » par leur mise à l'écart, les uns prostrés, les autres révoltés. Ils ne comprennent pas ce qui leur arrive. Presque personne ne s'intéresse à eux. La société les traite comme des coupables et les ressent coupables. Pourtant, certains étaient des « nouveaux pères »...

Il incarnait la fonction de sublimation

Au début de ces décennies déstabilisatrices, tout a contribué à brouiller l'image paternelle et, on l'a bien vu en 1968, à brouiller les enfants avec leurs pères.

Quand commencent les années 60, la vulgarisation de la psychanalyse est à son apogée en Europe occidentale. Elle s'est opérée par l'enseignement et par le truchement des psychologues, éducateurs et conseillers en tous genres qui prennent chaque jour davantage d'importance. Désormais, ce sont eux qui disent, sinon le bien et le mal comme naguère les religieux et les moralistes, du moins les normes, les normes sociales et psychologiques. Ce sont eux qu'interrogent les médias, ce sont eux qui s'adressent au public à travers les médias. Et c'est le moment où la télévision, déjà envahissante mais pas encore banalisée, exerce le maximum d'influence sur les modes de vie et les modes de pensée.

Or, le moins qu'on puisse dire est que la psychanalyse ne fait pas du père un familier anodin ni un tendre refuge. Un parfum de mort se répand sur la figure du père : n'est-il pas la fatale victime du drame œdipien? Nous apprenons à la fois que toutes nos pulsions sont à base de sexualité et que nous avons tous voulu tuer ou châtrer le père. Mais, en même temps, la psychanalyse investit le père de la mission spirituelle et civilisatrice la plus haute. Il est désigné comme celui qui « donne à la fonction de sublimation sa forme la plus éminente parce que la plus pure », dit Lacan, lequel lie au patriarcat « les exigences de la personne et l'universalisation des idéaux, le progrès des formes juridiques [1] ». C'est du père au fils que s'opère la transmission de l'idéal.

Il reliait le foyer à la Grande Société

Cette fonction de sublimation, le père l'exerce par la répression, disent alors les uns, et, de ce fait, la force paternelle est un agent majeur de névroses. Non point, répliquent les autres, c'est quand il ne l'exerce pas qu'il y a des névroses dans la famille, groupe qui n'admet pas d'être « décomplété » et privé de la fonction paternelle. Présent et actif ou absent et carent, le père est le nœud du nœud de vipères? Mais non, il est l'intermédiaire entre le foyer et le monde. Son « métier », le métier de père, est un métier d'éducateur : « Il fait comprendre les rouages de la cité, le jeu de la civilisation [2] », il met au monde – au monde social – ses enfants. C'est par lui que chacun est relié, c'est de lui qu'on est le « rejeton », mais, comme il relie à la lignée d'hier, il relie au monde d'aujourd'hui.

Très sûr de lui et en pleine vogue, le sociologue américain Talcott Parsons laisse la mère régner sur « le petit monde » du foyer et confère au père la mission de représenter le « grand monde d'au-delà la famille ». Il est « l'instrument de la transmission culturelle et de l'orientation générale qui doit permettre à l'enfant de se conformer aux normes sociales et de remplir des rôles sociaux hors la

1. Jacques LACAN, *Les Complexes familiaux,* Navarin, éd. 1984, pp. 64 *sq.*
2. Roger PONS, *Le Métier de père,* Feu Nouveau, 1955.

sphère familiale [1] ». Comme le remarque Louis Roussel [2], c'est une vision bien optimiste où la famille assurerait, grâce au père, « bonheur de l'individu et efficacité sociale », où le leader qu'est le père ne peut faire alliance contre la mère avec les autres membres de la famille. Il en est trop distinct et trop complémentaire. La mère fait l'enfant de chair, le père fait l'enfant « social », en réprimant et en éduquant.

Mais le père est absent, déphasé, remplacé

Malheureusement, chacun put constater un divorce complet entre ces vues théoriques et la réalité. Après Marx, Tonnies, Weber et tant d'autres, Parsons sait bien pourtant que la civilisation industrielle s'est développée en dehors de la famille, et, de plus en plus, à ses dépens.

En tout premier lieu aux dépens du rôle du père, devenu, dans le monde du travail, plus un instrument qu'un acteur. Mais c'est précisément dans la seconde partie du XXe siècle et au début des années 60 que l'accélération sans précédent du développement économique détériore le plus la part du père. L'urbanisation acquiert un rythme intense et rapide. Le père travaille « ailleurs », souvent loin du foyer. Il ne rentre plus déjeuner. Non seulement il ne peut plus transmettre son savoir pratique, mais encore ses enfants ne le voient plus travailler, ne savent pas très bien ce qu'il fait, ne se définissent plus comme appartenant à la caste ou à la corporation de leur père par filiation, ne connaissent souvent ni son lieu de travail ni ses collègues, qu'on ne voit qu'une fois l'an, à l'arbre de Noël de « la boîte ». Il est prisonnier de « la boîte » pendant de si longues heures quotidiennes que sa

1. Talcott PARSONS, *Family, Socialization and Interaction process*, Glencoe, Free Press, 1955; et *Structure and progress in Modern Society*, 1959.
2. Louis ROUSSEL, *La Famille incertaine*, Odile Jacob, 1989, pp. 62-63.

femme et ses enfants s'habituent presque à vivre sans lui. « Il n'est jamais là. »

Bien sûr, pour la transmission de la culture, l'école, elle, est là, qui définit à la fois les sujets et la manière de les traiter. Au début des années 60, l'égalité des chances est devenue la vocation sinon l'obsession de l'école qui entend « réduire les inégalités » dès la maternelle et conduire à un apprentissage égalitaire des savoirs tous les enfants du même âge la même année. On n'y aime guère l'éventuelle concurrence de pères qui désireraient « se distinguer ». Jadis, les professeurs ont été en quelque sorte les domestiques diplômés des pères de famille. Désormais, les pères de famille sont presque des indésirables à l'école, en tout cas sont conditionnés à demeurer des inconnus.

De plus, une « école parallèle », selon l'expression anxieuse du sociologue Georges Friedmann en 1963, a débarqué directement à la maison via le petit écran. La télévision apporte le vent du dehors et le ton à la mode. Des générations d'enfants vont se trouver imbibées en même temps des mêmes messages. Les références de comportements adultes masculins ne sont plus données par les pères mais par les héros des séries et des films, par les bandes dessinées et par les chanteurs. C'est le père, qui rentre tard et fatigué et ne suit pas d'assez près le train de la culture de masse, qui est dépassé.

Dans leurs logements urbains, les mères, qui ne travaillent pas encore hors du foyer, lisent dans leurs magazines et écoutent à la radio et à la télévision les recommandations des conseillers sur la manière d'élever les enfants, tout particulièrement les adolescents qui commencent à poser des problèmes très spécifiques (c'est l'époque du développement ultra-rapide du marché de produits pour adolescents, c'est l'époque des « blousons noirs » et de ce qu'on appelle alors les « bandes »). On leur dit de recourir au père. Elles en viennent à un constat irrité qui se charge chaque année de davantage de ressentiment : carence! carence paternelle! Il n'est pas là. Il n'écoute pas quand je lui parle de son fils. Il ne lui parle pas quand je lui demande de le faire. Il ne le suit pas. Il ne les comprend pas. Il ne sait rien d'eux. Il faut bien que j'aille voir les profs (ou le docteur, ou le psy) sans quoi il n'irait jamais.

« Vers une société sans pères »

Les enfants, et singulièrement les adolescents, corroborent ces plaintes. Je me souviens des résultats stupéfiants publiés un mois avant l'explosion de Mai 68 par un journal catholique qui avait fait conduire un sondage auprès de jeunes de 15 à 18 ans. On leur demandait, entre autres, d'apprécier, au moyen d'une note variant de 0 à 5, leurs relations avec chacun de leurs parents sur différents plans. Une minorité, mais relativement importante, de mères se voyaient attribuer la note maximale 5. Une majorité de mères étaient notées 4 par leurs fils et par leurs filles pareillement, pour la plupart des rubriques cernant les rapports enfant/parents. Mais aucun, absolument aucun des interviewés, tant filles que garçons, n'avait gratifié d'un 5 quelque aspect que ce soit de ses relations avec son père. Les commentaires qui suivaient ces notes couperets étaient éloquents : « Je ne le vois pas beaucoup », « On se parle peu », « On ne peut pas appeler ça des relations ».

Il m'était apparu qu'il était statistiquement impossible qu'un malencontreux hasard ait écarté de l'échantillon les seuls adolescents qui s'entendaient très bien avec leur père, voire mieux qu'avec leur mère. Il s'agissait plutôt d'un phénomène daté, une sorte d'onde de dénonciation du père qui traversait la société, reprise en chœur par des mères qui se sentaient abandonnées en même temps que frustrées. En somme, une mode, ou un phénomène social indifférent aux particularismes familiaux, ou le signe précurseur d'un phénomène social plus large. Fils ou filles de cadres, de paysans ou d'ouvriers, riches ou pauvres, tous ces adolescents avaient répondu ensemble et de la même façon. Ce phénomène social se riait des classes sociales et annonçait, dans son unanimité anti-pères, une nouveauté :

la classe d'âge. Un phénomène de génération. Une génération qui n'est pas sans héritage mais une génération « de refus d'héritage [1] ». Un mois plus tard éclatait Mai 1968.

Exprimant la problématique de cette génération, Alexander Mitscherlich, directeur de l'Institut Sigmund Freud de Francfort, avait, cinq ans auparavant, publié un livre au titre provocateur : *Vers la société sans pères* [2]. Le père, disait-il, est devenu invisible. Non parce qu'il est mort à la guerre ou éloigné par le divorce, mais en vertu d'une « disparition progressive du père liée à l'essence même de notre civilisation ». « De plus en plus, les processus sociaux ont privé le père de son importance fonctionnelle » (p. 162). Son travail est « en miettes », comme disait Friedmann, et la rapidité de l'évolution technologique lui vole son rôle de médiateur.

Les enfants ne peuvent être qu'individualistes, à la manière dont Tocqueville déjà décrivait les Américains : « De nouvelles familles sortent sans cesse du néant, d'autres y retombent sans cesse, et toutes celles qui demeurent changent de face; la trame des temps se rompt à tout moment, et le vestige des générations s'efface. On oublie ceux qui vous ont précédé et l'on n'a aucune idée de ceux qui vous suivront [3] »; ou, comme l'exprima un siècle plus tard Gorer : « Quel que soit le nombre de générations qui séparent un Américain de ses ancêtres immigrants, il rejette son père comme modèle et détenteur de l'autorité, et il s'attend à ce que ses fils le rejettent. »

A leur tour, les Européens, attelés en aveugles à la course au développement technologique, se voient coupés de leurs fils qui n'acceptent plus ni l'héritage ni même la seule notion d'hérédité. L'espoir des jeunes est lié à l'ouverture de l'homme, qui doit sortir du sentiment natio-

1. Michel FIZE, *La Démocratie familiale, évolution des relations parents-adolescents,* Presse de la Renaissance, 1990, p. 139.
2. Alexander MITSCHERLICH, *Auf dem Weg zur vaterlosen Gesellschaft,* Francfort, 1963; trad. franç. *Vers la société sans pères,* Gallimard, 1969.
3. Alexis DE TOCQUEVILLE, *De la démocratie en Amérique, œuvres complètes,* Paris, Laffont, 1986, p. 497.

nal, racial, religieux où l'inscrivaient ses pères. Ils doivent secouer la passivité qui reproduit la tradition et, pour être libres, rejeter l'obéissance et l'éducation « qui est souvent plus un terrorisme qu'une voie vers l'autonomie [1] ». A la célébration du père et de la patrie a succédé un rejet du père, non pas à titre intime et personnel, mais à titre social. « Une haine sociale du père », disait Karl Bednarik.

A bas l'autorité! A bas les pères!

Toute l'École de Francfort – Adorno, Horkheimer, Fromm et surtout Marcuse – s'est employée à réinterpréter la figure paternelle comme n'étant pas seulement médiatrice de l'autorité familiale, mais également, ce qui lui vaut tous les soupçons et tous les anathèmes, médiatrice de l'autorité au sens large, de l'autorité politique. Sur la base des enquêtes d'Adorno et de ses collaborateurs, le père est au centre du débat sur l'autorité, comme élément qui soude entre elles deux formes de pouvoir, celle qui s'exerce par le consensus et celle qui s'exerce par la menace ou l'usage de la force et de la coercition. L'autorité du père légitime en fait renforce le pouvoir politique. Nous y voilà. Voilà la « pensée 68 » qui s'exprime et qui va embraser la jeunesse en lutte contre l' « oppression [2] ».

La *vaterlose Gesellschaft,* la société sans pères, à créer doit être une société de liberté – sexuelle entre autres, ne vient-on pas de légaliser la contraception? – dans laquelle les adolescents prennent la parole, eux qui représentent demain se faisant, et imposent silence aux « vieux », à ceux qui prétendent savoir, enseigner, commander, gouverner, aux pères, aux profs, aux ministres, et au Vieux par excellence, le général de Gaulle. Quel paradoxe! Les pères se sont trouvés accusés d'être médiateurs du pouvoir

1. Geoffrey GORER, *Les Américains,* 1949, p. 30.
2. Voir Giorgio CAMPANINI, chap. III, « La famiglia come nuovo soggetto politico; da Freud alla Scuola di Francoforte », *Potere politico e immagine paterna,* Milan, Vita e Pensiero, 1985.

et oppresseurs alors même qu'ils étaient les plus fragiles, les plus évanescents, les moins capables de réaction autoritaire. Car les pères 1968, pas plus que les CRS, n'étaient des SS. C'étaient des pères édredons. Ils s'affaissaient sous les coups et étouffaient les cris. Taper dessus n'était pas dangereux et ne faisait pas mal aux poings.

A posteriori, on peut se demander si tout n'était pas malentendu dans cette inflation imaginaire formidable que fut Mai 68. Edgar Morin écrivait que l'explosion était « le résultat de la rencontre entre les aspirations adolescentes qui avaient fermenté dans les années 60 et les idées révolutionnaires promettant la réalisation de ces aspirations libertaires et communautaires ». Peut-être, mais la contradiction est en chacun. On se veut, on se dit maoïste, collectiviste, communard (ah! la référence à la Commune!), on se veut fondu dans un groupe, n'importe quel groupe sauf la famille. Mais on n'aspire qu'à la liberté la plus individualisée possible, au droit de tout dire, à l'interdiction d'interdire. Au milieu des épuisantes nuits de « manifs » on va chercher chez maman un sandwich et du café, et un couvercle de poubelle en guise de bouclier. Dans le couloir on croise papa, en pyjama, ahuri. Papa qui n'a pas son bac, alors qu'on est en fac et qu'on crie contre les bourgeois. Papa grommelle entre ses dents et secoue la tête, à moins qu'il ne marmonne : « Fais bien attention à toi. » Son « Dodo, métro, boulot » est tout bouleversé. Son boulot est en grève. On repart hurler contre l'État-Papa, les hiérarchies, les traditions, les punitions, par désir de liberté et pour la liberté du désir.

Une génération éduquée par les femmes

Je vivais alors en plein Quartier latin. Comme nous regardions par la fenêtre, mon mari et moi, la houle des milliers de jeunes où se trouvaient nos aînés, je me rappelle lui avoir dit : « Voilà la première génération élevée sans vous, les pères! Élevée uniquement par des femmes :

par les mères à la maison où vous n'êtes jamais, et par les femmes institutrices et professeurs à l'école et au lycée, puisque les hommes ont déserté les métiers de l'éducation... » Je crois que j'étais assez fière. Nos enfants, nous ne les avions pas opprimés ni contraints à sublimer. A preuve, ils faisaient un monde nouveau...

Après tout, c'était vrai. A la maison, les pères avaient démissionné de leurs rôles traditionnels. Ils n'étaient plus l'articulation entre le petit monde du foyer et la Grande Société. Et dans cette Grande Société, ils avaient significativement déserté les métiers de l'éducation dont ils avaient fait si longtemps les forces armées du contrôle social, qu'ils fussent jésuites ou hussards noirs de la république laïque. La société, comme la nature, a horreur du vide. Les femmes avaient pris la relève et occupé les positions lâchées par les hommes. Elles l'ont d'abord fait sans bruit, en commençant par les tâches non rémunérées d'éducatrices à la maison, et par les métiers modestes de puéricultrices, jardinières d'enfants, institutrices. Progressivement, elles s'étaient frottées de psychologie et de pédagogie vulgarisées dans leurs journaux, et elles exerçaient sans partage, sur le tas, à la maison. Elles les avaient également envahi l'enseignement secondaire, sans âpre concurrence masculine, c'est le moins qu'on puisse dire. Si bien qu'en France, en 1970, une bonne proportion des filles et des garçons qui se présentaient au baccalauréat n'avaient eu pour enseignants *que* des femmes, tout au long de leur scolarité, de la maternelle à la terminale. Aucun homme, aucune figure masculine dans la transmission du savoir, aucun substitut de l'image paternelle à l'école, alors même que les pères se dissimulaient derrière leur travail pour ne pas intervenir dans l'éducation au foyer.

Je le sais d'autant mieux que j'ai participé à l'époque à la réalisation d'un film pour le Centre national de recherche et documentation pédagogiques qui avait pour but de susciter des vocations masculines pour les « métiers où l'on s'occupe d'enfants », lesquels n'étaient plus pratiqués que par des femmes, tant en médecine qu'en psychologie, éducation spécialisée et enseignement général.

N'était-il pas indispensable, avant de faire état des conquêtes féminines et féministes, de rappeler le désintérêt progressif manifesté par les hommes pour le projet éducatif et leur désengagement patent? Les mères n'en avaient pas tant demandé... Elles étaient épuisées de fatigue, dépassées par les adolescents et adolescentes (qui ne voulaient pas les imiter, surtout!) et se sentaient flouées.

Lutte des femmes pour l'égalité : désormais, les mères travaillent

Dès lors les thèses de Parsons ne passent plus la rampe et sont vivement contestées dans les universités par les étudiants à qui on les enseigne : au nom de quoi des rôles aussi inégaux entre la femme et l'homme? En France, où la tradition du travail professionnel des femmes est plus ancienne et plus forte qu'en Amérique, les écrits féministes précèdent l'explosion américaine. Nous dénonçons la dichotomie intérieur/extérieur, intérieur = femme, extérieur = homme, car nous voyons bien qu'elle est devenue en réalité inférieur/supérieur, pour les femmes moins de liberté, moins d'argent, moins de pouvoir parce qu'elles sont reines à la maison auprès des enfants :

« Xénophon justifiait cet état de fait par la volonté divine et l'argument de nature : " Les dieux ont créé la femme pour les fonctions du dedans, l'homme pour toutes les autres. Les dieux l'ont mise à l'intérieur car elle supporte moins bien le froid, le chaud et la guerre. Pour les femmes, il est honnête de rester dedans et malhonnête de traîner dehors; pour les hommes, il serait honteux de rester enfermés chez soi et de ne pas s'occuper du dehors. " Cette dichotomie n'a pas disparu. Le " hors de chez soi ", champ grand ouvert à l'activité la plus diversifiée et partant la plus noble, sera réservé à l'homme, tandis que le

“ chez soi ” sera réservé à la femme. [...] Le couple “ dedans/dehors ” se traduit par “ inférieur/supérieur ”. Ainsi le philosophe Alain pense-t-il qu’il “ est *naturel* que le charpentier travaille sur le toit et que la femme soit dessous ” et qu’il est naturel qu’elle instruise les petits enfants mais laisse les grands et les adolescents aux professeurs hommes [1]. »

On comprend aisément que l’engagement massif des femmes dans l’activité professionnelle hors de « chez soi » a pu avoir un retentissement profond sur les rôles des hommes, et, tout particulièrement, que le maintien en activité professionnelle des jeunes mères après la naissance de leurs enfants a pu modifier les rôles des pères.

Car c’est une révolution qui va changer la vie des mères après 1968. Ainsi, en France, seulement 29 % des femmes de 35-44 ans mères de deux enfants étaient « actives » en 1962 (et encore, un bon nombre d’entre ces « actives » étaient-elles alors des fermières dont l’activité professionnelle se déroulait autour de leur foyer). Vingt ans plus tard, en 1982, ce sont 64 % des femmes de 35-44 ans mères de deux enfants qui sont « actives », et cette fois, presque toutes sont salariées et travaillent hors du foyer. Cinq ans plus tard, en 1987, 70 % des 35-44 ans mères de deux enfants travaillent. « Jouer le rôle maternel n’exige plus l’abandon du rôle professionnel [2] », note François de Singly.

Père et mère sont « pourvoyeurs » du foyer

Pour le mari de la femme qui travaille, qu’est-ce que jouer le rôle du père? Traditionnellement, devenir père

1. Evelyne SULLEROT, *Histoire et Sociologie du travail féminin,* Denoël-Gonthier, 1968, p. 33. Le texte de Xénophon se trouve dans *l’Économique* et celui d’Alain dans les *Propos sur l’homme.*

2. François DE SINGLY, « Activité professionnelle de la femme et rapports sociaux entre conjoints », *L’Enfance et la Famille : questions en suspens,* SIR-ACTIF, n°s 142-143, févr.-mars 1988, Institut de l’enfance et de la famille, p. 51.

conduisait l'homme à accentuer son rôle professionnel. Il apprend qu'il va être père... Le voilà père! Il se sent un autre homme, il a charge d'âmes, il est responsable, il est un père de famille : autant de raisons de s'investir davantage, plus sérieusement dans son travail. Puisque désormais, on compte sur lui pour « pourvoir » aux besoins du foyer, pour assurer l'avenir de son enfant. « La valeur monétaire, ou statutaire, du travail masculin ne doit plus alors uniquement " représenter " sa valeur personnelle, mais aussi celle de son groupe domestique [1]. »

Si sa femme travaille, le père a encore la même réaction d'investissement accru dans sa vie professionnelle, parce que c'est là l'expression logique de ce qu'il vit comme son rôle majeur – celui de « pourvoyeur ». Il ne songera pas à demander, maintenant qu'il est père, un allègement de ses horaires de travail pour être plus présent à son foyer. Les employeurs savent bien faire la différence entre les deux parents : ils redoutent les maternités de leurs employées femmes, parce que les congés au moment des naissances désorganisent leur planning, mais surtout à cause des effets imaginés de la maternité sur la travailleuse : déconcentration, désintérêt relatif, relâchement de l'ambition chez nombre d'entre elles. Même si elle demeure une parfaite travailleuse, n'aura-t-elle pas « la tête ailleurs »? Elle va regarder sa montre, demander des aménagements horaires, s'absenter plus souvent. Voilà pourquoi il est beaucoup plus difficile à une mère de deux ou trois enfants même très qualifiée de se faire engager si elle est en concurrence avec une célibataire sans enfants. On s'attend à ce que la mère rogne sur la travailleuse. Tout à l'inverse, les employeurs et chefs de personnel voient avec sympathie les paternités de leurs salariés. On peut compter sur un père de deux ou trois enfants : il veut satisfaire, il veut progresser, il veut gagner davantage. On peut lui demander des heures supplémentaires, des missions éloignées et même des stages de perfectionnement aussi

1. *Ibid.*, p. 53.

épuisants que prometteurs. De tels stéréotypes ont la vie dure.

Cependant, même si la mère s'investit moins au travail que le père, ce qui n'est pas ou plus sûr tant les nouvelles normes féminines changent, il n'en reste pas moins, ce qui n'est presque jamais relevé, que la mère qui travaille a envahi et occupe un peu, ou même beaucoup du territoire que le père se croyait réservé. Elle est devenue « pourvoyeuse » au même titre que lui. Ce féminin a l'air d'un néologisme, qu'il n'est pas, tant la chose est nouvelle. Le père n'a plus l'apanage du rôle. Il est doublé. Il n'est plus le seul à s'échiner pour assurer la sécurité financière et le statut de la famille. Il n'a donc plus le pouvoir de celui qui pouvait dire : Qui est-ce qui paie ici ? Cela ne change sans doute pas tout, mais sûrement beaucoup de choses, qui touchent à l'autorité du père, à l'image qu'en ont ses enfants, à la façon dont ils considéreront le travail de leur père, ses performances ou ses échecs, sa carrière ou ses aléas professionnels.

Le rapport à l'argent des mères a changé

Le rapport à l'argent de chacun des parents n'est plus le même. Naguère, les enfants savaient parfaitement ou devinaient que c'était leur père le banquier de la famille. Ils savaient ou devinaient que leur mère recevait de ses mains l'argent du mois, ou de la semaine – avec les recommandations d'usage. Son rôle à elle, ménagère, c'était de « ménager » cet argent.

« Faire durer, user au minimum. C'est bien la tâche principale et combien débilitante à laquelle sont condamnées des millions de femmes : elles ne produisent pas, elles utilisent. Elles emplissent chaque jour le tonneau des Danaïdes. Sisyphe, lui, monte son rocher, qui roule, et tout est à recommencer chaque jour. Le sentiment de l'absurde l'étreint, mais il tient à pleins bras son effort et voit bien que l'important n'est pas le rocher, mais cette lutte à laquelle il est condamné. Nous autres, Danaïdes, nous emplissons des tonneaux percés : la matière nous fuit entre les doigts. Nous sommes des utilisatrices [1] » écrivais-je pour plaider le dossier de mes contemporaines. Naguère, si les enfants désiraient de l'argent pour eux-mêmes, ils devaient trouver le courage de le demander à leur père, ou persuader leur mère d'intercéder en leur faveur. Le père était dispensateur. La mère souvent quémandeuse. Elle devait rendre compte de ses dépenses.

Quel changement aujourd'hui dans les rôles des parents au sein des foyers « à double salaire », où père et mère travaillent ! Qu'ils aient ou non un compte joint, peu importe, les enfants ne s'en préoccupent pas. Ce qu'ils savent, ce qu'ils voient, c'est que maman attend sa paie comme papa, a un carnet de chèques comme papa, va à la banque comme papa.

Les comptes du ménage, en France, c'est toujours la femme qui les a faits car, si elle ne gagnait rien, elle a toujours été, sauf dans la haute bourgeoisie, la gérante du budget. Elle a toujours été celle qui dépense et celle qui décide des dépenses, ne consultant son mari que pour les débours importants, ne lui laissant à régler que certains postes du budget, comme les impôts, les assurances, le loyer (et encore, elle s'en chargeait souvent) et la sacro-sainte voiture.

Le fait de travailler et de rapporter de l'argent au foyer n'a guère changé le rôle de ministre du Budget que la femme a toujours assumé. Sauf sur deux points, tous deux sensibles aux enfants du couple « à double salaire » : désormais, c'est la mère qui donne l'argent de poche aux enfants, alors que naguère c'était l'apanage du père; d'autre part, il est fréquent que père et mère ensemble fassent les courses. Ensemble, ils dressent une liste, ensemble ils vont en voiture au supermarché le samedi, ensemble ils poussent le caddie, paient, chargent la voiture puis, à la maison, garnissent le réfrigérateur et le congélateur. Bien rares étaient les pères qui faisaient les

1. Evelyne SULLEROT, *La Vie des Femmes*, Gonthier, 1964, p. 94.

emplettes, au temps pas si lointain des familles à un seul salaire. Maman donne l'argent de poche et papa fait les courses avec elle, voilà qui signe aussi un glissement des rôles dans l'économie familiale.

On décompte le « temps au foyer » et les « tâches domestiques » des pères

Un vocabulaire révélateur oppose toujours femme « au foyer » et femme « qui travaille ». Sept sur dix des mères de deux enfants, près de neuf sur dix des mères de un enfant ne sont donc plus « au foyer », car l'emploi affecte l'espace et le temps de leurs rôles maternels. Elles ne sont plus « là » dans la journée, à l'instar du père. Elles ne sont plus que des mères à temps très partiel.

Ce changement considérable n'a pas fini de faire se lamenter les uns, qui parlent d'abandon, et se féliciter les autres, qui parlent de libération. Il affecte indirectement, mais profondément, les rôles des pères. Naguère, le père absent du foyer, s'il était aux champs, s'il était à la guerre, s'il était en mer – puis, tout bonnement, s'il était au bureau, continuait d'être un père. Il n'était pas remis en question comme père parce qu'il remplissait, ailleurs, son rôle d'homme. Et même on l'admirait, on le plaignait si le total de ses heures de travail dépassait les normes. On l'accueillait à la maison le soir, sinon avec des sabots tiédis et un verre de vin chaud comme le père Rétif de la Bretonne, du moins avec considération pour sa fatigue et une place de père à une table mise.

Désormais, comme la mère qui travaille, il doit se défendre car on lui fait, en tant que père, des procès et des accusations. Trop prolongée, son absence quotidienne du foyer est regardée comme une manière de fuite, même si sa réussite professionnelle est éclatante. On se met à comptabiliser le temps qu'il passe au foyer, qui n'avait jamais été mesuré avant les années 70, et, surtout, le temps qu'il consacre aux tâches domestiques et aux soins des enfants – de plus en plus souvent considéré comme le seul moment où il exerce son rôle paternel, son seul « temps paternel ». A ce jeu-là, il est battu à plate-couture. Ainsi en France [1], il ne concède que deux heures par jour de présence active de père au foyer, contre trois heures et demie pour sa laborieuse épouse. Et encore, pendant ces deux heures-là, il n'agit pas vraiment : il « aide » la mère, il la « seconde ». Qu'il travaille « au dehors » en moyenne davantage que sa femme ne compte plus. « Au dedans », il en fait beaucoup moins.

S'estimant différents, ils renâclent à la symétrie des rôles

A l'évidence, les mères, en quelques années, ont su occuper des rôles jusque-là masculins et réservés aux pères. Mais la réciproque ne s'est pas produite, ou incomplètement, ou mal.

Les pères ne se sont guère emparés des rôles parentaux jusque-là réservés aux femmes. Ils ont poursuivi sur leur lancée : parce qu'hommes, donc différents, ils estiment qu'ils n'ont pas à devenir « comme elles ». Eux s'occupent de l'existence sociale de leur famille, elles, qui physiquement enfantent, peuvent parfaitement nourrir et dorloter les enfants, les « materner ». Ils ne leur disputent pas leur domaine ni les rôles qu'elles assument en vertu de leur nature physique et de leur affectivité propres, même si ces rôles les rendent plus proches des enfants et leur assurent un avantage psychologique et sentimental considérable. Elles sont différentes. Cela ne constitue pas une raison pour qu'ils les imitent, les doublent, fassent les mêmes choses à la maison.

Au nom de leur différence, les pères traînent les pieds et ne se précipitent pas, c'est le moins qu'on puisse dire, pour partager les tâches matérielles à la maison qui incombent toujours aux mères qui travaillent épuisées. Ils

1. D'après l'INSEE, pour 1985, c'est-à-dire la dernière année des deux décennies dont nous étudions ici les transformations.

ne se précipitent pas, toujours au nom de leur différence, pour partager les soins aux bébés. Certes, la mère Nature n'a doté que les femmes de mamelles pour nourrir leurs petits mammifères affamés. Leur rôle à eux, mâles, même pères, est d'être pourvoyeurs mais pas nourriciers, de jeter dans la caverne familiale le butin de leur chasse, pas d'apprêter le gibier ni de donner le sein à l'enfant. Pourtant, voilà bien cent ans qu'eux-mêmes, scientifiques et techniciens, ont permis aux femmes de ne plus nourrir leur enfant ou le faire nourrir par une autre femme : lait stérilisé, maternisé, biberons et tétines sont là, à leur disposition... Mais il semble qu'il ait été plus facile aux hommes de changer la nature en trouvant par quoi remplacer les seins des mères que de changer la culture en donnant eux-mêmes le biberon au nourrisson.

En s'accrochant à leur différence, ils font échec à l'égalité, ou, plus précisément, à la « symétrie » des rôles parentaux qui fut préconisée au début des années 70. En effet, la poussée égalitaire conduisait à se détourner de la vieille idée des rôles « complémentaires » de l'homme et de la femme, fondée sur leurs irréductibles différences. Dans la société post-industrielle en train de naître, non seulement mille produits tout faits et cent appareils ménagers et gadgets simplifient les tâches ménagères, mais encore les femmes trouvent leur place par millions dans le monde du travail, dans le tertiaire surtout. Par millions se forment alors des « familles à double carrière », comme les nomment R. et R. M. Rapoport [1]. Pourquoi les rôles des père et mère, désormais très semblables dans le monde du travail à l'extérieur de la maison, resteraient-ils dissemblables et inégaux en investissement de temps et de peine, à la maison et auprès des enfants? D'où l'hypothèse d'une interchangeabilité grandissante des tâches, entraînant celle d'une interchangeabilité des rôles.

1. R. Rapoport et R.M. Rapoport, *The Dual Career Family*, Londres, Penguin Books, 1971, et *The Dual Career Family Reexamined*, Londres, Robertson and co, 1976.

Mais la « famille symétrique [1] » ne se traduira guère, dans aucun pays, par une véritable égalité des rôles à la maison. Certes, partout, les jeunes pères « partagent » beaucoup plus volontiers que leurs propres pères ne le faisaient. Certes, on constate des différences entre les Anglais, les Italiens, les Français, les Portugais, etc. dans leur participation à telle ou telle tâche domestique. Mais on ne peut sûrement pas dire que les pères ont « occupé » les rôles maternels dans une proportion comparable à l'envahissante présence des mères dans des rôles jusqu'alors principalement ou uniquement masculins et paternels. La responsabilité des tâches ménagères quotidiennes incombe avant tout aux femmes. Elles continuent également d'avoir une préséance, une prééminence, un rapport privilégié avec les jeunes enfants. La symétrie ne s'observe pas dans les comportements de tous les jours des pères et des mères. « Tout au plus, cette symétrie se diffuse dans les attitudes, manifestant le partage des responsabilités et des décisions, et c'est ce modèle de référence adulte qui est reçu des deux sexes par les enfants [2]. »

Acceptons cette vue optimiste. Les féministes et l'ensemble des partisans de l'égalité entre les sexes n'ont pas le même modèle de référence et l'asymétrie dans la part prise par les pères et les mères aux tâches domestiques et éducatives ne cesse de nourrir leurs revendications. En outre, les juges qui prononcent les divorces et attribuent la garde des enfants se réfèrent constamment à ce nouveau stéréotype, de manière explicite ou implicite : à leurs yeux, la mère est devenu un « parent complet » qui remplit tous les rôles; le père est encore un parent insuffisant qui ne saurait faire face aux problèmes quotidiens nés de la présence d'enfants (surtout petits) ni satisfaire à leurs besoins affectifs aussi bien que la mère.

1. P. WILMOTT et M. YOUNG, *The Symmetrical Family*, Londres, Routledge & Kegan Paul, 1973.

2. Bianca Barbero AVANZINI, « Giovani, nuove coppie e immagine paterna », *L'Immagine paterna nelle nuove dinamiche familiari*, Milan, Vita e Pensiero, 1985, pp. 52-77.

« Ma femme attend un enfant »

L'asymétrie des rôles du père et de la mère depuis les conquêtes féminines n'est pas seulement le fait d'un déficit d'investissement de la part des pères. Elle naît aussi de l'impossibilité de copier ou de partager le rôle maternel.

Avant la révolution contraceptive, on disait d'un mari dont la femme était enceinte, soit qu'il était maladroit et goujat, soit qu'il « avait bien travaillé ». Si la venue de l'enfant était considérée comme un fardeau, le père était disqualifié. Si l'événement était vraiment « attendu et heureux », il était félicité et se sentait fier d'être un homme. Aujourd'hui, dans le meilleur des cas, il n'est qu'associé à la décision de sa femme d'avoir un enfant. Faire cet enfant qu'elle désire ne va pas lui être reconnu comme un brevet de virilité. Sa paternité se consume tout de suite après la génération, dans l'insignifiance, alors que commence la grossesse de la mère.

Naguère encore, la grossesse (le mot et la chose) était tabou, dissimulée sous d'amples vêtements. On n'y faisait d'allusions qu'indirectes. Désormais, c'est une aventure notoire, offerte à la sympathie de tous. La future mère ne pourra bientôt plus dissimuler « son état » et sera entourée de regards, de conseils, de mises en garde et de sollicitudes qui seront autant de conditionnements à son futur rôle. Le futur père n'est pas pris dans ce filet d'expectatives. Dans l'entreprise où il travaille, il peut, au choix, dire ou ne pas dire. S'il en parle, il ne peut s'impliquer directement, le langage le lui interdit toujours dans nos sociétés. Il dira : « Ma femme attend un enfant », au mieux : « Nous allons avoir un enfant. » S'il proclame : « Je vais être papa ! » c'est avec quelque humour. Il n'osera jamais : « J'attends un enfant », car, dans nos pays, la grossesse est encore considérée comme le parcours du combattant de la femme.

Pourtant, de plus en plus, on demande au futur père de s'y associer, d'y apporter une attention intellectuelle, affective et charnelle, et même d'acquérir les connaissances médicales nécessaires pour « partager ». Comment vit-il ce « partage » de rôle? Fort abondante est la littérature psychanalytique sur les *expectant fathers* [1], ces pères en attente d'enfant. Mais leurs récits, leurs conduites, leurs pathologies sont toujours rapportés à leur histoire propre, consciente ou inconsciente, et déchiffrés à l'aide des clés de la psychanalyse. Ce à quoi je fais allusion ici est d'un tout autre ordre : il s'agit du changement de rôle de l'homme dont la femme est enceinte dans notre société, quelle qu'ait pu être son histoire personnelle, parce que les normes sociales se sont modifiées.

Naguère, il devait, selon ces normes, se préoccuper de préparer « le nid » de son petit à venir en assurant la sécurité matérielle du foyer, en souscrivant une assurance-vie, et il devait « ménager » sa femme, porter toute charge lourde à sa place et ne point l'épuiser de ses assiduités sexuelles. Voilà que maintenant, il doit au maximum vivre en symbiose charnelle avec elle, aller aux visites médicales avec elle, regarder les échographies, suivre le développement du fœtus et aider sa femme à préparer physiquement son accouchement – auquel il assistera bien sûr, et même l'assistera, elle, dans presque toutes les phases de l'enfantement, ainsi qu'on lui apprend à le faire lors des séances de préparation. Le climat émotionnel de la grossesse rend ce rôle particulièrement gratifiant pour les uns, épuisant pour d'autres.

De nouveaux pères enthousiastes inventent la naissance à deux

L'ambiguïté demeure sur l'utilité de ce rôle. Rend-il l'homme plus et mieux père? C'est ce que proclament les enthousiastes. Ils sont sûrs d'avoir vécu cette grossesse

1. Voir la bibliographie sur les « *expectant fathers* » et leurs aléas citée par Geneviève Delaisi DE PARSEVAL, *La Part du père*, Seuil, 1985.

transparente, cette grossesse « à deux », mille fois mieux que leurs pères qui passaient souvent ces mois dans l'angoisse et le remords d'être un de ces hommes, brutes inconscientes, dont la satire du XVIIe siècle disait : « Ce sont Roger-Bon-Temps, ils n'ont souci de rien », alors que « leurs chétives femmes perdent pour leur complaire et leurs corps et leurs âmes [1] ».

L'échographie, particulièrement, semble délivrer l'homme de sa possible jalousie de fécondité, et lui confère une aisance nouvelle dans son rôle difficile où il cherchait ses marques. L'enfant n'est plus un mystère opaque enfermé dans sa mère, propriété de la mère. Ensemble et pareillement, tous deux le contemplent de l'extérieur, cet enfant à venir qu'ils ont fait ensemble, et le voient gigoter sur l'écran.

Cet enfant objectivé justifiera le rôle d'assistant de la parturiente, que lui confie la société moderne. Ce rôle lui paraît fortifier son couple d'une part, et mieux le préparer à la paternité d'autre part. Ils ont été deux dans le plaisir pour faire cet enfant, deux pour l'attendre et préparer non seulement sa place mais aussi sa naissance physique, les gestes qu'il faudra faire, les attitudes utiles, deux pour souffrir différemment mais ensemble lors de l'enfantement, deux dont les mains s'étreignent en entendant le cri de leur petit, deux qui se disent merci pour leur commune œuvre vivante. S'il aide à couper le cordon ombilical, à baigner le nouveau-né, n'entre-t-il pas de plain-pied dans la paternité charnelle et protectrice? Ce sera un tout autre rapport que l'éloignement instinctif que ressentaient si souvent les pères les mieux disposés pour ce petit paquet braillard et pisseux à propos duquel toutes les femmes s'extasiaient. Il n'est plus l'étranger de l'autre sexe, le gêneur, l'incompétent, le bafoué qui doit laisser les femmes entre elles ou laisser le premier rôle à l'obstétricien.

1. Angot DE LESPEYRONNIÈRE, *Lucine ou la femme en couches*, septième satire, 1610.

« Renoncez à être une autre mère... »

Cependant, tous les hommes ne vivent pas ce nouveau rôle comme un beau rôle créateur. Beaucoup sont gênés de ce qu'il a d'artificiel et de contraignant. Un tel apprentissage et accompagnement des mécanismes de la grossesse est-il naturel à un homme? Pourquoi est-ce devenu « le bien » nécessaire sinon suffisant pour prouver qu'on aime sa femme et qu'on aimera son enfant? Pourquoi vouloir à tout prix « féminiser le bonhomme »? N'y a-t-il pas d'autre voie vers la paternité que l'identification plus ou moins réussie à la femme? « Autrement dit, pour devenir père, la première et indispensable condition, c'est de renoncer à être mère, de renoncer à être une " autre mère " », écrit carrément le docteur Aldo Naouri, qui dénonce les « modes nouvelles des sacs ventraux dans lesquels les pères sont fiers d'arborer leur progéniture, le plaisir clamé qu'il y a à changer, laver, pouponner qu'ils découvrent et dont les médias se sont emparés pour forger une catégorie exemplaire et jusque-là inconnue : les nouveaux pères [1]. »

Ce « copiage » a été sinon voulu, du moins encouragé par les femmes qu'il flattait, pendant les années de grande célébration de la « féminitude ». Il est certain que, pour tout ce qui touche à la procréation, la femme jouit d'une supériorité biologique totale. Pendant des millénaires, cette aptitude à la fécondité l'a rendue vulnérable et a causé son abaissement social. Par un juste retour des choses, les sociétés modernes, qui ont appris aux femmes à maîtriser leur fécondité, peuvent se permettre le luxe d'admirer d'autant plus l'aventure de la naissance qu'elle intervient plus rarement dans la vie de chacun.

Ce n'est pas pour cela que cette admirable et adorable fécondité peut se plier aux caprices de la mode, être imitée ou partagée autrement qu'en métaphores. Bien des pères

1. Dr Aldo Naouri, *Une place pour le père*, Seuil, 1985, pp. 182-183.

ne pourront contrefaire la maternité charnelle, à commencer par ceux dont on ne parle jamais : ceux qui ne voulaient pas l'enfant, ceux qui ont un enfant malgré eux, par décision de la mère. Bien des autres vont demeurer « guignant la position de la mère de leur enfant en ne sachant comment se situer, l'enviant et la haïssant tout à la fois [1] ».

Mais alors, que faire? Comment se conduire en bon père? Existe-t-il une norme nouvelle? Il faut bien en convenir : ces vingt années de bouleversement de la condition féminine (1965-1985) ont déséquilibré les rôles parentaux sans apporter de définition évidente et consensuelle de la condition paternelle. Il n'est toutefois pas inutile de tenter de démêler cet écheveau embrouillé.

Dans ces rôles indécis, quels sont ceux qui sont nés des tâtonnements excessifs de la mode féministe et seront sans lendemain? Quels sont ceux, même tout nouveaux, qui semblent promis à une vie durable et aborderont le XXIe siècle? Déjà, ces vingt années d'extraordinaire remise en cause de la structure familiale s'éloignent dans le passé, mais les indéterminations du rôle du père demeurent. Pourquoi? Parmi de multiples causes de ce flou persistant, je voudrais en signaler trois : les réticences des femmes à en rabattre sur leurs prérogatives maternelles; les vues singulières des « conseillers » en tout genre qui ont prétendu parler « famille » alors qu'ils pensaient « couple »; enfin, la résistance passive du monde masculin de l'emploi, qui freine des quatre fers.

Peu de femmes souhaitent vraiment le père qui « materne »

Il est évident que les femmes sont parvenues, à la faveur des mutations intervenues dans leur rapport à la fécondité et dans leur rapport à l'activité professionnelle rémunérée, à rejeter les normes traditionnelles du partage des tâches *pour ce qui les concerne*. Elles ont victorieuse-

1. *Ibid.*

ment repoussé au magasin des antiquités la norme des 3 K : *Kinder, Küche, Kirche* (les enfants, la cuisine, l'église) qui avait confiné leurs vies et elles ont pris pied solidement et de manière, je l'affirme, irréversible, dans la Grande Société, travail professionnel et vie de la cité.

Elles désirent clairement voir les hommes partager avec elles surtout la *Küche*, les tâches ménagères à la maison et elles continueront à faire pression en ce sens sur leurs compagnons de vie, pères ou non. Leurs intentions sont moins nettes s'agissant des *Kinder*, les enfants. Certaines féministes ont peut-être fait une erreur d'appréciation touchant à la maternité. Celles qui ont pris la tête des mouvements féministes des années 70 se trouvaient-elles être relativement peu maternelles? Toujours est-il qu'elles ont cru pouvoir exprimer la lassitude, et même la révolte des femmes à se voir toujours confier les enfants : « Ce n'est pas parce que nous accouchons seules d'un enfant fait à deux que nous devons seules laver les culottes, corriger les devoirs ou conduire les enfants chez le pédiatre. »

Certes, les femmes qui travaillent ont suivi ce raisonnement et épousé la contestation qu'il postule. Mais elles ont eu beaucoup plus de mal à traduire leur refus de « continuer comme ça » en une définition claire du rôle qui devait revenir aux pères de leurs enfants. Même si elles ne l'ont pas toujours proclamé – car, pendant quelques années, la mode féministe le leur interdisait – elles avaient le sentiment que, avec les enfants, « ils ne sauraient pas faire » et qu'elles, elles réussissaient cent fois mieux. Elles, elles sentent les besoins de l'enfant, mesurent ses possibilités, vont au-devant de ses désirs, devinent ses chagrins. Elles savent « faire » et savent aimer. Eux, les pères, seraient maladroits, ignorants d'une foule de détails, les enfants ne seraient pas en confiance, etc. En sorte qu'elles ont bien plus volontiers réclamé des crèches et des maternelles qu'elles n'ont exigé de nouveaux rôles paternels auprès des petits.

Crèches et maternelles sont animées par des femmes, et ces salariées ne se posent pas plus en concurrentes de la mère que la nourrice d'autrefois. On ne partage pas la maternité avec elles. Avec le père, qu'en sera-t-il, s'il accomplit les mêmes tâches que la mère, s'il en vient à « materner » l'enfant? Sera-t-elle alors encore l'indispensable, l'irremplaçable, la mieux aimée, l'unique? « Mille et une étoiles au ciel, mille et un poissons dans la mer, mais une, une seule mère... »

Père, parce que conjoint de la mère...

Me pardonnera-t-on de considérer tous ensemble, au risque de les fâcher, les psychanalystes, les psychiatres, les psychologues, les conseillers conjugaux, les conseillers familiaux qui reçoivent des parents et s'expriment dans les séminaires et les colloques sur les rôles familiaux, et les journalistes spécialisés qui vulgarisent leurs idées dans les rubriques « société », les magazines féminins et familiaux, les émissions de radio et de télévision? Ils et elles contesteront sûrement mon amalgame. Cependant, même parlant de lieux différents, justifiés par des savoirs et des pratiques différents, recherchant des buts différents, ils n'en ont pas moins formé un temps le bloc hétérogène des faiseurs de normes privées. Certains se refusent à donner des conseils, d'autres en font profession, mais tous ont contribué à forger, sinon la morale, du moins l'esprit du temps.

Or, durant les années qui nous occupent, le chœur des analystes ou des faiseurs de normes, fasciné par l'évolution spectaculaire des femmes, et par la libération des mœurs qui permettait enfin de donner au discours sur la sexualité une première place à ses yeux méritée, le chœur des analystes s'est bien davantage préoccupé de la mère que du père, et bien davantage du rôle de l'homme partenaire de la mère que du rôle de l'homme père de l'enfant. La prévalence du couple sur la famille est à son apogée. Le « couplisme » sévit bien aussi fort que le féminisme. Sexualité, bisexualité échangée, plaisir à deux, amour et haine, entente et désaccord, projet commun mais pas de domination de l'un sur l'autre, expériences « fusionnelles » mais respect de l'autonomie de chacun, etc. – il faudrait citer des bibliothèques entières pour rendre compte de l'inflation de la réflexion sur le couple, marié ou non, l'important étant le couple et non sa traduction sociale. Or, elle a comme phagocyté toute réflexion sur la paternité, dans la mesure où le père n'est plus appelé que « le conjoint de la mère ». La conclusion explicite ou implicite est que le bon père est d'abord bon époux, ou plutôt, bon partenaire de la mère. « C'est le couple qui fait l'enfant et non plus l'enfant qui soude, voire impose le couple [1]. » Le rôle du père sera donc d'abord celui du partenaire de celle qui décide la venue de l'enfant et porte l'enfant.

Jusque-là, le père était le « troisième personnage », qui venait s'introduire au sein de la dyade mère-enfant. Ce n'était pas un rôle aisé, mais il était indépendant de la mère, il ne procédait pas d'elle. Il venait à côté de la mère proposer à l'enfant une identification sexuelle différente. A partir des années 70, le rôle paternel semble naître du rôle conjugal. « Péniblement, émerge finalement un rôle paternel qui n'est pas un modèle abstrait et isolé dans le contexte des rapports interfamiliaux, mais un rôle né du rapport du couple : on est père, pourrait-on dire paradoxalement, non par les relations directes avec les enfants, mais pour autant qu'on se propose comme tel à travers le rapport avec la mère [2]. »

Le *hic* est que, si les mères assument nombre des rôles paternels parce qu'elles ne les sentent pas étrangers à leur nature, les pères qui assument, via la mère, leur rôle paternel, ne réussissent guère à se vivre autrement qu'en imitation. Ou en sursis. Car si le père doit son rôle au fait qu'il dort avec la mère, contente la mère, aide la mère, imite et complète la mère, qu'adviendra-t-il de lui si le couple se sépare? Si un autre homme vient à dormir avec la mère de

1. Philippe BATAILLE, « Les anciennes féministes et les nouveaux pères : le nouveau désir d'enfant dans le couple », *Cherche père désespérément*, *Dialogue*, n° 104, 2e trimestre 1989.
2. Gian Paolo MEUCCI, « Padri Pallidi o...? », *L'Immagine paterna*, *op. cit.*, p. 17.

ses enfants, à aider la mère de ses enfants, etc.? Quel rôle sera laissé au père-géniteur éloigné?

Le petit ami de la mère, dans le rôle du père

Une chose est de prophétiser que l'excellent partenaire de la mère fera un excellent père, une autre est de prévoir l'avenir du couple. Or il se trouve que le jeune époux ou le jeune compagnon qui a vécu à deux la grossesse de sa femme, qui a parlé à son enfant encore dans le ventre de sa mère, qui a assisté sa femme lors de son accouchement, qui a baigné, langé, dorloté leur tout-petit, celui-là aussi se verra séparé de son enfant s'il vient à divorcer, et mis à la portion congrue de deux dimanches par mois de visites souvent conflictuelles. Telle sera la très triste conséquence de la doctrine implicite selon laquelle, pour le père, le rapport du couple est premier et fondateur, et a le pas sur le rapport de filiation.

Dans cette conception, qui s'est répandue largement parmi les psychologues et a également touché certains juges aux affaires matrimoniales, le rôle paternel est second et découle du rôle conjugal. On est père parce que partenaire de la mère, le père procède de la mère avec qui il forme couple. Donc, si le couple se défait, si la mère se sépare du père de l'enfant, celui-ci perd, en quelque sorte, le fondement sinon de sa paternité légale, du moins de son rôle de père au jour le jour. Tout établi qu'il soit, le rapport de filiation biologique entre lui et son enfant ne pèse pas lourd, en comparaison, pour tous les tenants du « couplisme » à dominante maternelle.

Qu'est-ce que la filiation biologique à côté de l'absence du père dans le lit de la mère? Tout se passe comme si, en lieu et place d'un triangle père-mère-enfant dont les trois sommets entre-réagissent (père ↔ mère; père ↔ enfant; mère ↔ enfant) on n'avait plus qu'une construction à deux branches, la mère étant au seul sommet. Une branche figurant le couple, le segment père ↔ mère;

l'autre, le segment mère ↔ enfant. Le père n'est alors relié à l'enfant que pour autant qu'il passe par la mère, pour autant qu'il est lié à la mère, pour autant qu'il vit avec la mère.

En cas de divorce ou de séparation, le père peut fort bien être remplacé, auprès de son enfant, par un personnage qui, pour n'être point rare du tout, n'a toujours pas de nom en français – ni dans la plupart des langues européennes : je le nommerai prudemment « le nouveau partenaire de la mère ». Qu'on sache bien que je ne mets aucune condamnation morale dans cette dénomination, ni à l'endroit de la mère ni à l'endroit du « nouveau partenaire ». Du reste, s'il épouse la mère, il deviendra le beau-père (*step father*) de l'enfant, qu'on appelait jadis le parâtre.

Plus nombreux sont, épisodiques et durables, les « partenaires de la mère » qui ne l'épousent pas, mais vivent avec elle – et les enfants. En France, en 1985, on estimait à environ 700 000 le nombre d'enfants de moins de 16 ans qui vivaient avec leur mère et « un autre homme » que le père. Cet « autre homme » peut être, à l'égard de l'enfant, très gentil ou odieux, attentif ou indifférent, affectueux ou dur. Son rôle, toujours fort difficile, peut être bénéfique ou malfaisant. Là n'est pas la question. Ce qui est en cause, ce qui est récent, c'est la manière dont le « nouveau partenaire de la mère » évince le père. Jadis – combien de romans et de drames sur ce sujet, Hamlet en tête! – l' « autre homme » était décrit et ressenti comme essayant malignement de prendre la place du père, mais ne pouvant y prétendre non plus qu'y parvenir. Aujourd'hui, il est devenu, dans la littérature psychologique sur la famille, soit le « faisant fonction de père », soit, plus carrément et encore plus fréquemment, « le père de substitution ».

Dans cette expression pédante et difficile à prononcer (empruntée à l'anglais) le mot « substitution » n'a aucune nuance péjorative. Il n'évoque pas une opération de prestidigitation qui aurait eu la méchante idée de subtiliser un vrai père pour lui substituer un faux père. Non, ce que cette expression qui se veut factuelle, simple constat, a de remarquable, c'est l'emploi du mot « père ». Car il y a bel et bien eu substitution d'un homme par un autre homme, d'un partenaire de la mère par un autre partenaire – mais il n'y a pas eu remplacement d'un père par un autre père! Sauf à prétendre que le « père » procède du lit de la mère. On peut effacer, ou doubler, le père biologique et légal. La preuve en est que, de plus en plus couramment, on appelle les foyers où vivent la mère, ses enfants et l'amant de la mère, des « familles recomposées ». Quand le père est parti ou a été éloigné, la famille s'est « décomposée ». Un autre homme paraît aux côtés de la mère, et la famille est « recomposée ».

Qu'est-ce que cela signifie sinon deux choses : 1° que l'homme qui fait réellement partie de la famille, qui est un « composant » de la famille, c'est celui qui fait couple avec la mère; 2° que l'autre, celui qui a engendré l'enfant, lui a donné son nom et conféré son identité, celui qui a vécu près de son enfant, celui-là est retranché de la famille car il ne fait plus couple avec la mère. Voilà qui en dit long sur la déliquescence dans laquelle est tombé le rôle du père. Lui qui, naguère, assurait le lien avec l'Histoire, la durée, l'identité de la « maison », le code moral de la « maison » – le voilà remplacé par un homme que l'enfant, le plus souvent, appelle par son prénom, qui n'a en commun avec l'enfant aucune généalogie, aucun statut, qui, quelque charmant qu'il puisse être, ne restera peut-être pas, car il n'a de lendemains que sa bonne entente avec sa maîtresse.

Par deux fois, je viens d'employer les mots d' « amant » et de « maîtresse », simplement parce qu'ils sont les termes les plus propres pour décrire une situation, sans condamnation morale aucune. Or, je suis sûre que ces mots simples et vrais vont déplaire. Non pas parce qu'ils font « vieux jeu », mais parce que le nouveau jeu réclame hypocritement qu'on habille le sexuel d'oripeaux familiaux. Ce qui m'apparaît choquant, dans ces « familles recomposées », ce n'est nullement qu'une mère trouve plaisir et bonheur avec un autre homme que le père de ses enfants. Ce qui me semble choquant, c'est qu'on baptise « père de substitution » celui qui contribue à l'éviction et à la mort du père. C'est ce tour de passe-passe de vocabulaire qui réduit le rôle du père à seulement ceci : vivre avec la mère.

Primat du désir (de la mère) dans la recomposition familiale

Attention! diront les nombreux adeptes et laudateurs des « familles recomposées » (ou « reconstituées », selon d'autres auteurs), il ne faut pas nous accuser de sexisme antihommes, antipères : nous ne focalisons pas nos tirs sur le seul père, son image et son rôle. Nous appelons tout aussi bien « famille recomposée ou reconstituée » le groupe que forment un père demeuré seul avec son ou ses enfants et la petite amie du père, qui devient « mère de substitution ». Ce que nous cherchons à établir, c'est que les vrais parents sont des adultes qui vivent avec l'enfant et dorment dans le même lit, que ce soit la mère biologique ou le père biologique qui ait formé un nouveau couple. Ce que nous dynamitons avec le sourire, c'est l'idée selon laquelle le parent biologique est le parent réel, ce sont les institutions qui confèrent aux « liens du sang » des prérogatives.

C'est vrai. Si les défenseurs des nouvelles formes de la famille sont convaincus d'un principe, c'est de l'interchangeabilité entre « parent biologique » parti du foyer et « partenaire-sexuel-du-parent-restant ». Le lien sexuel qui fonde le couple, en ce qu'il exprime une liberté individuelle hors de toute institution, leur semble primer sur le lien de filiation qui instaure la parenté. Mais, dans la réalité vécue, ils savent bien que neuf sur dix des familles recomposées sont des foyers comptant une mère, son ou ses enfants, et son amant ou son nouveau mari. Dans les discussions, ils reconnaissent à la femme une sorte de vocation, ou de droit supérieur, à être presque toujours le pivot et le plus souvent l'ordonnatrice de ces recombinaisons. Pourquoi? Parce que, disent-ils, elle en manifeste fortement le désir, elle le revendique, elle compte qu'elle ne sera pas séparée de son enfant. Elle n'obéit pas pour cela à l'institution, mais à son désir individuel. Le père génétique, lui, même s'il a provoqué la rupture de son couple, se retrouve marginalisé, puis concurrencé, puis remplacé. Il savait bien qu'il courait ce risque. Et il ne se bat pas beaucoup, leur semble-t-il. En somme, dans la société des désirs légitimés, il est perdant. Il n'y a pas, jusqu'ici, interchangeabilité des désirs de garder l'enfant, même si cela peut changer, notent nos modernes partisans des familles à géométrie variable.

L'organisation du travail contre l'interchangeabilité des rôles

Qui ne serait d'accord pour constater que le principal frein à l'interchangeabilité des rôles paternel et maternel préconisée dans les années 70 a été la force d'inertie de la société masculine? Par société masculine, j'entends, bien sûr, les hommes qui n'ont guère envie d'assumer auprès de leurs enfants les tâches matérielles et éducatives que leurs propres mères ont remplies auprès d'eux quand ils étaient enfants. Ils sont légion. Ils traînent les pieds, quoi qu'en disent les « nouveaux pères » enthousiastes ou les néoféministes qui leur présentent cet échange comme la voie royale pour eux vers l'égalité parentale.

Mais par société masculine, j'entends surtout les États et les entreprises, l'organisation de la production et du travail humain. Cette société moderne est fondée sur le travail des hommes et ne songe guère à freiner leur activité, à leur concéder des horaires adaptés pour qu'ils puissent remplir leurs rôles de pères. Si nos sociétés ont peu à peu découvert la nécessité de changements structurels profonds, d'une politique sociale nouvelle et d'un aménagement nouveau du travail afin de permettre la conciliation de la vie familiale et de la vie professionnelle, c'est à cause de l'accroissement du travail des femmes. C'est en pensant aux femmes. Des hommes, du moins dans un premier temps, il ne fut pas question. Pourtant, si des parents voient leurs vies dévorées par le travail, ce sont bien les pères. Mais, pour eux, pas de quartier!

Dans aucun pays au monde la part prise par les hommes dans le travail et l'emploi n'est égalée par les femmes. Partout, dans les pays développés, les taux d'activité masculine tournent entre 90 et 95 % des hommes en âge de travailler. En regard, les taux d'activité féminine vont, en Europe occidentale, de 35 à 55 %, avec des records, en Scandinavie, autour de 70 %. Mais, dans ces derniers cas, qui concernent la Suède et le Danemark, plus de 40 % de ces femmes actives ne travaillent qu'à temps partiel. En regard, dans tous les pays, la proportion d'hommes travaillant à temps partiel reste fort basse. En outre, ce sont les hommes qui font des heures supplémentaires. En sorte que la durée hebdomadaire moyenne du travail professionnel des hommes excède largement la durée hebdomadaire moyenne du travail professionnel des femmes actives. En France, si on ne retient que les salariés, les hommes travaillent en moyenne sept heures de plus par semaine que les femmes, et cet écart est encore plus considérable pour les cadres et pour les travailleurs indépendants. Il est plus considérable encore, atteignant neuf à dix heures hebdomadaires de différence, dans les pays où le travail à temps partiel est très répandu pour les femmes (Pays-Bas, Grande-Bretagne, Suède, Danemark, Norvège).

Toutes les enquêtes conduites sur la vie quotidienne dans le but d'établir le « budget-temps » des hommes et des femmes montrent de ce fait une plus grande présence au travail des hommes et de plus longs temps de transport pour s'y rendre. Les hommes se lèvent plus tôt que les femmes, près d'une heure plus tôt en moyenne. Il n'est, pour s'en persuader, que de prendre un autobus, un métro, un train ou un avion très tôt le matin. Il arrive fréquemment qu'on y trouve dix hommes pour une femme. Ils rentrent plus tard au foyer et se couchent plus tard.

Étendre aux hommes aussi les mesures prises pour les femmes qui travaillent

Ces données incontestables (elles sont le fruit d'observations méthodiques et nullement d'opinions) n'ont pas pour but de faire passer les femmes pour des paresseuses. Chacun sait que la plupart d'entre elles doivent ajouter leur activité ménagère et maternelle à leur activité professionnelle.

Mère de famille nombreuse et travaillant, j'ai été si sensibilisée à ce problème que j'ai lutté pendant plus de vingt ans pour que les femmes aient réellement des chances égales dans la vie professionnelle, donc pour favoriser les innovations sociales pouvant leur permettre de mieux concilier vie familiale et vie professionnelle et de faire carrière comme les hommes. Pendant ces vingt dernières années, j'ai été présente dans les organisations internationales (Communauté économique européenne, ONU, Bureau international du travail) et auprès des pouvoirs publics français dans bien des groupes, commissions, conseils, etc. qui ont étudié l'organisation du travail et la politique sociale qui doit l'accompagner. Avec ces divers groupes de travail ou assemblées, avec les réseaux que j'ai dirigés, nous avons formulé des revendications, rédigé des recommandations, élaboré des plans d'action. Or je n'ai jamais entendu des membres masculins représentant les administrations des États ou les entreprises demander des mesures spécifiques pour les pères de famille, des horaires allégés, ou des crèches sur leurs lieux de travail. Avec beaucoup de constance, les syndicats ont lutté pour un allègement des horaires de travail, en évoquant le besoin pour les travailleurs « d'avoir une vie de famille » ainsi qu'une vie sociale et culturelle. Mais jamais les obligations nées du nouveau rôle paternel n'ont été mises en avant comme telles. On découvrait seulement peu à peu l'argument de l'interchangeabilité des rôles, au début des années 70, pour étendre « aux hommes aussi » les analyses faites pour les femmes, aux pères aussi les avantages ou libertés demandés pour les mères.

Ce sont les femmes – et j'en étais – qui ont avancé ce principe de l'interchangeabilité des rôles. Les hommes, impressionnés et féministes suivistes, ou incrédules et blasés et attendant que la fièvre passe, s'essayaient seulement à répéter après nous ce vocable imprononçable en toute langue sans trébucher : interchangeabilité, *interchangeability, intercambiabilità*, etc. « Qu'entendez-vous par rôle? » s'était enhardi à demander l'un d'eux. « L'ensemble des comportements concrets que la société attend désormais d'un parent, qu'il soit père ou mère », lui fut-il répondu. Il hocha la tête, avec un sourire goguenard.

Beaucoup d'hommes furent ainsi sceptiques, mais accommodants tant qu'on ne bouleversait pas le système. Aussi, assez vite, on vit tous les États ou presque ajouter aux législations sociales prévues pour aider les mères à concilier vie professionnelle et vie familiale quelque formule stipulant qu'elles devaient s'appliquer également aux hommes et pères. Le plus souvent, il s'est agi de clause de style sans portée pratique. En France, l'importante législation sociale d'aide à la famille demeure scrupuleusement neutre et peut bénéficier aux pères comme aux mères. Rien n'empêche les pères de prendre le congé parental d'éducation. Ou le congé pour enfant malade. Simplement, on n'a pas conduit d'action spécifique forte et soutenue pour encourager les pères à braver les contraintes que la société professionnelle fait peser sur eux.

Car si le rôle est l'ensemble des conduites concrètes que la société attend d'un individu, les hommes connaissent avant tout l'attente, on pourrait même dire l'exigence de la société industrielle à leur endroit : ils doivent travailler, et par le travail professionnel essayer d'acquérir un statut. Dure contrainte, qui obère leur temps, pèse sur leurs choix, les empêche de « changer de mentalité », donc de point de vue, donc de rôle. Comment expérimenter un autre rôle, celui de père à la maison, quand on a la peur au ventre de perdre son emploi ou de rater sa carrière?

Pourtant, il est évident que nombreux sont ceux qui s'accommodent de cette contrainte ou s'abritent derrière elle pour ne pas troquer un rôle pour un autre. Les « obligations professionnelles » (expression sacrée) sont un excellent alibi pour ne pas faire le petit déjeuner des enfants et les conduire en classe, ni être celui qui les accompagnera chez le médecin, ni leur consacrer assez de temps pour suivre leur développement et comprendre leurs inquiétudes. En outre, s'ajoutent la peur du ridicule et la certitude de « ne pas savoir faire ». Comment muter d'un rôle à l'autre quand on est devenu un drogué du travail dont le rôle professionnel mobilise et résume toute la personnalité?

Qu'a-t-on fait pour donner des « chances égales au père »? L'exemple suédois

Il semble que ce soit en Suède qu'ait été conduite, avec le plus d'honnêteté et de conviction, une tentative de « chances égales pour le père ». Elle a porté non seulement sur l'extension aux pères d'avantages sociaux consentis à la mère, mais aussi sur l'accord des administrations et de certaines entreprises employant le père pour alléger les contraintes professionnelles qui pèsent sur lui et pour lui permettre de remplir son rôle parental d'une manière nouvelle. Cette tentative a remporté des succès, mais a rencontré également ses limites.

La Suède avait fortement formulé le principe d'interchangeabilité des rôles dans les années 70 : comment l'a-t-elle mis en pratique? C'est d'autant plus intéressant à étudier que tous les « modèles » nouveaux, comme nous l'avons vu [1], sont partis de Suède pour ensuite balayer

1. Voir *supra*, chap. IV.

l'Europe du nord au sud. Celui-ci va-t-il nous atteindre? Certains pensent qu'en matière de mœurs et mentalités, tout arrive d'Amérique : l'égalité des chances et l'interchangeabilité des rôles des pères et mères aussi. Peut-être, mais, au niveau de la réalisation pratique de ces principes, l'État suédois peut jouer un rôle incitateur et régulateur impensable aux États-Unis. Le plus intéressant, dans le cas suédois, sont les initiatives publiques qui, sans faire pièce tout à fait au secteur privé, sont parvenues par la négociation à faire baisser la tension professionnelle que les entreprises font peser sur les pères.

Intéressante aussi est l'histoire de cette tentative et les justifications idéologiques successivement invoquées. Car celles-ci ont varié, comme aussi l'accent mis par les recherches et débats sur tel ou tel aspect de la problématique [1].

Dans les années 50, la recherche suédoise portait sur la fonction éducative et les styles de vie des familles, considérées comme des unités. Nulle réflexion n'était centrée alors sur le rôle paternel. Pendant les années 60, les changements affectant la vie des femmes accaparent l'attention : révolution contraceptive et entrée massive dans le monde du travail (entre 1960 et 1965, la proportion de femmes mariées travaillant à l'extérieur passe de 15 % à 37 %!). Comment résoudre la conciliation vie familiale/vie professionnelle pour la mère? Comment intégrer la liberté sexuelle consécutive à l'arrivée de contraceptifs efficaces dans une société hédoniste? Recherches, discussions, décisions juridiques et sociales sont alors placées sous la forte influence des mouvements d'émancipation féminine et de mouvements sociaux qui débordent sur sa gauche le parti social-démocrate. Son contrat social de répartition des *gender roles* est violemment dénoncé comme dépassé. Les femmes rejettent la prétendue « liberté de choix » et, dans leur programme de 1970, *Ave-*

1. Lena Nilsson SCHONNESSON, « Her, His and Their Marriage », *in Interdependence between women and men,* Institut d'études de Salzbourg (Autriche) 1987, pp. 51-63.

nir de la famille : une politique familiale socialiste, elles posent leurs conditions. « Elles ne demandent pas seulement une place égale dans la société, elles veulent aussi que les hommes partagent leurs tâches et en tout cas se montrent également responsables s'agissant des enfants [1]. »

Les années 70 seront placées sous les signes : 1° de l'indépendance des individus : mariage ou cohabitation, enfants dans ou hors le mariage sont considérés comme « les projets communs des deux individus indépendants » ; 2° du respect de l'égalité entre les sexes, qui devient très exigeant. Le parti social-démocrate et le Premier ministre en font leur cheval de bataille. Jusqu'en 1974, les allocations pour soins aux jeunes enfants étaient versées à la seule mère : ce « dirigisme d'État » est dénoncé comme une « forte intrusion dans les modèles de vie familiale [2] ». Le système fiscal, jusque-là fondé sur le chef de famille pourvoyeur du foyer, est changé. Le soin des enfants est reconnu comme de la responsabilité publique. La décennie s'achève par l'Acte sur l'égalité de statut, 1979.

Jusque-là, rien n'est bien différent de ce qui s'est passé en France, et même un peu en retrait. Mais à partir de 1981, alors que les tendances féministes et socialisantes vont s'accentuer en France, en Suède voilà que la recherche se tourne vers la parentalité *(parenthood)*, s'intéresse à la garde conjointe des enfants des couples séparés et au nouveau rôle du père. « Les problèmes des parents ne sont plus décrits en termes de conflits entre les sexes, mais comme le conflit pour chacun entre les exigences de sa profession et son rôle de parent. » On estime que l'amour entre père et enfant pourrait s'épanouir davantage si le conflit entre travail et paternité pouvait être résolu. A observer toutes les familles éclatées,

1. Yvonne HIRDAM, professeur d'histoire des femmes à l'université de Göteborg, « The Swedish social democrats and the importance of gender, an other approach to the history of the Swedish welfare state », *New Sweden Seminar 1988, Women & Power*.

2. Agneta NILSSON, *The Changing Parental Function*, Direction nationale de la prévoyance sociale, Stockholm, 1986.

incomplètes, recomposées, on note que le rôle du père n'est plus clairement défini. Les pères sont en train de devenir des victimes. Beaucoup d'entre eux souffrent d'avoir été systématiquement séparés de leurs enfants « par une justice désuète ». On prend conscience du malaise masculin après quinze ans de féminisme et on crée des lieux où les hommes peuvent aller librement parler de leurs problèmes propres avec des psychologues. On les appelle « centres pour hommes » (*Manscentrum, Mansjouren*) ou « centres de crise pour hommes » (*Kriscentrum für män, Krisjouren*) et, en 1989, on en compte vingt-six, répartis dans les principales villes.

La morale sociale reste empreinte d'un féminisme péremptoire, omniprésent et tabou. Mais on est conscient du malaise masculin, on se penche avec attention sur la difficulté d'être père ou grand-père : un groupe de travail a été créé à cet effet en 1983 par le ministre de l'Égalité des chances [1]. Il importe de les aider à endosser leurs nouveaux rôles.

Un concept qui ouvre l'avenir : la coparentalité

Voilà donc qu'on ne parle plus guère d'interchangeabilité des rôles. Un concept moins normatif et plus riche se répand : la coparentalité. Si la parentalité désigne le rapport parent/enfant, la coparentalité requiert l'entente des deux parents afin de partager, comme ils l'entendent, les soins pratiques, l'éducation et les câlins. Si la recherche en sciences sociales, si les mesures sociales en Suède s'efforcent de promouvoir la coparentalité, c'est que la mode du « couple » seul but, seule valeur, s'estompe.

Nous avons vu combien le « couplisme » a occulté tous les autres liens familiaux, jusques et y compris les liens

1. *Mannen i förändring, Ideprogram frän arbetsgruppen om mansrollen,* L'homme en changement, rapport du groupe de travail sur les rôles de l'homme, ministère du Travail, Stockholm, 1986.

parent/enfant. Nous avons vu que la société du « couple roi » mettait les pères en danger constant de perdre leur rôle de père s'ils venaient à ne plus être aimés de la mère. C'est donc une révolution des mentalités qui a permis la montée du concept de coparentalité. La coparentalité préserve la part du père, même en cas de faillite du couple. Elle sous-entend que père et mère sont égaux et également responsables de leur enfant. Chacun d'entre eux doit pouvoir répondre aux multiples attentes des enfants, car ils peuvent agir tour à tour, ou ensemble. Chacun est un parent complet, capable d'exercer les rôles de l'autre et les siens, mais chacun conserve sa personnalité.

Afin de devenir ce parent complet qui peut remplacer la mère (et vice-versa), selon les conventions qu'ils auront tous deux arrêtées, le père, c'est hautement souhaitable, doit s'habituer dès la naissance à s'occuper du bébé en alternance avec la mère. D'où l'extrême importance accordée par les Suédois (par l'État et par les individus) au fameux congé parental qu'ils ont inventé. Il s'agit d'un congé d'un an, qui sera porté à dix-huit mois en 1992. Mais, en fait, c'est pendant neuf mois que le parent qui s'absente de son travail pour s'occuper du bébé est payé à hauteur de 100 % de son salaire s'il est fonctionnaire, 90 % s'il travaille dans le secteur privé. Les mois en sus, le parent gardien de l'enfant ne reçoit qu'une allocation sociale, non négligeable, mais tout à fait insuffisante pour vivre. L'originalité du système est que la mère et le père peuvent se partager les neuf mois du congé parental de la manière qu'ils veulent – et selon les possibilités accordées par leurs employeurs respectifs.

Quand ce congé a été institué en 1974, il a été présenté comme pouvant être pris par la mère *ou* le père, c'est-à-dire qu'on instaurait une prétendue égalité par la neutralité – c'est ainsi que sont encore présentées les dispositions sociales ouvertes aux pères en France, Angleterre, Allemagne, etc. Le résultat fut que seules les mères l'ont pris. Le décompte du nombre de jours de congé parental payés aux Suédois en 1974 permit de constater que les pères n'avaient pris que 0,5 % du total des jours payés. Mais la manière de présenter le congé parental a changé au cours des années 80, comme a changé la conception de l'égalité des parents dans la famille, et, surtout, la façon de concevoir la part des parents dans l'éducation des enfants.

Le congé parental n'a plus été présenté comme pouvant être pris par la mère *ou* le père, mais comme conçu pour permettre *aux deux parents* de rester à la maison tour à tour avec leur enfant après sa naissance. On était passé de la neutralité à la coparentalité [1]. Aussi a-t-on vu, année après année, la part prise par les pères s'accroître. Par rapport au total des jours de congé parental payés, les jours payés aux pères représentaient 7,1 % en 1988. Ce n'est peut-être pas beaucoup, en temps paternel passé à la maison, mais cela représente désormais plus d'un père sur cinq (22 % en 1989) qui assure une période du congé parental. La durée de présence du père au foyer auprès du tout-petit est de six semaines en moyenne.

Le Bureau pour l'égalité des chances de la Communauté Européenne, pour lequel j'ai travaillé depuis 1984, avait envoyé mon collègue Peter Moss, de l'université de Londres, chargé à la CEE des problèmes de la garde des jeunes enfants, étudier la manière dont ces problèmes sont posés et résolus en Suède. Dans le cadre de cette mission, il s'est intéressé au congé parental suédois et a effectué de nombreuses interviews de responsables syndicalistes et de chefs du personnel d'entreprises industrielles ou du tertiaire, à propos du congé parental, ainsi que des interviews de pères et de mères qui avaient pris ce congé. Sachant mon intérêt pour l'évolution du rôle des pères, Peter Moss a eu l'extrême obligeance de me communiquer ces interviews. En le remerciant

1. Le projet de loi 1987/1988 sur l'égalité entre hommes et femmes dit, dans sa traduction anglaise : « To enable *both* men and women to remain at home with their children when they are young or when they are ill », et, dans le texte, le mot « *both* » (qui signifie « tous les deux ») est souligné.

encore, je me permets de résumer ici les données les plus frappantes que j'y ai trouvées concernant mon sujet, et de les ajouter aux observations que j'ai moi-même recueillies au cours de mon dernier voyage en Suède, dans sept villes, en 1990.

Attitudes du public à l'égard de la prise de congé parental par les salariés hommes

L'accueil est très favorable dans les jeunes couches de la population, acquises à la coparentalité comme valeur, et acceptant le partage des tâches et des rôles du moment où les deux parents peuvent l'adapter à leur façon. Le mouvement féministe l'encourage ouvertement. On entend cependant de nombreuses réserves : cet appel aux deux parents pour s'occuper du nouveau-né ne serait qu'un palliatif à la cruelle et constante pénurie de crèches. En effet, les communes qui gèrent les crèches rencontrent les plus grandes difficultés de recrutement de personnel adéquat, tant les métiers « soins aux enfants », fort dévalués, attirent peu de candidats.

A l'inverse, on demeure frappé par un grand changement : naguère, en Suède, comme en France, on affirmait hautement que la garde des enfants était de la responsabilité publique, que la garde en crèche collective et en maternelle était excellente, meilleure pour l'enfant au-dessus de 18 mois que la garde à la maison, et qu'elle avait d'incomparables vertus au regard de l'égalisation des chances des jeunes enfants d'origines sociales différentes. Or, en Suède, depuis la fin des années 80, les enfants sont devenus un sujet de grand débat public et de préoccupation. De ce débat, il ressort que désormais on demandera aux adultes en général et aux parents en particulier de consacrer aux enfants davantage de leur temps et de leur attention. On ose même dire que mettre des enfants de 18 mois à 3 ans ensemble pendant six à huit heures par jour ne peut être considéré comme un progrès social[1]. D'où une réintroduction vigoureuse du rôle des parents dans l'éducation, qui coïncide avec une reprise de la natalité en Suède.

Attitudes des ministères impliqués

Le ministère du Travail régit le droit à ce congé; le ministère de la Santé et des Affaires sociales paie les allocations qui lui sont attachées. Une commission coordonne et impulse l'action. L'opinion de cette commission est que plus le congé parental sera long (on envisage de l'étendre à dix-huit puis vingt mois), plus il deviendra nécessaire d'y impliquer les pères, sans quoi on creuserait encore la différence entre hommes et femmes sur le marché de l'emploi. On a abandonné l'idée d'imposer un quota hommes/femmes dans la prise du congé, pour choisir plutôt de financer des campagnes pour changer les attitudes masculine et féminine à l'endroit des rôles des parents. D'autre part, on estime qu'il serait bon que la totalité du congé parental ne soit pas pris pour le seul bébé (on espère toujours améliorer le système des crèches), mais soit fractionnée en plusieurs périodes, au choix des parents. Certains souhaitent que le congé parental puisse être pris jusqu'à ce que l'enfant ait 8 ans, à certaines périodes, comme l'entrée en classe.

Attitudes dans le monde du travail

Il ne faut pas plus imaginer la Suède comme un paradis pour les pères que comme un paradis pour les féministes. La dichotomie hommes/femmes dans le monde du travail

1. Comment ne me rappellerais-je pas la manière dont j'ai été traitée par l'opinion dite de gauche en 1981 parce que j'avais osé dire cela dans le rapport « *Les modes de garde des enfants de moins de 6 ans* » que j'ai présenté au Conseil économique et social en 1981? La maternelle est la meilleure de nos créations nationales, mais la maternelle à 2 ans est un triste contresens qui n'a rien de progressiste.

y est plus importante qu'en France. Non seulement moins de femmes y font carrière, moins de femmes ont des postes de responsabilité, mais encore chacun semble accepter que toute femme puisse recourir au temps partiel à un moment de sa vie, particulièrement quand elle a des enfants jeunes. Il est tacitement accepté que les femmes n'aient pas les mêmes ambitions, ni chances de promotion que les hommes, même si on proclame l'inverse. En contrepartie, les contraintes professionnelles pèsent lourdement sur les hommes. L'introduction du congé parental ne les a pas allégées.

Pourtant, les mentalités ont changé : on ne dira jamais plus qu'un homme qui reste à la maison pour s'occuper de son enfant « n'est pas un vrai homme », et on ne mettra plus en doute ses capacités à s'occuper d'un enfant. Mais il est évident que les hommes n'ont et n'auront pas de sitôt la même latitude que les femmes de prendre ce congé, même s'il est prescrit par une loi. Et certains hommes l'auront moins que d'autres. On pourra être plus ou moins « nouveau père » selon le métier qu'on a, le grade qu'on a atteint et celui qu'on vise.

Parmi les ouvriers à la production, ce sont massivement les femmes qui prennent l'année de congé parental, et ce d'autant plus que leur travail est dur. Les hommes ouvriers de production sont généralement des étrangers qui n'ont pas envie de perdre même 10 % de leur salaire et « qui ne sont pas chauds pour rester chez eux avec le gosse ».

Les indépendants, artisans, commerçants ne prennent pas le congé parental, non plus que les patrons des petites entreprises. Ces derniers, qui ne peuvent recourir à des travailleurs temporaires pour remplacer les absents, ne laisseront pas partir en congé parental leurs salariés hommes. Le représentant de la SAF (organisation patronale des petites entreprises) estime que « les hommes qui prennent le congé parental doivent se recruter uniquement à un niveau d'éducation élevée ». Ce serait donc un luxe pour les plus instruits.

Faut-il en conclure que le congé parental est réservé aux élites pour les hommes? Si par là on entend les professeurs, bibliothécaires, fonctionnaires qui peuvent s'absenter sans aucun dommage pour leur carrière – oui. Mais du moment où on est cadre dans une entreprise privée, même si cette entreprise est très favorable au congé parental comme Ericsson qui l'affiche et revendique une image « égalitaire », les choses ne semblent pas faciles.

I.L., cadre dans l'industrie : « Quand j'ai appris que ma femme attendait des jumeaux, j'ai demandé trois mois de congé parental, mais c'est que, pour le moment, je ne cherche pas de promotion. Alors j'étais tranquille. Si j'avais désiré une promotion, il y aurait eu problème. Et puis, j'ai prévenu très à l'avance, dès le début de la grossesse, et j'ai demandé mon congé pour l'année suivante. »

B.J., directeur du personnel : « Un cadre supérieur qui a demandé un congé parental s'est entendu répondre par son directeur qu'il devait choisir entre rester cadre supérieur ou être père. »

B.L., cadre dans l'industrie : « Un homme dans ma position ne peut pas perdre six mois. Peut-être pourrais-je demander à ne travailler que six heures par jour pendant une période. »

H.L., chef du personnel : « La politique d'égalité des chances suédoise ne veut pas bénéficier aux femmes seulement, mais aussi aux hommes. C'est le cas du congé parental. Mais il ne faut pas que l'homme ait une position clé dans son service, sans quoi... [...] Pour certains cadres, il faut planifier leur absence avec une bonne année d'avance. »

H.L. cadre supérieur dans l'industrie : « J'ai sans doute été le plus élevé dans la hiérarchie à prendre le congé parental. Il y a eu des réactions hostiles : ça n'était pas " responsable " de ma part, etc. Je pense qu'on aurait mieux accepté que je prenne un mois de congé dans un but plus " macho ", par exemple pour partir en vacances. »

M.B., cadre de banque : « Plus vous êtes près du sommet, plus les attitudes sont hostiles au congé parental pour les hommes. Par exemple, des administrateurs de banque n'y sont pas favorables. »

B.S., cadre de banque : « C'est très difficile à un cadre homme dans une petite agence. En tout cas, pas six mois. Un mois ou deux, peut-être, s'il a un bon assistant. »

G.M., femme, employée de banque : « Je connais un homme cadre dans une autre banque qui voudrait réduire ses horaires mais il a peur de la réponse de la banque. Pour un cadre, c'est mal vu. Non, jamais les hommes ne prendront le congé parental à l'égal des femmes. Les cadres supérieurs, jamais. Les assistants peut-être un mois. Les directeurs d'agence travaillent des dix heures par jour et plus : c'est impossible. »

B.S., cadre supérieur dans l'industrie : « Quand je donnais des cours à l'université, j'ai pris deux fois des portions de congé parental. Mais pour mon dernier enfant, quand j'étais cadre supérieur chez Ericsson, ça n'était pas envisageable. Un jour que ma femme était malade, j'avais amené mon gosse de 3 ans au bureau. Mon patron m'a intimé l'ordre de lui trouver un mode de garde en vitesse. »

Ainsi, par élimination, on constate que les pères qui ont les meilleures chances de rester quelque temps à la maison et d'apprendre à être un « parent complet » doivent soit travailler dans le secteur public, soit être technicien ou employé. Et encore !

C.B., employé : « J'ai parlé de mon congé parental six mois avant la naissance, pour qu'on puisse planifier le travail pendant mon absence, pour que ça ne retombe pas sur mes collègues. »

K.B., femme employée : « C'est sûr que c'est plus difficile pour les hommes. Pour les femmes, on pense qu'elles ont un certain droit à du temps libre pour les enfants. »

A.W., chef de section : « Pour une femme, je considère que six mois, c'est OK, mais c'est trop long pour un homme. Je m'interrogerais sur les motivations de celui qui me le demanderait. A son retour du congé, il faudra qu'il me montre son ambition avant que je planifie pour lui une amélioration de carrière. »

M.B., assistant, banque : « Il y a un homme dans mon agence qui va prendre un bout du congé. Ce sera le premier à l'agence d'Ostersund. Cela ne nuira pas à sa carrière parce que, moi, j'approuve le congé parental. Mais, avec un patron qui serait contre, il le sentirait passer, et il lui serait difficile de faire la preuve qu'il a été discriminé à cause de ça. »

En outre, plusieurs interviewés racontent que, pendant leur congé, ils ont reçu à la maison de nombreux coups de téléphone de leur bureau ou de leurs clients qui ne pouvaient admettre qu'ils avaient coupé leurs liens avec le travail pour un temps. Toutefois, tout le monde reconnaît qu'à partir de 1987 à peu près, un profond changement est intervenu. Un changement positif « après toutes ces années où les adultes ne pensaient qu'à eux ». Tout le monde apprécie l'idée que les pères s'investissent tôt dans les soins aux enfants. A.W., chef de section, va jusqu'à dire : « Si une femme, dans ma section, me demande dix-huit mois de congé parental, je lui dis : " Et ton mari, alors? " »

Attitudes des pères et des mères concernés

Les pères sont très conscients de l'enjeu : ils désirent être des parents à part entière.

N.E.R. : « Je veux partager le congé car j'ai constaté chez des amis que c'est excellent pour les familles et pour les enfants. Je veux être proche de mon enfant dès le début. »

M.B. : « La présence des pères à l'accouchement a tout changé. Ils se sentent proches du nouveau-né. Ils ont envie de prolonger. »

A.W., divorcé, un enfant à sa garde : « Il est important d'avoir un lien émotionnel étroit avec son enfant. Il faut du temps pour établir une relation de qualité. J'ai observé que, durant le week-end, il faut souvent une heure ou deux, voire plus, avant de pouvoir vraiment parler avec l'enfant, avoir un vrai échange. Pour les pères qui connaissent le conflit travail/famille, le temps est le plus gros problème. »

C.E. : « Moi, je voulais un contact plus étroit avec le second qu'avec l'aîné qui a été en crèche. Je voulais un contact dès le début. Ma femme est d'accord. Elle aurait été déçue si j'avais changé d'idée. »

H.L., chef du personnel : « J'ai pris le congé parce que j'aime les enfants et je veux savourer ma paternité. Dans mon travail, je veux être sage, professionnel, compétent. Or, pour être un bon chef du personnel, il faut avoir des expériences, dans le travail et hors travail. »

I.L., cadre supérieur : « Je crois que si mes collègues n'ont pas trop récriminé, c'est parce que je ne suis pas un jeune papa. Ils ont dû penser qu'à mon âge, c'est une joie d'avoir un petit. »

B.J. : « Je ne prendrai pas tout le congé, bien sûr, car les mères, en un certain sens, sont plus proches des petits. Mais c'est bon pour l'enfant et pour la mère que le père soit aussi à la maison : ainsi l'enfant ne sera pas trop dépendant de sa mère, pas trop fixé à sa mère. Quand j'étais plus jeune, seuls le travail et l'avancement me semblaient très importants. Maintenant, je trouve les enfants plus importants que le travail. »

R.W., femme, employée : « Si les hommes font ça, c'est formidable ! Parce que c'est bien plus dur pour eux. Ils sont isolés à la maison. Les autres hommes ne les entourent pas. Les femmes les jugent et trouvent qu'ils font tout mal. »

A.C.T., femme, employée : « Moi, j'avais envie de prendre les neuf mois, mais je me suis dit que mon mari avait bien droit à un bout. Il a trouvé ça " adorable " et aurait voulu que ça dure plus longtemps. »

K.B., femme, employée : « Les mères sont par nature plus proches des enfants. C'est dur, pour les mères, de passer une telle responsabilité aux pères ! Si la mère s'en va, le père découvrira... Il la remplacera... »

Pour la coparentalité, un nouveau contrat social

« Le père découvrira... Il la remplacera... » Il découvrira les secrets d'une relation à l'enfant que la mère se croyait seule à pouvoir établir. Non seulement l'art de changer les couches et de donner le biberon, qui n'est pas sorcier, mais également l'art beaucoup plus divinatoire de comprendre les pleurs et d'éveiller les sourires, l'art d'échanger des regards, l'art des caresses, et des mots qu'il faut dire et savoir bien dire. Alors le père « remplacera » la mère. On sent dans ces quelques mots la grande peur des femmes qui ne conçoivent pas les rôles paternel et maternel comme interchangeables. Leurs réticences s'ajoutent à celles des hommes eux-mêmes, et à celles du monde du travail, qui freine des quatre fers.

Il ne faut donc pas poser en principe que les rôles paternel et maternel doivent être, terme à terme, identiques et recouvrir les mêmes tâches, les mêmes responsabilités qualitativement et quantitativement. Il faut renoncer à toute définition systématique rigide. Pas de « quota » imposé, chiffrant la participation minimale du père en temps. Pas de « copiage » imposé du rôle paternel sur le rôle maternel. Pas d'exclusives maternelles du type : « Il n'y a que moi qui sache, il n'y a que moi qui puisse. » Pas d'échappatoires paternelles invariables, du type : « Tu feras ça mieux que moi, ce n'est pas mon truc, ce n'est pas pour un homme... » Il faut non seulement de la souplesse, mais encore il faut changer le point de vue initial. Il faut partir, non des rôles sexuels, mais des responsabilités d'un parent envers un enfant. Partir de l'enfant qui a deux parents.

A l'issue de ces vingt années de bouleversements, on a commencé à sentir, dans les pays scandinaves qui avaient initié les remises en cause des statuts sexuels, qu'il fallait réhabiliter la filiation et le rôle parental en lui-même. Pour concevoir l'enfant, ils ont été deux. Pour l'élever, ils doivent demeurer deux, qu'ils vivent ensemble, unis, ou qu'ils en viennent à se séparer.

S'ils vivent ensemble, ils doivent se partager les rôles d'un commun accord, selon les circonstances successives, selon un équilibre propre à leur couple, selon les possibilités et les prédilections de chacun – mais sans jamais instaurer une division des rôles durable qui exclurait l'un des parents, soit des responsabilités parentales, soit de toute responsabilité sociale et professionnelle. Même vivant ensemble, les deux parents ne sont pas toujours présents ensemble et disponibles ensemble auprès des enfants. Chacun doit pouvoir alors, quand il est seul avec les enfants, assurer leurs besoins matériels et faire face à leurs besoins affectifs et éducatifs. C'est à cette continuité de la coparentalité que répond le congé parental suédois. Il offre aux deux parents la possibilité de faire l'apprentissage, dès après la naissance, des besoins de l'enfant, afin d'être par la suite toujours proche de l'enfant, et, à tout moment, capable d'être celui qui assume toute la responsabilité. Afin d'être chacun un parent complet, ensemble ou à tour de rôle.

Les suites des divorces seraient beaucoup moins dangereuses et douloureuses pour les pères, s'ils pouvaient prouver qu'ils ont accepté leur part de la coparentalité. La société ne pourra, en se fondant sur l'intérêt de l'enfant, les couper de leur enfant et ne considérer que la mère. Il suffira qu'ils signalent qu'ils ont partagé le congé parental et pris des congés pour enfants malades. La société ne pourra plus punir le père parce qu'homme, ou parce qu'il a été mauvais conjoint.

Encore faut-il, avant d'en arriver là, que la parentalité recouvre la dignité qu'elle a pu avoir dans le passé, avant que la primauté donnée au lien sexuel et à la recherche individualiste d'indépendance des parents ne l'amoindrît.

Encore faut-il que la société consente aux hommes comme aux femmes les conditions nécessaires du partage des responsabilités familiales. Cela sous-entend toute une série de changements structurels que les hommes devraient exiger pour les pères, ainsi que le préconisait l'OCDE dans un récent rapport : « Mettre en place des systèmes qui permettent aux travailleurs de se retirer temporairement de la vie professionnelle ou de modifier leurs horaires de travail sans sacrifier pour autant leurs perspectives de carrière. [...] Recourir aux médias et à divers moyens d'information pour faire accepter à l'opinion publique l'idée que les hommes et les femmes doivent assumer au même titre les responsabilités familiales et professionnelles [1]. » En somme, un nouveau contrat social.

1. OCDE, « Lignes d'action », *Conduire le changement structurel,* 1991, p. 15.

CHAPITRE VII

Absences de père, absences du père, séparations, carences : images en négatif

Avant que d'élaborer leur système tout patriarcal, les vieux juristes romains établissaient d'abord la différence, à leur yeux irrémédiable, que la Nature avait voulue entre les parents. Ils usaient, pour se faire, d'une de ces formules lapidaires dont le latin a le secret : « *Mater semper certa, pater semper incertus* » – la mère est toujours certaine, le père toujours incertain. Bien sûr, ils se référaient alors à la filiation biologique. Leur constat pessimiste a été démenti par la science, puisque, de nos jours, le père biologique peut être déterminé, garanti, aussi *certus* que la mère est *certa*.

Mais si son incertitude biologique est enfin dissipée, que dire de sa fonction paternelle psychologique et sociale? Il n'a même pas fallu un quart de siècle pour que la réalité du personnage du père fût mise en cause, son utilité suspectée, son existence menacée. *Pater incertus*, ô combien! Non seulement ses rôles ont été, nous venons de le voir, élagués, diminués, discutés, reconsidérés, élargis – sans qu'on parvienne vraiment à les redéfinir –, mais encore des hommes (et plus encore des femmes) ont carrément posé la question : un père, à quoi cela sert-il? Est-ce vraiment nécessaire?

Comme si le *pater* traînait un si lourd passé de tyran domestique, trop récemment détrôné, abattu, désarmé pour que des femmes et des enfants rebelles ne fussent pris de l'envie de percer de mille flèches son cadavre et d'enfermer son squelette dans un placard. Tout au long de ces derniers mois, comme je travaillais à ce livre, en ai-je rencontré de ces psychologues, anthropologues et sociologues (dont certains en position de conseillers du pouvoir en politique familiale) qui ont tenu à me prouver que le père était une invention, de surcroît pernicieuse, de nos sociétés blanches, bourgeoises et capitalistes ! Qu'on pouvait très bien se passer de cet artefact – à preuve, la tribu X ou le peuple Z, d'Amazonie ou d'Afrique centrale, où le géniteur n'a pas donné naissance à un *pater* mais où les enfants se portent très bien, et mieux que les nôtres sans doute ! En somme, j'étais suspecte si je cherchais une définition des rôles du père, suspecte si je cherchais à savoir ce qui se passait, dans nos sociétés, quand il y avait absence ou carence de père.

Pour mes interlocuteurs, cela signifiait que mon hypothèse était qu'absence ou carence paternelles entraînaient quelque trouble chez les enfants : donc j'étais réactionnaire. J'ai ainsi appris à mes dépens que tant que je défends les femmes – ce qui occupe le plus clair de mes journées par le biais de mes fonctions et par conviction – je suis progressiste, je suis « p.c. » (*politically correct*, selon la nouvelle intransigeance bien portée chez les radicaux américains). Mais s'intéresser aux pères est réactionnaire. Par exemple, je me suis entendu dire plusieurs fois qu'il était légitime qu'une femme cherche à avoir un enfant sans père. C'est « son droit absolu à l'enfant » qui le justifie, c'est *politically correct*. Tandis que, en ces années 90, s'interroger sur le devenir des enfants sans père est inopportun et malvenu. Il n'est pas inutile de noter, pour l'histoire des idées, ces soupçons et l'air de passion qui les assaisonne.

De telles admonestations m'ont donné plus encore envie de vérifier si, dans nos sociétés européennes libérales ou sociales-démocrates, les enfants pouvaient se passer de père et trouver des substituts : leur mère, promue « *pater-mater* » ; l'amant de leur mère ; la communauté des voisins; les éducateurs; les services sociaux, etc. Ne pourrais-je pas mieux cerner la fonction du *pater incertus* en examinant le négatif de sa photographie, c'est-à-dire ce qui se passe quand il n'y a pas de père, ou un père parti, enfui, ou un père éjecté, ou un père séparé de l'enfant, ou un père très « carent » comme disent les psychologues?

De nouveaux et importants problèmes sociaux qui s'accroissent de façon spectaculaire

Les situations séparant des enfants de leur père se sont récemment très rapidement multipliées. Nul doute qu'il faille éviter le « démographisme », éviter d'attribuer trop de poids aux seules évolutions chiffrées que nous révèlent les statistiques, quand on veut appréhender un phénomène aussi délicat que les conséquences sur les enfants de l'absence totale ou partielle de leur père.

Mais, tout de même, on ne peut les passer sous silence, ou les écarter d'un revers de main, au prétexte (qui m'a été plusieurs fois donné) que chaque situation d'enfant est une histoire de vie particulière, que seule l'approche psychanalytique peut permettre d'en élucider les paramètres. L'accroissement si rapide des séparations de couples, la généralisation des « gardes à la mère » – donc la multiplication des séparations père/enfant(s) –, cet ensemble n'a pas pu ne pas entraîner des changements dans l'éducation des enfants, et, pour certains, dans leur développement. Il faut sans cesse le rappeler : quand une norme statistique bascule, s'emballe, c'est qu'une norme sociale vient de bouger ou est près de bouger.

C'est ce qu'a rappelé récemment le comité pour la population du Conseil de l'Europe, en demandant aux gouvernements et aux États membres de veiller à améliorer leurs observations statistiques : « S'il apparaît hautement souhaitable de quantifier des phénomènes comme les divorces, les remariages, les cohabitations, ce n'est pas simplement pour satisfaire la curiosité des démographes, mais parce qu'il apparaît nécessaire de mieux comprendre un ensemble de nouveaux et importants problèmes sociaux qui s'accroissent de façon spectaculaire. » Et le Conseil de l'Europe souligne l'indigence des données sur la formation, la structure et la dissolution des ménages et des familles.

Faute de données plus précises, trois séries statistiques méritent d'être rappelées au début de ce chapitre :

1° l'accroissement rapide des divorces, auquel il faudrait ajouter les séparations de couples non mariés avec enfants – mais c'est hélas ! impossible;

2° la proportion de foyers monoparentaux au sein desquels les enfants vivent avec la mère seulement;

3° enfin et surtout, par projection, la proportion d'enfants qui, avant d'avoir atteint 18 ans, se trouveront séparés de leur père.

Nombre de divorces pour 100 mariages
(taux par période)

	1965	*1985*	
Autriche	*15*	*29*	*(1986)*
Belgique	*8*	*27*	
Tchécoslovaquie	*17*	*31*	
Danemark	*18*	*45*	
Angleterre-Galles	*11*	*42*	*(1986)*
Finlande	*14*	*28*	*(1984)*
France	*11*	*31*	*(1986)*
Allemagne (RFA)	*12*	*32*	*(1984)*
Grèce	–	*14*	
Hongrie	*23*	*34*	*(1986)*
Pays-Bas	*7*	*34*	
Norvège	*10*	*32*	*(1984)*
Suède	*18*	*46*	
Suisse	*13*	*29*	*(1986)*

SOURCE : *François* HÖPFLINGER, « Avenir des ménages et des structures familiales en Europe », *in Séminaire sur les tendances démographiques actuelles et les modes de vie en Europe,* Conseil de l'Europe, septembre 1990, p. 35.

Ceux de ces divorces qui concernent des couples avec enfants entraînent la formation de foyers monoparentaux, c'est-à-dire composés d'un des parents (la mère près de neuf fois sur dix dans tous les pays européens) et de l'enfant ou des enfants. Viennent s'y ajouter d'autres foyers monoparentaux, qui résultent de la séparation de couples non mariés avec enfant(s), et des foyers de veufs ou veuves. En Europe, les foyers monoparentaux n'ont cessé d'augmenter en nombre.

Foyers monoparentaux en proportion des familles avec enfants

Danemark et Royaume-Uni	14 %
Allemagne (RFA) et France	12-13 %
Benelux	10-12 %
Espagne, Irlande, Portugal, Italie	5 à 10 %
Grèce	moins de 5 %

SOURCE : Kathleen KIERNAN et Lindsay CHASE-LANSDALE, *Children and Marital Breakdown : Short and Long Consequences*, European Population Conference, oct. 1991.

La majorité de ces foyers monoparentaux sont le résultat de divorces, sauf en Europe méridionale. La réalité couverte par le concept de « famille monoparentale » – que je préfère exprimer par « foyer monoparental » car le parent absent (le plus souvent le père) vit toujours et fait toujours partie de la « famille » de l'enfant, qui a toujours deux parents –, cette réalité est diverse, mouvante et très difficile à appréhender. Une enquête allemande (Neubauer, 1988) révèle que une sur dix des mères qui se déclarent « seules » cohabite en réalité avec un partenaire. En France, la pratique que j'ai pu avoir des groupes de « mères isolées », touchant une allocation sociale quand elles suivent une formation professionnelle, m'a appris qu'une forte proportion d'entre elles ne sont pas « isolées » et ne vivent pas seules (non plus, du reste, qu'une proportion encore plus élevée de pères qui se disent « seuls »).

Toutes les enquêtes longitudinales montrent que, en fait, les situations de ces « familles » sont éminemment variables. Tel foyer monoparental se transforme en « famille recomposée » quand le parent seul accueille un peu durablement un ou une partenaire. Les auteurs anglais parlent alors de « *stepfamily* » (expression intraduisible, car le français « belle-famille » n'évoque pas du tout cette situation). Mais il arrive aussi, fréquemment, que la famille « recomposée » se « re-décompose », et le foyer redevient monoparental – la mère et l'enfant ou les enfants dans 90 % des cas. Ou alors, il y a remariage, et les enfants du premier lit vont vivre le reste de leur enfance dans ce nouveau ménage. Les experts européens de la population insistent tous, et ils ont raison, sur ces transformations et sur la difficulté de saisir statistiquement les avatars des « familles » après la première séparation. Essayant de décrire les traits les plus saillants et les plus constants de ces transformations, il est bien légitime qu'ils soulignent tous [1] l'accroissement des foyers monoparentaux et les difficultés économiques des « femmes seules avec enfants ».

Ce qu'on comprend moins bien, c'est que leurs diagnostics soient incomplets. Aucun d'entre eux ne relève que, tout au long de ces métamorphoses des ménages, *les enfants sont séparés de leurs pères dans l'immense majorité des cas.* Cela semble leur importer si peu qu'ils ne décomptent les « familles » qu'en deux catégories : monoparentales et biparentales. Et, sous l'étiquette « biparentales », ils mélangent sans vergogne les familles où les enfants vivent avec leurs deux parents biologiques et celles où les enfants vivent avec leur mère et le partenaire de la mère, mais séparés de leur père [2]. Cet amalgame statistique empêche d'évaluer l'importance numérique des séparations père/enfant(s), leurs modalités, leur durée, l'âge qu'avaient les enfants au moment de la séparation. Mais, bien plus, cet amalgame interdit de comparer les enfants élevés par leur mère et leur père avec les enfants élevés par leur mère et un nouveau partenaire de la mère qui n'est pas le père des enfants.

1. Par exemple Patrick Festy, F. Höpflinger, Heins Moors et Nico van Nimwegen.

2. Sauf Neubauer pour la RFA, qui donne, vivant dans une *step family* : 5,2 % des moins de 6 ans; 6,5 % des 6-9 ans; 8,1 % des 10-14 ans et 10,9 % des 15-17 ans en 1982. Le *General Household Survey* britannique donne pour 1982 : 2,9 % des moins de 5 ans, 5 % des 5-9 ans et 8 % des 10-15 ans.

Plusieurs sociodémographes et sociologues ont vivement réagi quand je leur ai fait observer cette lacune et les difficultés qui en résultent pour la recherche. J'ai été immédiatement attaquée sur mes intentions et projets : « Qu'est-ce que vous essayez de prouver? Vous voulez faire campagne contre le divorce et l'union libre? Prouver que c'est très vilain et qu'il faut l'interdire? » J'étais rangée parmi les empêcheurs d'aimer librement et les policiers des mœurs avant même d'avoir pu m'expliquer.

Non, je ne fourbis pas d'armes contre le divorce. Je ne veux nullement régenter la vie des couples! Simplement, je m'intéresse aux pères et m'interroge sur l'augmentation drastique, dans les populations européennes, des séparations père/enfants : y a-t-il des effets induits? Prononcer ce seul mot d' « effets » rechargeait l'hostilité : « C'est bien ce que je pensais! Et si vous cherchiez les tristes effets de certaines présences paternelles? Si vous vous demandiez les tristes effets que vous auriez dans des couples s'ils n'avaient pas divorcé? etc. » Un vrai dialogue de sourds.

Je disais et redisais que, ne parvenant pas à comprendre ce qu'était, de nos jours, la fonction paternelle, tant on y avait introduit de flou et d'incertitudes, je cherchais à répondre à la question : « Un père, à quoi ça sert? », en étudiant ce qui se passait quand le père était absent. En somme à me faire une idée de la condition paternelle par défaut, *hic et nunc*. Ni en Amazonie ni en Afrique. Ni au Moyen Age. Que se passe-t-il quand le père est absent, étant donné que cette situation est de plus en plus fréquente?

Peut-être, les normes sociales ayant changé, les enfants d'aujourd'hui ne ressentent-ils plus l'absence de leur père comme la ressentaient les enfants d'hier. Hier, il était si important d'avoir un papa et de porter son nom que la petite fille ou le petit garçon qui n'en avait pas souffrait de n'être pas comme les autres. Mais, une telle situation s'étant banalisée, peut-être allais-je découvrir que les enfants y étaient beaucoup plus indifférents. Ainsi, on peut déjà affirmer que les enfants de divorcés et les enfants naturels ne souffrent plus guère du regard que la société pose sur eux – c'est-à-dire de l'attitude, à leur égard, de l'institutrice, des voisins, des parents de leurs camarades, des commerçants, de leurs grands-parents, etc. Divorce et cohabitation sont devenus situations si courantes qu'on considère les enfants du divorce et les enfants nés hors mariage comme les enfants des couples mariés, sans pitié supplémentaire ni méfiance accrue, même dans le plus reculé des villages. En est-il de même pour le « manque de père »? Un enfant avoue-t-il volontiers qu'il ne connaît pas son père? Ou qu'il ne voit jamais son père? Ou qu'il ne le voit presque jamais? Ou que le monsieur qui habite chez lui avec sa maman n'est pas son père? S'il ne le dit pas, ou répugne à en parler, est-ce par crainte vague d'un jugement de la société? Ou bien est-ce parce que, pour lui, l'absence du père est une souffrance personnelle qu'il ne sait pas verbaliser?

En d'autres termes, l'absence de père est-elle, à son tour, parce que banalisée, devenue indolore? Et si elle est devenue socialement indolore, l'est-elle également psychologiquement? Si l'absence de père demeure douloureuse et difficile à vivre, comment cela se manifeste-t-il? Que peut-on en déduire de la fonction paternelle?

Réponse des sociodémographes : l'absence du père réduit les chances matérielles des enfants

Les sociodémographes n'ont jusqu'ici pas cherché à repérer et compté les absences du père ni leurs effets. Ils ne s'intéressent généralement qu'aux mères, en cas de séparations, à l'instar de Patrick Festy qui a réussi ce tour de force de ne parler [1] que des mères dans un colloque intitulé « Pères et Paternité »! Il était évident qu'elles étaient, à ses yeux, les seules intéressantes car les seules victimes

1. Patrick Festy, « Le cadre de constitution de la famille », *Pères et Paternité, op. cit.*

des séparations, les seules *politically correct*. Ses collègues européens ont presque tous les mêmes réflexes : ils n'étudient guère que les effets économiques de l'absence d'un homme – pas forcément du père – près d'une femme qui a un ou des enfants. Ils dénoncent tous la vulnérabilité économique du foyer de la mère seule, et la comparent à la prospérité relative des foyers « bi-parentaux » des mêmes milieux, qu'il s'agisse de familles mariées ou de « recomposition » après remariage ou concubinage de la mère.

Ainsi R. Hauser et I. Fischer [1] ont comparé la situation économique des familles monoparentales à mères seules avec celles des familles biparentales dans six pays : Allemagne fédérale, Suède, Royaume-Uni, Israël, Canada et États-Unis. Ils ont conclu que les enfants des familles monoparentales risquaient beaucoup plus que les autres de faire l'expérience de la misère et que la différence de niveau de vie était partout en faveur des familles biparentales, quel que soit le nombre d'enfants au foyer. C'est en Suède que la divergence est la plus faible (13 %). En Allemagne fédérale, en Israël et au Royaume-Uni, elle s'établit à 20 %, au Canada à 34 % et aux États-Unis, elle dépasse 40 %

On souligne que les politiques sociales qui cherchent à corriger ces disparités sont rares. En France, les mères isolées font l'objet d'une politique d'aide soutenue depuis qu'on a identifié les foyers mères-seules-avec-enfants comme constituant un des groupes les plus exposés à la pauvreté : l'allocation de parent isolé est conçue comme un revenu de remplacement, suite à l'isolement [2] pendant une période donnée, et l'allocation de soutien de famille assure une aide pécuniaire au parent demeuré seul pour

1. R. Hauser et I. Fischer, « Economic well-being among one-parent families », in T.M. Smeeding, M. O'Higgins and L. Rainwater, ed., *Poverty, Inequality and Income Distribution in Comparative Perspective*, Harvester Wheatsheaf, 1990.

2. Le montant de l'API était, en 1991, de 3 810 F par mois pour un enfant; 4 763 F pour deux enfants; 5 716 F pour trois enfants. En 1989, 127 000 femmes l'ont touchée.

assumer la charge d'un enfant [1]. Au Royaume-Uni, les grandes réformes récemment introduites en matière de sécurité sociale n'étaient pas axées sur les mères seules, bien que 61 % de ces familles se situent au-dessous du seuil de pauvreté contre 28 % pour l'ensemble des ménages. En France ou en Allemagne, la plupart des mères seules travaillent, ce qui n'est pas le cas en Grande-Bretagne, où leur taux d'activité est inférieur à celui des femmes mariées, ni aux Pays-Bas. En conséquence, 70 % des mères seules anglaises font appel à l'aide sociale et 75 % des femmes néerlandaises divorcées avec enfant(s) n'ont pour vivre que le revenu social minimum (Deven-Cliquet, 1986).

Pour les sociologues donc, la conséquence de l'absence du père la plus volontiers reconnue, souvent la seule reconnue, est la chute du niveau de vie des enfants. Elle sera souvent accompagnée d'un déménagement, donc d'un changement de quartier, d'école, d'amis, et la vie « sans papa » commencera dans un logement plus modeste qu'auparavant. Voilà qui renvoie à la fonction paternelle majeure que l'entrée des femmes dans l'activité professionnelle n'a pas modifiée donc, à savoir : le père est le principal pourvoyeur du foyer, la principale source du bien-être matériel.

Féministes et traditionnalistes se réconcilient sur ce jugement. D'autant plus volontiers qu'il permet de dénoncer les cas où les pères ne remplissent pas leur fonction paternelle économique : ainsi des pères divorcés qui ne paient pas ou ne paient qu'irrégulièrement les pensions alimentaires qu'ils doivent verser pour leurs enfants. Il faut noter que le délit de non-paiement de la pension alimentaire est, toutes proportions gardées, plus souvent et plus sévèrement puni quand les pères sont en cause que lorsque ce sont les mères. Ainsi, en 1989 en France, 9 024 cas de non-paiement des pensions alimentaires ont été jugés, 8 547 concernant des pères et 477 concernant

1. 572 F par mois pour un orphelin et 429 F pour un enfant de mère célibataire en 1991. En 1989, 407 500 personnes la touchaient.

des mères. Ont été condamnés 8 081 pères, soit 94,5 % dont 23,7 % à la prison ferme; et 235 mères, soit 49,2 %, dont 6 % à la prison ferme [1]. Non seulement cette défaillance est plus sévèrement jugée par les tribunaux, mais encore on a mis au point un système de recouvrement par l'autorité publique des pensions impayées auprès du père débiteur. Ce n'est que justice. Mais cette justice exprime bien que c'est du père principalement que la société attend un rôle de pourvoyeur économique, que c'est là sa fonction majeure.

Dernièrement, trois chercheurs belges ont étudié la situation économique de 2 800 divorcées, cherchant à établir si les pensions qui leur étaient dues étaient bien versées régulièrement. En même temps, ils leur ont demandé ce qu'elles savaient de la situation économique de leur ex-époux et comment elles la jugeaient. Plus de la moitié de ces femmes divorcées estiment que leur ex-mari vit mieux depuis leur divorce que du temps de leur mariage, alors qu'elles-mêmes, si elles sont encore seules, ont connu une importante détérioration de leur niveau de vie. Les auteurs [2] font remarquer que les enfants ont été confiés à ces femmes par le jugement de divorce « dans l'intérêt psycho-affectif de l'enfant », mais il apparaît « qu'il y a contradiction entre l'intérêt, idéologiquement défini, de l'enfant, et ses chances matérielles. En voulant assurer sa stabilité psycho-affective, on néglige la dimension économique. Tout se passe comme si ces deux dimensions pouvaient être soit arbitrairement distinguées, soit artificiellement confondues. »

En somme, les tribunaux semblent estimer que : 1° la fonction paternelle est de payer, et le non-paiement des créances alimentaires par le père non gardien devient pour les tribunaux l'indicateur majeur de sa volonté de rompre toute relation avec son enfant, l'indicateur majeur du

1. Source : fichier central du ministère de la Justice, condamnations portées au casier judiciaire.

2. B. Bawin-Legros, A. Gauthier, J.-F. Guillaume, « Intérêt de l'enfant et pensions alimentaires », in *Population*, 1991, n° 4, pp. 853-879.

« désengagement paternel », selon leur formule; 2° la stabilité psycho-affective de l'enfant est assurée par la présence auprès de sa mère. Ils ne se sont guère préoccupés, jusqu'à présent, des atteintes à la stabilité psycho-affective de l'enfant entraînées par l'absence du père, et ils n'ont pas toujours pu remédier à la diminution des chances matérielles de l'enfant séparé de son père, malgré leurs efforts.

Combien d'enfants seront séparés de leur père d'ici la fin du siècle?

Les données sur les avatars des familles restent donc très rudimentaires et souvent incomplètes, d'une part parce que la dimension longitudinale est absente, c'est-à-dire les évolutions dans le temps; d'autre part parce que les données sur les pères sont à peu près inexistantes et celles sur les enfants lacunaires. Il faudrait disposer de données longitudinales récoltées au cours d'enquêtes dans des récits de vie pour pouvoir non seulement décrire les situations familiales par lesquelles les enfants passent, mais encore combien de temps chacune a duré, quel âge avait l'enfant, selon quelle fréquence il voyait son père, etc.

Nous ne disposons encore que d'évaluations très grossières. Les calculs faits pour l'Angleterre et le Pays de Galles [1] font apparaître que, avant d'avoir atteint 16 ans, un enfant sur quatre aura expérimenté le divorce de ses parents. Pour la France, la proportion sera similaire, sans doute plus près de un enfant sur trois si l'on envisage également les séparations des couples non mariés avec enfants. En Norvège, en prolongeant les données de 1988, on atteint un enfant sur trois qui, avant 18 ans, vivra le

1. J. HASKEY, « The children of families broken by divorce », *Population Trends*, 1990, n° 61.

divorce de ses parents [1]. Aux États-Unis, cette proportion doit atteindre un sur deux des enfants mineurs.

Un enfant américain sur deux, mais pas également répartis dans toutes les couches de la population. Certes, les foyers « mère seule » se sont multipliés chez les Blancs américains puisque, entre 1940 et 1984, leur proportion a doublé, passant de 6 % à 12 %. Mais, dans le même temps, les foyers sans pères dans la population noire passaient de 16 % à 49 % [2] ! En outre, ces « mères seules » ne sont plus principalement des divorcées, mais des célibataires. Elles ont souvent plusieurs enfants, de différents pères – et aucun de ces pères n'est présent au foyer.

Une société sans pères : les Noirs américains

A cause de l'accroissement de ces situations au cours des années 80, « des estimations récentes font apparaître qu'environ 42 % de l'ensemble des enfants blancs, mais environ 86 % de tous les enfants noirs, nés les uns et les autres à partir de la fin des années 70, vivront dans un foyer sans père avant d'avoir atteint l'âge de 18 ans [3] ». 86 % !

Un tel changement d'échelle oblige à poser le problème autrement : on ne peut se contenter d'étudier des « cas » à partir de récits de vie ou d'observations cliniques, dans le but de faire apparaître tous les critères autres que l'absence de père, et donc de chercher à relativiser les conséquences de cette absence. Quand 86 % d'enfants noirs expérimentent avant 18 ans un foyer sans père, cela constitue un fait sociologique majeur. L'absence de père n'est plus seulement un facteur parmi d'autres facteurs

1. A.-M. JENSEN et B. MOEN, « Father and mother : family experiences of Norwegian Children », *Congrès mondial de sociologie*, Madrid, 1990.

2. I. GARFINKEL et S.S. MCLANAHAN, *Single Mothers and their Children, a New American Dilemma*, Washington, 1986.

3. Larry BUMPASS, « Children and marital disruption : a replication and update », in *Demography*, vol. 21, Feb. 1984, p. 71.

perturbants pour l'enfant. C'est un constat de carence de la famille comme milieu de contrôle au cours de l'éducation des enfants qu'il faut faire, car c'est dans la rue (et non dans une tribu protectrice) que les enfants vont se socialiser. Dès l'âge de 8 ou 9 ans, les enfants vont chercher dans la rue leur milieu de vie, leurs modèles, leurs leaders, leurs rites d'initiation, leur identification, leur gagne-pain. Leur société ne sera pas une société de familles, mais de bandes rivales instables, organisées autour des petits trafics au jour le jour, de drogue surtout.

Au Moyen Age, on appelait « sans aveu » les hommes qui refusaient l'engagement social auprès d'un suzerain « lequel avait pour but de créer face au désordre des rapports statutaires analogues aux liens de parenté [1] ». Ces adolescents, les garçons surtout, deviennent un peu des « sans aveu » croissant dans le désordre. Ils ne sont pas intégrés dans la société par l'intermédiaire de leur père, ils ne font pas l'apprentissage des conduites acceptables par les adultes quand cette carence est généralisée. C'est la genèse de la délinquance des *« Olvidados »*, les oubliés, comme les nommait le film de Buñuel, victimes des démissions paternelles en chaîne. C'est un phénomène social qui dépasse l'analyse psychologique des individus, qui a sa vie propre. Et il semble que les choses aient encore empiré depuis ce chiffrage : au début des années 90, moins de 10 % d'enfants noirs américains avaient une chance de vivre leur enfance auprès de leurs deux parents.

Cela signifierait-il que la société américaine, ce fameux melting-pot qui a intégré tant de millions d'immigrants de tous pays, se refuse à intégrer les seuls Noirs, présents sur son sol depuis plus longtemps pourtant? Avant d'en venir à une telle affirmation, il convient de relativiser : la société américaine a échoué avec les Noirs issus du *plantation time*, c'est-à-dire de l'esclavage qui avait sciemment cassé les familles, accepté les mères domestiques et nounous, qui faisaient moins peur, et rejeté les maris et les fils

1. Selon Georges DAVY, c'étaient là les termes de l'édit de Charles le Chauve en 877.

dans l'errance. En revanche, les Noirs récemment venus des Caraïbes à l'instar des autres immigrants, en familles, se sont intégrés ni mieux ni plus mal que les autres communautés : ils habitent des quartiers calmes et leurs enfants, qui ont leurs deux parents présents dans une majorité des cas, fréquentent régulièrement l'école et y réussissent gentiment. Ces Noirs-là ont des pères. Les autres reproduisent, génération après génération, les brisures familiales imposées jadis par l'esclavage. Dans leurs quartiers, les adolescents sans père et sans loi tiennent la rue et se battent pour la drogue et pour le contrôle des filles, comme l'ont fait nos très lointains ancêtres pour les produits de la chasse et le contrôle des femelles, avant l'invention de la paternité. Que les filles soient beaucoup plus nombreuses, dans la communauté noire, à terminer leur scolarité et même à obtenir des diplômes supérieurs est une preuve de plus qu'il ne s'agit pas là d'un problème racial, mais d'une pathologie familiale, qui atteint les hommes et transmet, non de père en fils mais de géniteurs en rejetons, l'incapacité d'assumer la paternité dans toute sa dimension affective, éducative et sociale.

Cette pathologie familiale est-elle en train de nous atteindre et de commencer ses ravages dans nos sociétés européennes? De l'exemple noir américain, faut-il inférer que la galopante propension à l'éclatement des couples, entraînant de plus en plus fréquemment l'éloignement des pères, favorise automatiquement la délinquance des fils? Ce serait aller un peu vite en besogne. Il ne faut pas opposer un excès à un autre. Ce n'est pas parce que les néo-socio-anthropologues estiment que toute société peut s'accommoder de la dilution, voire de l'absence de « paternité » (c'est-à-dire de géniteurs exerçant en même temps une fonction éducative et socialisante), ce n'est pas parce qu'ils affirment que les décompositions et recompositions familiales autour de l'axe mère-enfant sont sans conséquence, ce n'est pas parce que leur optimisme vient justifier leur individualisme effréné, que, pour leur faire pièce, il faut crier à l'*apocalypse now* et à la catastrophe irrattrapable.

On ne peut ainsi brûler les étapes. On ne peut, pour sauter à des conclusions sociales, faire l'économie des innombrables observations recueillies et interprétées par les psychiatres, psychothérapeutes, psychologues, conseillers familiaux, éducateurs spécialisés et travailleurs sociaux qui décrivent les effets des absences et carences paternelles.

« Confrontée à la question du père, la psychanalyse est-elle juge ou otage? »

Cependant, pour en avoir lu des centaines, je dois avouer mon embarras : comment dégager des enseignements clairs de tous ces « cas » exposés? Comment, surtout, faire une synthèse des *interprétations* contradictoires avancées par ces observateurs, ces thérapeutes et ces intervenants? Tous, si leurs avis divergent, ont un point commun : ils sont immergés dans la psychanalyse, qu'ils pratiquent la psychanalyse à l'état pur, ou qu'ils aient été, au cours de leurs études, abreuvés de vocabulaire psychanalytique et de clés interprétatives présentées comme des acquis de la science.

Les plus classiques (freudiens) d'entre eux ne nient certes pas la fonction paternelle. Pas le moins du monde. Bien au contraire, le père tient une place prépondérante dans les systèmes d'interprétation psychanalytique. Mais est-elle toujours pertinente? Est-elle toujours opérante? Les systèmes d'interprétation de la psychanalyse se sont voulus a-historiques. Pourtant, ils apparaissent quand même bien accrochés à certains grands tournants de l'histoire humaine. Ainsi, Freud a situé l'émergence du rôle dévolu au père dans le passage des sociétés matrilinéaires au patriarcat; Lacan, dans le passage à la famille conjugale restreinte, où le rôle du père lui semble encore accru. En outre, leurs patients étaient des bourgeois européens de la fin XIXe siècle pour Freud, du milieu du XXe siècle pour Lacan. Les décrets psychanalytiques qu'ils appliquent aux fonctions paternelles apparaissent de plus en plus dépassés et inopérants à plus d'un titre aujourd'hui.

Certains – et surtout certaines – en arrivent même à les trouver entachés de nostalgie réactionnaire plutôt qu'aiguisés par la lucidité clinique. « Confrontée à la question du père, la psychanalyse se trouve-t-elle en position de juge ou d'otage [1] ? » interroge Monique Schneider, psychanalyste. Otage d'une version de la fonction paternelle somme toute très patriarcale, et exerçant un pouvoir d'arbitrage : « Une fonction de puissance et de tempérament à la fois », écrivait Lacan, pour qui le père était « une personne qui domine et arbitre le déchirement avide et l'ambivalence jalouse qui fondèrent les relations premières de l'enfant avec sa mère et avec le rival fraternel [2] ».

A partir d'une si grandiose conception, comment juger des « nouveaux pères » qui, bébé en bandoulière sur le ventre, rentrent vite à la maison pour donner le biberon quand maman est au bureau? Comment juger de l'absence des pères évacués lors des divorces par l'alliance objective, pour ne pas dire la collusion, mères + juges-aux-affaires-matrimoniales + psychologues + assistantes sociales, qui, d'une seule voix, affirment agir « dans l'intérêt de l'enfant »? Va-t-on mesurer la présence tendre de ce papa-nounou et l'absence quasi institutionnelle de ce père éjecté à l'aune du patriarche panthéonisé par la psychanalyse freudo-lacanienne, à l'aune du Grand Arbitre qui incarne la Loi, du fameux « père sévère » un peu gendarme?

On a envie de dire : Attention, réveillez-vous! Comment peut-on se référer à une image paternelle qui n'existe plus? Dont le « manque » est généralisé au point de devenir la norme? Dans la « famille démocratique » d'aujourd'hui, le père n'interdit plus, ne permet plus non plus, n'arbitre plus. Il est, au mieux, un « facilitateur »,

1. Monique SCHNEIDER, « Le père interdit », *Dialogue*, n° 104, 1989, pp. 27-37. *Dialogue* est la revue des conseillers familiaux.
2. Jacques LACAN, *Écrits*, Seuil, p. 182.

mais, le plus souvent, il se tait, ne serait-ce que parce qu'il a compris, depuis vingt ans déjà, que, comme le disait drôlement Galabru dans *Une semaine de vacances*, film de Tavernier sorti en 1980, « aujourd'hui, les enfants ne ressemblent plus à leurs parents, ils ressemblent à leur époque ». Et puis il a compris, depuis une bonne dizaine d'années, que le « modèle égalitaire » voulait qu'il s'efface derrière sa femme, à moins que ne soit jugée préférable une indifférenciation des rôles paternel et maternel, qui lui commande alors d'effacer le père derrière l'individu qu'il est, l'égal de l'individu qu'est sa femme, de l'individu qu'est son enfant. Sans plus se préoccuper de jouer un « rôle » de père.

Le décalage entre le référent psychanalytique du père et la réalité des êtres qu'ils ont à entendre, aider, conseiller, ce décalage trouble beaucoup de psychologues, d'éducateurs et d'acteurs sociaux. Que valent les observations cliniques fondées sur de telles prémices? se demandent-ils. Que pouvons-nous en retirer pour notre pratique quotidienne? semblent se dire ces directrices, éducatrices sages-femmes et assistantes sociales d'établissements d'accueil mères-enfants, réunies pour un colloque de formation sur le thème de « l'homme absent [1] ». Des psychanalystes viennent leur parler du père, du « nom du père », etc. Elles, elles reçoivent, à longueur d'année, des mères qui souvent se contentent de leur déclarer – et ce sera leur unique « discours » sur le père de leur enfant :

– C'est mon enfant. Rien qu'à moi. Il portera mon nom.

– Les hommes, c'est tous des salopards. Je peux vivre sans et mon gosse aussi.

– Je lui ai fait un enfant en traître, je savais qu'il en voudrait pas.

– Il est pas capable d'être père, ce type, comme père, il est pas à considérer.

1. *L'homme absent ou Contribution à l'étude de la problématique du masculin dans les établissements d'accueil mères-enfants,* colloque de l'Association nationale des personnels et acteurs de l'action sociale en faveur de l'enfance (ANPASE), 1987.

– Non, non, non, pas question du père, pas question, ne m'en parlez pas.

– Je voulais un enfant pour moi seule.

Celles-là, on le sait dans les établissements qui les hébergent, ne parleront même pas de son père à leur enfant. Qu'adviendra-t-il de cet enfant? Le diagnostic des psychanalystes tombe, abrupt : absence physique et absence symbolique du père, donc pas de triangulation œdipienne possible. « Son non-accès ferme les portes de l'intégrité psychique et laisse l'individu dans les méandres de la psychose, avec ses mécanismes primaires pulsionnels [1]. » Voilà qui n'est guère rassurant.

De plus, les psychanalystes décrivent la mère qui nie le père comme une mère « archaïque » qui a « des fantasmes parthénogénétiques selon lesquels l'enfant n'est qu'un morceau de sa mère et lui, le père, il n'est rien », et des « revendications phalliques ». Ils la décrivent « narcissique primaire » qui décide : « Je fais ce que je veux avec mon enfant », en somme, c'est « une mère dévoratrice [2] ». La relation qu'elle va avoir avec son enfant sera fusionnelle. Si c'est un garçon, il deviendra « l'homme » de sa mère. En tout cas, le couple mère-enfant se replie sur lui-même. L'enfant devient beaucoup plus sensible aux états psychologiques de sa mère et il risque de somatiser : fièvres non expliquées, vomissements, otites, etc. La mère aura des difficultés à assumer son devoir d'autorité.

Ces prédictions se réalisent-elles dans la réalité? Oui et non.

Les observations cliniques, non psychanalytiques, infirment le pronostic de somatisation, mais décèlent précocement des troubles du caractère et du comportement, et confirment l'attitude captatrice de la mère. Dans une enquête réalisée, en 1984-1985 à Paris, sur les bilans de santé obligatoires des enfants de 4 ans, Monique Le Bailly

1. Dr François DUSSOUR, « Père, passe et manque : d'une genèse de la personnalité anti-sociale », *Les Adolescents difficiles*, CFEES, 1988, Vaucresson, ministère de la Justice, pp. 129-141.

2. Dominique FAVRE, psychologue clinicien, *L'Homme absent*, *op. cit.*

a comparé les enfants de mères célibataires isolées avec les enfants de mères célibataires concubines (vivant avec le père de l'enfant) et les enfants de couples mariés. Il n'apparaît pas de différence entre les enfants de concubins et de mariés – dans les deux cas, le père est présent.

Mais, si 98 % des mères célibataires isolées déclarent avoir voulu leur enfant, les deux tiers avaient « interdit tout accès au père » dans leur vie (65 % des enfants ne connaissaient pas leur père). Certaines déclaraient avoir fait en quelque sorte un enfant thérapeutique : « pour se faire du bien », « pour se raccrocher à la vie ». D'autres pour se prouver qu'elles pouvaient se passer d'hommes. Assez nombreuses étaient les femmes originaires des Antilles (aux Antilles, la mère célibataire est presque une tradition) qui, supportant mal leur migration à Paris, avaient fait l'enfant « pour ne pas être seule ». Les examens médicaux de leurs enfants ont donné des résultats semblables à ceux effectués sur les enfants de couples. Les examens de développement ont montré davantage de troubles du langage chez les enfants sans pères. Mais ce sont surtout les examens psychologiques qui font apparaître que ces enfants sont plus instables et plus opposants que les autres, et très captatifs à l'égard de leur mère. Elles signalent beaucoup plus souvent qu'ils ont des troubles du sommeil et des cauchemars.

Il est à noter que un sur dix dort encore, à 4 ans, dans le lit de sa mère et un sur trois dans sa chambre (contre un sur dix pour les enfants de couples).

À tout le moins, nommer le père, parler du père à l'enfant

Pour les enfants des mères définitivement ou provisoirement abandonnées par le père de l'enfant, ou des mères qui ont rompu définitivement ou provisoirement avec le père de l'enfant, mais qui, dans un cas comme dans l'autre, acceptent de parler de son père à l'enfant, le diagnostic des psychanalystes est moins sévère : il y a absence physique du père, mais le père est nommé, la mère accepte de désigner à l'enfant son père, dont il porte parfois le nom, en ce cas, la triangulation œdipienne est possible.

Aux nombreuses questions et objections des travailleurs sociaux en contact avec les femmes abandonnées : « Et si l'enfant est le fruit d'un viol? » « D'un inceste? » « Et si le père est violent et dangereux? » « Et si le père est en prison? » « Et si la mère a l'occasion de se marier avec un homme qui n'est pas le père mais qui accepte de reconnaître l'enfant? », dans tous les cas, les psychanalystes répondent qu'il faut parler du père, et très tôt. « L'enfant qui entend parler de son père, même d'une manière négative, peut s'en sortir. Ce qui est important, c'est qu'il entende parler de ce père. » « Il vaut mieux un père incestueux que pas de père du tout. » « Si l'enfant a compris qui est son père géniteur, même si la mère a plusieurs partenaires que l'enfant appelle papa, cela se passera mieux. » Tous les psychanalystes sont d'accord pour souligner l'importance de la présence symbolique du père. Du « nom du père ».

Cette préoccupation est pourtant exprimée, parfois, dans des termes tellement amphigouriques qu'ils rappellent certaines formules moliéresques. Que veut dire ce passage, paru sous le titre *Une dernière pensée de Lacan pour le père*? : « ... Or Lacan démontre que les trois catégories, le Réel, l'Imaginaire, le Symbolique, sont strictement équivalentes. Aucune prévalence du symbolique sur les deux autres. Et leur nouage est subordonné à la nodalité comme telle, c'est-à-dire une quatrième consistance, qu'il appelle le *sinthome*. Le symbolique ne tient qu'à se nouer au réel et à l'imaginaire, et à s'assurer du sinthome. Ceci n'est pas sans rappeler les débats théologiques sur la *déité* du Dieu trinitaire, qui, peut-être, tournaient autour du même *bout de réel*. Dès lors, dit Lacan, “ *le nom du père, on peut s'en passer, à condition de s'en servir* ”. Ou encore : “ L'Inconscient suppose le père, et le père, c'est la religion. ” On peut retenir de cette nouvelle formalisation qu'il est possible de suppléer, par la construction d'un sinthome, aux différents dénouages possibles des trois catégories, Réel, Symbolique et Imaginaire. C'est comme s'il existait une nodalité active, toujours à l'œuvre pour tenter de réparer les ratés du nouage – nodalité qu'on peut appeler *fonction paternelle* [1]. »

Tout au long de ce chapitre, je cherche à définir justement « la fonction paternelle », mais, devant une telle définition, je jette l'éponge. Non seulement devant le maniement de néologismes pour habiller des obscurités byzantines, mais plus encore à la lecture du péremptoire : « *Le nom du père, on peut s'en passer, à condition de s'en servir* », édicté en termes familiers, mais d'autant plus incompréhensible... Il est vrai que Lacan proclamait que : « La psychanalyse, c'est la forme moderne de la loi religieuse ! » et qu'il ne s'agit peut-être pas de comprendre, mais de « croire »...

Pour mémoire, dans les années 40 et 50, certains psychanalystes, surtout américains, ont pensé que l'absence du père durant la petite enfance n'avait guère d'importance et pouvait être « une frustration bénéfique ». Depuis une quarantaine d'années toutefois, tous sont maintenant d'accord pour souligner l'importance de la présence symbolique du père, mais aussi de sa présence réelle, physique. Tous se rejoignent pour souligner l'importance de la présence paternelle durant les deux premières années. Henry Biller, après de très nombreuses observations de cas, écrit que les garçons, particulièrement, qui n'ont pas eu de père présent auprès d'eux pendant leurs premières années « sont plus handicapés dans la formation de leur personnalité, que les garçons qui ont été privés de père à

1. Philippe GARNIER, « Une dernière pensée de Lacan pour le père », *Dialogue*, n° 107, 1990, pp. 103-104. Les citations de Lacan sont extraites des séminaires inédits : « Les Non-dupes. Errent. R.S.I. Le sinthome. L'Une-bévue » et des n°s 11-12, « Du père », de la revue *Littoral*, Galilée, 1989.

un âge plus avancé. Ils ont moins confiance en eux, sont moins actifs et moins industrieux [1]. »

Le père ne s'occupe pas du jeune enfant comme la mère. Non seulement son odeur, sa voix, son contact (la peau « qui pique ») le différencient de la mère, mais encore sa manière de tenir l'enfant et les jeux qu'il invente : il le jette en l'air, le met sur ses épaules, le balance, lui fait expérimenter le mouvement, l'espace, la vitesse. De nombreux auteurs estiment que n'avoir jamais reçu de son père des marques physiques d'affection peut conduire chez les garçons à la peur de l'homosexualité, la peur de devenir homosexuel. « L'absence fréquente de père et de modèles masculins auprès du jeune enfant, estime le Pr Wallot, paraît expliquer certaines difficultés de comportement reliées à l'affirmation de l'identité sexuelle chez l'homme [2]. »

Sans doute est-ce là une des observations les plus essentielles pour qui recherche l'aire éducative sur laquelle s'exerce la fonction paternelle : l'absence de père, ou l'absence du père, ou une carence patente de présence paternelle nuit tout particulièrement au garçon, tout particulièrement à l'adolescence, tout particulièrement dans la conscience claire de son appartenance au sexe masculin. C'est ce que soulignait le Dr Lebovici, fort de trente ans d'expérience clinique auprès d'adolescents, lorsque nous l'avons auditionné au Haut Conseil de la population et de la famille : un flottement, une incertitude douloureuse, une difficulté à se définir comme appartenant au sexe masculin et une difficulté à assigner un sexe à sa mère (dominante) et à son père (absent).

Guy Corneau, dans un livre tout entier consacré à la difficulté d'être homme dans notre société moderne, note que « les hommes vivent plus ou moins dans un silence hérédi-

1. Henry B. BILLER, « Fatherhood : Implications for Child and Adult Development » in *Handbook of Developmental Psychology*, B.B. Wolman Ed., Prentice Hall, 1982.

2. Pr Wallot à l'université de Québec, cité par Huguette O'NEIL, « Santé mentale : les hommes, ces grands oubliés », *Actualité médicale*, mai 1988.

taire qui nie le désir de chaque adolescent de se voir confirmé par son père [1] » et, il concluera : « La présence du père a pour fonction de permettre aux fils l'accès à leur agressivité naturelle. Quand le père est manquant, le fils ne peut accéder à l'impulsivité propre à son sexe. Il subira les interdictions de sa mère qui tolère mal ses manifestations de sauvagerie instinctive. » Non que le père dise à son fils : « Vas-y mon petit mâle ! », comme trop de féministes ont cru pouvoir le dénoncer, mais il ne lui dit pas : « Regarde la petite fille comme elle est gentille, elle, rends-lui son jouet, et fais comme elle ! » – ce que toutes les mamans du monde, assises près des tas de sable où jouent leurs rejetons, disent un jour ou l'autre à leur fils. Il n'est, pour vous en persuader, que de vous asseoir près d'un tas de sable et d'observer. « La femme est, l'homme doit être fait », ajoute Guy Corneau. Il doit passer de l'identification à la mère à l'identification au père. C'est pourquoi le manque de père est plus préjudiciable au garçon qu'à la fille.

Le « manque de père » ne se borne pas à l'absence de père présent. Un père qui ne répond pas aux besoins d'attachement de son enfant est également un « père manquant ». Et celui qui menace de partir, d'abandonner ses enfants, inflige à ses enfants des frustrations aussi profondes que s'il n'était pas là. Ce n'est pas en temps de présence que se mesure la fonction paternelle bénéfique, mais en attention à la demande d'amour de l'enfant. Aussi, la fonction paternelle peut fort bien être remplie par un père très occupé et peu présent si, quand il est là, il accepte d'être le père dans le regard de son enfant, s'il accepte de l'initier au sport, à la lecture, à la nature, à un quelconque bricolage, s'il est ferme et juste.

Henry Biller résume ainsi les difficultés rencontrées par les fils qui n'ont pas reçu de « paternage » adéquat :

– à l'adolescence, ils nagent dans la confusion par rap-

1. Guy Corneau, *Père manquant, fils manqué : que sont les hommes devenus ?*, Éditions de l'Homme, Québec, 1989.

port à leur comportement sexuel et présentent souvent une certaine féminisation;

– ils manquent de confiance en soi;

– ils éprouvent des difficultés à assumer des valeurs morales, à prendre des responsabilités, à développer un sens du devoir ainsi que leurs obligations envers autrui;

– cette absence de limites se manifestera aussi bien par la difficulté à obéir et à respecter une autorité que par la difficulté à exercer leur autorité;

– ils sont plus souvent homosexuels que les fils qui ont eu un père présent;

– ils sont plus susceptibles de développer des problèmes psychologiques, qui, au pire, peuvent les conduire à l'alcoolisme, la toxicomanie, voire la délinquance.

5 362 Britanniques suivis pendant trente-six ans : Le cas des enfants de parents séparés

Nous aborderons, plus avant, la problématique délicate du père manquant/fils délinquant, ou toxicomane. Auparavant, voici d'autres données sur les effets de la séparation de l'enfant d'avec son père. Déjà les Drs Lebovici Crémieux et Michel Ody [1], psychiatres, faisaient, dans les années 70, la même remarque : les travaux sur les effets des carences maternelles étaient innombrables, ceux sur les effets des carences paternelles fort rares. Pas seulement en France, mais dans tous les pays développés, car on l'avait alors noté à l'Organisation mondiale de la santé.

Depuis ce constat, les choses n'ont guère changé. Mais de nombreux auteurs se sont intéressés aux conséquences pour les enfants de la séparation ou du divorce de leurs parents, ainsi qu'à leur vie dans un foyer monoparental. Malheureusement, ces travaux ne mentionnent pas de quel

1. LEBOVICI CRÉMIEUX, « A propos du rôle et de l'image du père », *Psychiatrie de l'enfant*, vol. XIII, n° 2, 1971, et Michel ODY, « La séparation parents-enfants », *Psychiatrie de l'enfant*, vol. XVII, n° 2, 1974.

parent l'enfant se trouve séparé, bien qu'il leur échappe souvent l'expression « *with a lone mother* » (avec une mère seule) au lieu de « *one parent family* ». C'est que, dans neuf cas sur dix, l'enfant reste avec sa mère et se trouve séparé de son père. C'est pourquoi, sans les solliciter outre mesure, je me sens en droit d'évoquer les études consacrées aux conséquences sur les enfants de la séparation des parents.

La plus importante parce que la plus longue a débuté en Grande-Bretagne en 1946 : le Conseil pour la Recherche Médicale a alors entrepris d'examiner et de suivre la santé et le développement de 5 362 enfants nés en Angleterre, Galles et Écosse entre le 3 et le 9 mars 1946. Au long de leur enfance, par douze fois ils ont subi des examens médicaux complets, leurs parents ont été interrogés, leurs enseignants également, leurs notes scolaires récoltées, etc. Puis, au long de leur vie adulte, ils ont encore été vus dix fois par les chercheurs attachés à l'étude. En 1982, ils avaient 36 ans, et 87 % du panel initial étaient encore présents dans l'étude – résultat remarquable!

Cette énorme enquête permet de repérer les désordres émotionnels des jeunes enfants dont les parents se sont séparés : ainsi, ils sont nettement plus souvent énurésiques que les enfants qui ont leurs deux parents, et cette énurésie persiste jusqu'au début de l'adolescence (à 7 ans, 22 % sont énurésiques contre 10 % dans les familles complètes; à 11 ans, 15 % sont encore énurésiques contre 6 % dans les familles complètes). Aux dires de leurs mères, ils ont des troubles du sommeil et de fréquents cauchemars. Ils sont nombreux à se ronger les ongles et à présenter des difficultés d'élocution. M. Wadsworth, M. Maclean, D. Kuh et B. Rodgers qui rendent compte de cette enquête en 1990 dressent ainsi le tableau des risques encourus par ces enfants au cours de leur enfance [1] :

De 0 à 5 ans : Peur, confusion, autoaccusation, pauvreté

1. Michael WALDSWORTH, Mavis MACLEAN, Diana KUH et Bryan RODGERS, « Children of Divorced and Separated Families : Summary and Review of Findings from a Long-Term Follow-Up Study in the UK », *Family Practice*, vol. 7, n° 1, pp. 104-109, Oxford University Press, 1990.

dans l'expression des sentiments. L'enfant croit que c'est sa faute si ses parents ont divorcé.

6 ans et + : Gêne, honte, sentiments de solitude, voire d'abandon.

puis : Ces sentiments sont nourris, avec le temps, de ressentiment et sont exacerbés à chaque changement intervenant dans la vie sociale de l'enfant.

puis : Difficultés à affronter les obstacles émotionnels, manifestations somatiques et comportementales diverses.

Pour tous les enfants séparés de leur père, l'adolescence est tout particulièrement une période à risques. On en relève de nombreuses preuves dans cette enquête. Ainsi, lorsque le panel a atteint l'âge de 21 ans, la proportion de ces jeunes (des deux sexes) qui avaient déjà commis des délits était beaucoup plus élevée que chez les jeunes issus de familles complètes. En outre, il apparut que les enfants de parents séparés étaient beaucoup plus nombreux à n'avoir pas fait d'études du tout (42,9 % contre 16,9 % des enfants de familles complètes) et le niveau d'éducation des autres restait très inférieur à celui des enfants à deux parents. En conséquence, les derniers contacts que les chercheurs ont eu avec le panel font apparaître une plus forte proportion de chômeurs [1] et des situations inférieures chez les adultes issus de familles séparées. Les hommes gagnent moins d'argent et les femmes atteignent plus rarement des positions élevées que dans le reste du panel. Des résultats très similaires ont été obtenus par plusieurs études américaines [2].

1. Voir, particulièrement M. Wadsworth et M. Maclean, « Parents divorce and children's life chances », in *Children's and Health Services Review*, 1986, n° 8, pp. 145-159, et M. Wadsworth, *Roots of Deliquency*, Oxford, Martin Robertson, 1979.

2. D. Greenberg, D.W. Wolfe, « The economic consequences of experiencing parental marital disruption », *Children and Health Services Review*, n° 4, pp. 141-162, 1982, et S. McLanahan, « Family structure and the reproduction of poverty », *American Journal of Sociology*, n° 90, pp. 873-901, 1985.

Absence du père, séparation des parents : davantage de conduites déviantes à l'adolescence

D'autres études américaines ont fait apparaître aussi que l'absence du père ou la séparation d'avec le père peut être incriminée comme facteur de fragilité durant l'adolescence, favorisant, sinon la délinquance, du moins diverses conduites de légères déviances qui en sont souvent le prélude. Ainsi, une étude [1] conduite sur 1 400 adolescents de 12 à 15 ans dans quatre collèges américains, en deux phases séparées par deux années, tend à prouver que filles et garçons sont touchés, mais différemment.

L'étude montre que les filles vivant avec une mère seule ont des rapports sexuels très précoces dans une proportion bien supérieure à celle des filles vivant avec leurs deux parents. En outre, elles avaient également avoué (dans des questionnaires anonymes bien sûr) avoir beaucoup plus souvent transgressé les interdictions posées par leur mère, comme par exemple, fumer, boire de l'alcool, tricher aux compositions, etc. Les auteurs estiment que la perte du contrôle familial est liée, pour les filles à « l'état de ne pas avoir de père » *(sic)*.

Pour les garçons, de manière très nette, c'est le choc représenté par la séparation de leurs parents, par le départ du père, et parfois par l'arrivée d'un autre homme auprès de leur mère, qui semble les déstabiliser. C'est « l'effet de rupture » qu'ils accusent. Il est vrai que, occupées par leur divorce, les mères ont, semble-t-il, tendance à s'occuper moins des garçons que des filles. A la séparation d'avec le père, les garçons réagissent en passant à l'acte sexuel (ils ont de 12 à 15 ans) dans une proportion *cinq fois supérieure* à celle des garçons des mêmes âges vivant avec leurs deux parents. Ils disent également nettement plus

1. Susan NEWCOMER et J. Richard UDRY, « Parental marital status effects on adolescent sexual behavior », *Journal of Marriage and the Family*, 1987, nº 49, pp. 235-240.

souvent qu'ils ont fumé, bu de l'alcool, emprunté sa voiture à leur mère pour conduire (bien entendu sans permis puisqu'ils ont 13 ou 14 ans). L'indice de déviance est nettement plus élevé pour les filles vivant avec une mère seule et pour les garçons dans les semaines qui suivent le départ du père.

Cependant, au chapitre des déviances aux âges fragiles de l'adolescence, il y a plus grave. Si j'ai consacré un chapitre à la fonction paternelle et à ce qui advient quand elle ne peut s'exercer, c'est beaucoup à cause de ce que j'avais pu observer lorsque j'ai, pour le Conseil économique et social, étudié la population adolescente et jeune qui s'essaie aux drogues ou s'adonne à la toxicomanie. Toutes les études que j'avais pu réunir, faisaient apparaître des proportions anormalement élevées de « pères manquants » pour les jeunes toxicomanes [1].

Dans la grande enquête de l'Institut national de la statistique et de la recherche médicale (INSERM) effectuée en 1986, il apparaissait que 50 % des toxicomanes avaient une famille dissociée, alors que le taux de séparation parentale pour une population d'âges comparables n'est que de 19 %. En outre, 19 % avaient un père décédé, alors que le taux dans une population de référence est de 5 %.

Le centre de traitement *Le Trait d'union*, qui, en 1987, avait reçu 1 665 toxicomanes relève que, si une forte majorité des consultants déclarent avoir de bons rapports avec leur mère, 40 % se trouvaient séparés de leur père (divorcé, inconnu ou décédé). Au centre *Monceau* de thérapie familiale, où on voit 2 000 consultants par an, on signale une très forte proportion de familles éclatées et de pères manquant à l'appel.

L'enquête conduite par l'Institut national de recherche pédagogique dans les établissements secondaires de la région parisienne [2] a distingué, au terme de son étude por-

1. Evelyne SULLEROT, *Problèmes posés par la toxicomanie*, CES, 1988.
2. Nelly LESELBAUM, Charles CORIDIAN, Jacques DEFRANCE, *Tabac, alcool, drogues : des lycéens parisiens répondent*, INRP, 1985.

tant sur 968 adolescents de 16 à 18 ans appartenant à 26 lycées différents, trois groupes d'élèves :

1° Le groupe le plus important est composé de garçons et de filles qui ne fument pas, ne boivent pas, n'ont pas de rapports sexuels, ne sèchent pas la classe et n'ont jamais consommé de drogues : ils vivent avec leurs deux parents et sont surveillés de manière assez stricte (jusqu'à 18 ans).

2° Un petit groupe où prédominent les filles s'estime trop surveillé, se dispute en famille, s'entend mal avec le père : la prise de tranquillisants (mais pas de drogue) est dans ce groupe anormalement fréquente.

3° Enfin viennent 334 adolescents, surtout garçons, qui ont commencé d'avoir des relations sexuelles vers 13 ou 14 ans, boivent de l'alcool, fument plus de 10 cigarettes par jour et ont pris de la drogue deux fois ou plus dans les six derniers mois : ceux-ci vivent surtout avec leurs mères, leurs pères sont partis, inconnus ou décédés; leurs sorties sont peu ou pas contrôlées.

Les auteurs de cette étude soulignent que l'analyse factorielle fait apparaître l'absence du père et l'excès de liberté de l'adolescent comme les éléments les plus fortement liés à la prise de drogue.

Le ministère de la Justice a conduit en 1989 une étude sur 804 toxicomanes incarcérés, un peu plus âgés : « Dans la moitié des cas, on observe qu'ils sont issus de familles déstructurées par le divorce, la séparation, ou le décès. » On peut rapprocher ces résultats de ceux obtenus à l'antenne toxicomanie du centre pénitentiaire de Fresnes. Père absent par suite de divorce : 22,3 %; père décédé : 13,4 % ; père inconnu : 2,2 %; pères inconnus ou décédés : 5,7 %. Total : 43,6 % [1].

L'approche familiale systémique des enfants ayant sniffé (respiré des solvants) révèle des enfants souvent en symbiose avec une mère captatrice, ayant subi des carences affectives précoces à la suite de rupture du

1. L. Cirba, *Les Toxicomanes incarcérés*, Travaux et documents, ministère de la Justice, 1989.

couple parental, ou ayant vécu des situations discontinues auprès d'une mère célibataire (F. Facy, INSERM).

Pères manquants, fils délinquants?

Il faut bien finir par poser la question et tenter d'y répondre honnêtement. Jusque vers 1970, de nombreuses études sociologiques (Gregory, 1965; Douglas, 1966 et 1968; Gibson, 1969, etc.) sont parues qui établissaient, sans états d'âme, que le taux de délinquance des garçons ayant des parents divorcés ou fils de mères célibataires était plus que double de celui des garçons des mêmes milieux ayant leurs deux parents.

A partir des années 70, ces études furent violemment contestées. La corrélation séparation des parents/délinquance des enfants fut traitée de « tarte à la crème » servie avec complaisance par les « familialistes » ennemis du divorce. Une nouvelle génération de sociologues s'employa à ridiculiser ces travaux, à tarir les sources de ceux qui pouvaient leur succéder, voire à les interdire.

Pourquoi cette levée de boucliers? Pour un ensemble de raisons qui tenaient surtout aux convictions sociales et politiques alors dominantes. Par exemple, des féministes pour qui le père, cet artefact superfétatoire, n'était pas du tout nécessaire; nous avons vu, au chapitre v, les situations juridiques créées par des lesbiennes danoises ou hollandaises; à Londres fonctionna bien un *Girl Babies Group* qui avait pour but de ne mettre au monde que des filles, par des moyens simples : un peu de sperme humain trié, le « *necessary biological material* », et des seringues sans aiguille, ou d'autres gadgets servant d'ordinaire à arroser la dinde de son jus, ce pourquoi ils s'appellent *turkey basters* [1]... Sans aller jusqu'à ces excès, les mouvements féministes cherchèrent à exclure les hommes-pères et donc à minimiser leur fonction parentale. Il y eut les

1. R. Duelli KLEIN, « Doing it yourself », *Test-tube women*, R. Arditti Ed., Pandora, Londres, 1985, pp. 382-390.

individualistes, par réflexe antifamille. Il y eut les révolutionnaires qui désiraient que la socialisation des enfants fût assurée plutôt par des « communautés [1] », ou carrément par la collectivité, par le truchement de l'État, afin de réduire les inégalités, etc.

La révolution culturelle enflammait à la fois la sociologie et la criminologie, à l'époque, et comme ce sujet réunissait les deux, les affrontements furent féroces (et ce n'est pas fini...). Peu à peu, de ces échanges peu amènes et peu productifs émergea, comme un radeau sur une mer houleuse, une idée à laquelle tout le monde ou presque se rallia : on ferait foin du quantitatif, on se contenterait de récolter des observations cliniques et – nouvelle « tarte à la crème » – des « récits de vie ». Ainsi fut fait. D'innombrables données furent recueillies dans de nombreux pays, de la bouche des délinquants eux-mêmes, et de la bouche de ceux à qui ils s'étaient confiés lors de thérapies ou d'entretiens non directifs.

Or, même sans vouloir compter, additionner, pondérer des facteurs, on ne put que s'apercevoir de la concordance frappante des résultats de ce matériel « qualitatif ». On en était revenu au même point. On trouvait les mêmes choses.

En effet, les études sociologiques quantitatives de naguère se sont trouvées corroborées par les observations des cliniciens et par l'analyse des récits de vie. A savoir que le comportement antisocial des garçons apparaît étroitement lié soit à l'absence du père, soit à la mauvaise relation avec un père agressif, violent, trop autoritaire et géné-

1. « La socialisation ne se transmet plus par les adultes mais par le groupe des pairs. » « La jeunesse moderne ne trouve, chez les parents, que des témoins d'une culture dépassée. » « Les pères sont des rois détrônés, l'autorité se trouve aujourd'hui entre les mains de la puissance technologique. » « Les professionnels du travail social sont plus compréhensifs, moins dogmatiques, moins répressifs que les parents ». « Les communautés expérimentent des structures capables de satisfaire tous les besoins économiques, affectifs et sexuels de leurs membres sans frustration d'aucune sorte. » Ces textes ne sont pas extraits d'un manifeste, mais du *Rapport du Conseil de l'Europe sur la délinquance juvénile et les transformations sociales,* 1979.

ralement méprisé. Les études sur les jumeaux vrais n'ont rien apporté : les facteurs génétiques ne semblent jouer qu'un rôle mineur dans la pathogenèse de la délinquance. En revanche, le rôle principal revient à l'éducation reçue des parents. Il est vrai qu'encore en 1990, des rapporteurs du Conseil de l'Europe parlant des modes de vie, Heins Moors et Nico Van Nimwagen, affirment que, « pour la plupart des enfants, les effets négatifs du divorce semblent se dissiper au bout de quelques années », et qu' « on pourrait dire de certaines caractéristiques des enfants de familles monoparentales qu'elles sont positives. En effet, ces enfants ont tendance à avoir un comportement plus androgyne [!], ils sont plus mûrs, ont un sens plus aigu de l'efficacité et donnent l'impression d'avoir un meilleur contrôle de soi. »

C'est très exactement ce que dénient les psychologues et psychiatres qui ont écouté et soigné de jeunes délinquants. L'adolescent sans père – qu'il se rebelle devant le contrôle étouffant de sa mère qui ne lui permet pas d'exercer l'impulsivité propre à son sexe ou qu'il soit peu surveillé et livré à lui-même – ne parvient pas au contrôle de soi. Certes, il apparaît souvent très affranchi, ne comptant que sur soi, déchiffrant bien les autres – mais comme de l'extérieur. Il n'est pas socialement intégré. S'il n'a pas de père exerçant une autorité pour limiter ses impulsions, éveiller son sens de la culpabilité et son désir de réparation, il sera incapable de réfréner ses pulsions et la satisfaction immédiate du désir.

Maurice Cusson a trouvé un mot éloquent pour exprimer cette tendance irrépressible à satisfaire ses besoins immédiats qu'on retrouve chez tous les délinquants ou presque : il l'appelle le « présentisme [1] ». Le « présentisme » dont est atteint le jeune crée une rupture entre le présent et l'avenir, l'empêche d'anticiper, de préparer et même d'imaginer le futur. A l'origine du « présentisme », l'absence de discipline parentale et principalement paternelle. L'enfant n'apprend pas à différer la satisfaction de

1. Maurice Cusson, *Délinquants, pourquoi?*, Colin, 1981.

ses désirs. J'ajouterais volontiers que la fonction paternelle insère l'enfant dans la durée davantage que la fonction maternelle : parce qu'il donne son nom et inscrit l'enfant dans une ligne historique, parce qu'il semble davantage au garçon le modèle de ce qu'il sera « quand il sera grand », le père a une fonction d'éducation à l'avenir, pour le garçon du moins. Le garçon sans père, faute de ces repères dans le temps social que l'homme transmet à sa descendance, sera plus porté qu'un autre au « passage à l'acte » impulsif, dont il n'aura pas de remords.

Et que disent les fameux « récits de vie » des délinquants? Christian et Nicole Léomant [1], sociologues au Centre interdisciplinaire de Vaucresson, ont réuni leurs dires sur la famille et sur leur famille, leur lieu-source et ressource, peut-être source de leur délinquance. Les délinquants distinguent d'abord entre la mère et le père. « La mère apparaît dominer l'espace familial, bien souvent sans partage. » (« Ma mère, pour moi, c'est tout », disent plusieurs de ces hommes). Et le père? « Inconnu, décédé, parti de la famille, ou parce qu'il ne communique pas avec son fils, le père apparaît comme un personnage absent. » Pourtant, les délinquants qui parlent de la famille ont une idée précise de ce que devrait être un père : « Quelqu'un qui va régulièrement au boulot, qui s'occupe bien de ses gosses, qui les regarde évoluer, qui les prend avec lui quand il y a un problème, qui essaie de discuter avec eux, de leur faire comprendre. » Cela, c'est le père rêvé, mais dans la réalité, il était inconnu, décédé, absent.

Le père violent, le père mauvais exemple

Sans doute faut-il faire la différence entre les délinquants par impulsivité – voleurs, toxicomanes, trafiquants, etc. – qui fuient, en l'absence de modèle paternel, dans le sens de leur plus forte pente, au gré de leurs désirs immé-

1. Christian Léomant et Nicole Sotteau-Léomant, « Le sens de la famille », *Informations sociales*, n° 4, 1989, pp. 47-53.

diats irrépressibles : ceux-là le plus souvent n'ont pas eu de père, ou le père les a lâchés, ou, à la suite d'un divorce et de déménagements, on ne l'a plus revu, ou il ne réapparaît que très provisoirement. Et, d'autre part, les délinquants violents, coupables de coups, agressions, viols, etc. Dans la majorité des cas, ceux-là ont eu un père à la maison, mais souvent un père alcoolique, presque toujours un père violent.

Diverses recherches sur la violence (Gelles, 1977) semblent indiquer qu'elle « s'apprend dans la famille » et, plus précisément, auprès d'un père violent. Les cris, les menaces, les coups forment la trame de la vie familiale. Le spectacle quotidien de la télévision y ajoute toute une gamme de modèles symboliques de violences. La situation d'immigré vivant une cruelle perte d'identité culturelle renforce une exacerbation particulière, surtout si l'immigré est issu d'une culture dans laquelle le père est tout-puissant, mais qu'il voit son propre père, déstabilisé par le changement de culture, socialement dépassé, déconsidéré, tenter tout de même d'imposer son autorité par la violence.

Plus de la moitié des hommes reçus, à la suite de voies de fait, au centre de crise pour hommes de Göteborg en Suède, en 1986-1987, disent à la psychologue qui les écoute avoir été témoins de scènes de violence chez eux dans leur enfance. Et quatre sur dix déclarent que leur père les battait. « J'ai toujours entendu mon père menacer et j'ai toujours vu mon père finir par taper », dit l'un. Et l'autre : « Mon père était très jaloux et il m'a toujours conseillé de ne pas me laisser dominer. » Ou : « Je voulais m'émanciper de mon père, qui tapait, alors il fallait taper plus fort que lui [1]. » Ce serait alors la présence violente d'un père qui frappe qui engendrerait la violence des fils, et, qui sait ?, pousserait les filles à former couple avec un homme qui les bat.

Ainsi, tous les récits de vie, toutes les observations cli-

1. Barbro LENNÉER-AXELSON, *Männens Röster*, Göteborg Universitet, 1988.

niques concordent. C'est le père qui devrait permettre au garçon l'accès à son agressivité naturelle, tout en lui apprenant à en mesurer les possibles conséquences néfastes pour les autres, à en borner l'exercice, à se maîtriser, par égard pour les autres. Donc, à bouger, jouer, crier, lutter, aller vite, aller fort, se surpasser, essayer de gagner, mais en ayant pour les autres des égards constants, et en respectant son adversaire, les règles du jeu, et, par-dessus tout, ceux qui ne peuvent physiquement rivaliser avec lui. Si le père ne maîtrise pas lui-même sa propre agressivité, le fils sera à son image, violent.

De quelques facteurs facilitant la délinquance juvénile

Et tous ceux qui ont écouté, soigné, aidé, confessé des délinquants sont, eux aussi, unanimes : le père joue un rôle capital dans la bonne adaptation sociale de l'enfant, surtout du fils, et donc, *a contrario*, dans la pathogénie de la délinquance, son absence ou sa carence peuvent peser lourd.

– S'il est présent, mais exerce sa fonction paternelle de manière tyrannique, brutale, voire incontrôlée, son fils pourra devenir un rebelle violent également incapable de se contenir, même s'il regrette ses excès.

– Si père et mère s'affrontent continuellement dans l'éducation de l'enfant, s'ils s'ingénient à se ridiculiser, se critiquer ou se salir l'un l'autre devant lui, si chacun cherche à détruire les règles données par l'autre, l'enfant court le risque d'être revendicatif et désengagé, démontrant l'effondrement en lui des valeurs morales et sociales.

– Si le père s'est lui-même dissocié de la société et ne cesse de la dénigrer, s'il est en prison et représente à son fils le monde comme une menace permanente et toute autorité sociale comme malveillante, le fils court le risque d'entrer dans sa paranoïa et de l'imiter.

– Si les parents se séparent ou divorcent, que le père est rejeté, que l'enfant parvient difficilement à le voir, qu'on ne lui dit que du mal de son père ou « qu'on préfère ne pas en parler... », le fils pourra faire n'importe quoi pour attirer l'attention de son père sur lui, ne serait-ce que pour entendre son blâme.

– Si le père est absent, qu'on ne le nomme point, que l'enfant ne sache rien de lui, le garçon aura beaucoup de peine à construire sa masculinité car les bons substituts de père (professeur, prêtre, éducateur, moniteur, beau-père, oncle...) n'abondent pas. Au cas où la mère exerce sur lui un fort contrôle, le fils, sans se rebeller, peut glisser dans des conduites de fuite (drogue, vols...). Mais si la mère exerce peu ou pas de contrôle, il risque de rechercher son existence ailleurs et, selon les copains fréquentés, de bien ou mal finir.

Il ne faut pas comprendre de travers de telles considérations et en conclure que tout fils sans père tournera au désastre et que tous les enfants du divorce sont des délinquants en puissance ! Bien sûr que non ! Et c'est justement ce qu'ont de bon – de rassurant même – les statistiques : elles *relativisent*. Quand on lit, bout à bout, récits de vies et observations cliniques, on est pris de vertige tant ces adolescents et ces jeunes délinquants sont convaincants... Ils et elles paraissent les illustrations logiques et tragiques de ce qui semble un constat : Père manquant, fils manqué ! Dieu merci, il n'en est point toujours ainsi ! Et ce sont les statistiques qui expriment cette vérité relative, avec le moins d'esprit de système : non, tous les enfants du divorce ne deviennent pas délinquants, loin de là ! Mais il faut bien constater que le risque de déraper est plus élevé pour eux que pour les enfants de famille unie. Il l'est encore plus pour les enfants sans père.

Les données françaises sur la situation familiale des jeunes délinquants sont en cours de dépouillement et les croisements nécessaires n'ont pu encore être effectués. Aussi donnerai-je ici deux exemples récents, pris, exprès, l'un dans un des pays d'Europe où le taux de divorce est le plus bas, l'Italie, l'autre dans un pays d'Amérique du Nord où le taux de divorce s'est emballé pour atteindre des niveaux records, le Québec.

De l'absolue nécessité de prendre conscience du problème

En Italie, le dernier recensement montrait que, dans la région Émilie-Romagne, seulement 2 % du total des familles avec enfants étaient séparées ou divorcées. Or, sur l'ensemble des délinquants mineurs confiés au service social adéquat (UDSSM) du district à Bologne, 16 % avaient des parents divorcés ou séparés ; 9 % vivaient avec la mère et un concubin ; 9 % avaient perdu leur père ; 6 % vivaient en institution ou chez quelque parenté ; 1,1 % était enfants de mère célibataire ; 1 % adopté et pour 3,9 % *non si sa* – on ne connaît pas leur situation familiale [1]... En sorte que 44,4 % de ces mineurs présentaient une configuration familiale incomplète ou détruite, dans une société où cette occurrence est extrêmement rare, avec absence de père.

A Montréal, au cours de l'année 1991, deux chercheurs de l'Organisation pour la sauvegarde des droits des enfants ont dépouillé 1 062 dossiers d'adolescents qui avaient comparu devant le tribunal de la jeunesse de Montréal durant les années 1987, 1988, et 1989. La prédominance masculine est, comme toujours en matière de délinquance, énorme : 1 007 garçons, âgés de 14 à 18 ans. Les informations sociales jointes aux dossiers permettaient de connaître la situation familiale au moment des faits reprochés à ces mineurs : seulement un tiers des parents vivaient ensemble, mariés ou concubins ! 61 % des parents de ces adolescents étaient divorcés ou séparés ! Et encore ! cette énorme proportion doit être sous-estimée car, en l'absence d'informations explicites, les chercheurs ont considéré les parents comme mariés vivant ensemble. Le commentateur ajoute : « Sur un plan qualitatif, les dossiers signalaient que beaucoup d'adolescents avaient peu,

1. Ivo Colozzi, « Devianza minorile e famiglia in Emilia-Romagna », *Famiglia Anni 90;* « Le condizione familiare in Emilia-Romagna e i nodi della politica sociale », a cura di Pierpaolo Donati, Morcelliana, Brescia, 1990.

ou plus du tout, de contacts avec un de leurs parents, habituellement le père [1]. »

Ces exemples ne sont pas une démonstration qui prétendrait établir avec des chiffres une relation de cause à effet. Encore moins une réclamation contre le divorce! Mais ils doivent faire réfléchir, pour sensibiliser l'opinion à un problème qu'elle ne veut pas voir, à la dangerosité relative, pour nos enfants – et particulièrement pour les garçons – d'un effacement trop prononcé du père et de la fonction paternelle. On peut divorcer et conserver chacun, père comme mère, son rôle, sa fonction auprès des enfants après la séparation du couple. Mais il faut le vouloir. Je veux dire : il faut que la société le veuille, et qu'elle aménage en conséquence les modalités des séparations, qu'elle fasse comprendre aux deux parents l'importance de l'enjeu. Il faut qu'elle-même en soit consciente.

Or, pour avoir siégé dans les conseils et les conférences où s'élaborent les réflexions et les recommandations faites aux politiques au sujet de la population et de la famille, je suis bien placée pour dire que cette conscience est loin d'être claire. Nombreux sont encore les esprits forts de la génération soixante-huit qui n'ont pas révisé leurs utopies, pourtant bien démodées, et qui savent fort bien les répandre : qui oserait s'élever contre l'égalité et la liberté des individus? A les entendre en effet, l'effacement des pères est inéluctable et signe d'un progrès. Ce serait l'accès des femmes à l'égalité (qui pourrait honnêtement s'y opposer?) et l'accès des enfants à davantage d'autonomie (qui n'y applaudirait, après la Déclaration universelle des droits de l'enfant?) qui remettent en question le père, et tendent à marginaliser la fonction paternelle. L'intégration sociale? L'égalité générationnelle en confie le rôle à la bande de copains. Si le rôle du père s'efface, ce serait parce que

1. Riccardo Di Done, Organisation pour la protection du droit des enfants, Montréal, Québec.

nous sommes passés « du répressif au permissif ». Et, comble du progrès, « les enfants des foyers monoparentaux ont tiré de leur situation des aspects positifs : ils sont plus androgynes », nous annoncent les experts du Conseil de l'Europe !

CHAPITRE VIII

Divorces, défaites, douleurs

Ainsi donc, il faut bien en venir à parler du divorce. Oh! certes pas du divorce en général, bien trop vaste sujet. Ni du droit au divorce, qui me paraît indispensable, irréversible. Il ne sera ici question que du divorce vu côté pères, vécu par les pères.

Rien n'exprime mieux que les dispositions législatives sur le divorce, en vigueur en France et dans quelques pays voisins, le profond rejet du patriarcat qu'ont opéré nos sociétés vers les années 70. Ou plutôt si : il y a plus révélateur encore que les lois, c'est la manière dont elles sont appliquées, les procédures, les jugements. Dans les textes et dans la pratique judiciaire du divorce, on découvre une profonde indifférence à la paternité comme fonction sociale et comme valeur : c'est à peine si on sait que ça existe. Mille et un petits préjugés anti-pères qui frisent l'hostilité vont se déclencher, un à un, au long du parcours du combattant de l'homme qui divorce quand il a un ou des enfants, comme des pétards déjà amorcés dont le naïf n'avait aucune idée. Oh! certes, l'indifférence à la paternité et les discriminations anti-pères ne s'affichent pas, explicites, évidentes, manifestes. Elles sont latentes, elles s'activent quand un père sans méfiance met un doigt dans la machine. Sans doute, personne n'a voulu cela, sciemment. Mais c'est ainsi, et depuis bientôt vingt ans.

Or, durant ces années de permissivité et de défense des

droits de l'homme, on a vu, dans l'enceinte des tribunaux, des juges équitables et *a priori* bienveillants pour les hommes transformer un divorce à l'amiable en une condamnation du père à une paternité humiliante, atrophiée, douloureuse. On a vu des femmes libérales et *a priori* compréhensives à l'égard de leur ex-mari dont elle se séparaient sans rancœur se muer en mères belligérantes, féroces. Alors qu'au début de la procédure, elles déclaraient n'avoir rien à lui reprocher et ne point lui vouloir de mal, on les voit, transformées par les prérogatives qu'on leur reconnaît et les conseils qu'on leur prodigue, enfoncer le malheureux dans la solitude et les ténèbres du « mauvais parent » qui doit seulement payer et se taire. On a vu des avocats talentueux et pleins de cœur couper court aux velléités de leur client de demander la garde de ses enfants, lui conseiller d'en rabattre, quelle que soit sa volonté profonde, et le préparer à s'estimer heureux s'il obtient en tout et pour tout quelques miettes de weekends. On a vu des pères qui se préparaient déjà à aménager leur vie pour faire la plus grande place à leurs enfants, écœurés, blessés, renoncer à tout et partir sans laisser d'adresse.

Tout se passe comme si la machinerie du divorce, mal fichue et mal intentionnée à l'égard des pères, avait pour but de durcir les conflits, d'aviver les rancunes, et, surtout, de rendre impossible toute conciliation des parents sur le sujet des enfants ainsi que tout exercice serein de la paternité. Voilà qui mérite d'être démonté et dénoncé, car les esprits changent et sont moins hostiles et moins imperméables aux cris des pères qu'ils ne le furent quinze ans durant.

Une épreuve cruciale dans la solitude morale

C'est au travers de l'épreuve du divorce que de plus en plus d'hommes ont pris conscience de l'abaissement de la paternité dans notre société. Jusqu'à ce qu'ils fussent atteints dans leurs œuvres vives, niés comme pères ou rejetés comme des parents de second rang et de peu de droits, ils ne s'étaient avisés de rien. D'autant moins qu'ils étaient, eux aussi, devenus féministes, égalitaires, libéraux et partageux. En effet, ce sont ceux-là, les pères qui trouvaient fort bon de faire la vaisselle et de coucher les gosses si leur femme avait du travail, qui, après une mésentente dans leur couple, n'ont pas supporté d'être « divorcés de leurs enfants », sans l'avoir mérité. Un par un, ils ont vécu une mésaventure dramatique, qui leur est constamment apparue irrationnelle, et, comme telle, déstabilisante.

Déstabilisante car insidieusement culpabilisante : « En cette épreuve cruciale, [...] le père est seul, de solitude physique et aussi de solitude morale. Car il ne suffit pas aux agents institutionnels ligués de lui appliquer un dispositif cohérent de mise à l'écart. Il faut, s'il prétend le déjouer, qu'il s'en sente coupable. [...] Il apprend que vouloir continuer à remplir son rôle de père passe pour une prétention exorbitante qu'il ne saurait maintenir sans paraître poussé par le désir de nuire à la mère [1]. » Le front uni que lui opposent le tribunal, le service social, la Sécurité Sociale, l'Éducation nationale, l'hôpital, la mairie, auxquels se sont joints de la manière la plus imprévue son avocat et ses proches, finit par en faire chanceler de doute plus d'un, qui en arrive à se morigéner lui-même : au regard de la morale sociale, assumer la paternité après un divorce n'est pas bien, quand la mère veut les enfants, et insister doit être pathologique, puisque l'expertise psychologique est en ce cas proposée. Sa démission sera approuvée de tous, comme un retour à la sagesse – donc elle devrait lui apporter la paix du cœur – et il « laisse tomber », plus ou moins stupéfait et meurtri par cette expérience kafkaïenne. Il viendra grossir, dans les statistiques brandies comme des preuves de l'indifférence des

1. Paul Elkaïm, « Le vécu de l'enfant et du parent non gardien », colloque *Attribution de la garde et/ou gestion de la séparation*, organisé par le Mouvement pour l'égalité parentale, le syndicat de la magistrature, l'Union syndicale des magistrats de l'Institut de l'enfance et de la famille, 1984.

pères, la proportion de ceux qui ne demandent pas la garde, ou « qui ne se battent pas, croyez-moi, pour garder les enfants ».

Mais d'autres n'acceptent pas, ferraillent et s'enferrent. Sûrs de la pureté de leurs intentions et forts de leur amour paternel, persuadés qu'ils vivent dans un pays de droit, ils se battent contre ce que chacun croit être une conspiration incompréhensible dirigée contre lui. Cela confère à ses plaintes et à ses cris un faux air de paranoïa, et, bientôt, autour du père, on hoche la tête quand on ne l'évite pas ostensiblement. Il est alors mûr pour « risquer un coup » : enlever son enfant, l'emmener à l'étranger, refuser de le rendre à la date prescrite, contester la pension qu'il doit payer et ne pas la verser, etc. Autant d'actes de désespoir qui aggravent son cas et sa solitude, lui attirant des condamnations à des amendes, parfois à la prison, ou à des travaux dits d'intérêt général – comme ce père qui, pour deux jours de retard à « rendre » son fils, dut, pendant deux mois, creuser des tombes dans un cimetière et capturer les vipères dans un bois (le maire du village où il fut astreint à ces tâches ne voulait pas employer un condamné pour vol : aussi a-t-il pensé qu'un père trop attaché à son enfant ferait un condamné parfait à qui on pourrait confier les clés du local municipal où on rangeait les outils de la commune...).

Avec les militants des associations de pères

Après des mois de déroute, il va téléphoner à une association de défense des pères divorcés, il va aller à une réunion, tout surpris d'être enfin écouté et entendu, de n'être plus seul; plus surpris encore de rencontrer là autant d'autres comme lui. Le temps de son chagrin, il va devenir militant de leur cause à eux tous.

A moins que, ignorant qu'il existe des organisations qui conseillent et défendent les pères divorcés, il décide d'en créer une. Il trouve un titre, définit un but pour son association, demande à trois personnes d'en composer avec lui le bureau, et le voilà qui rédige des tracts, prépare un bulletin, va interviewer des juristes, des sociologues, des psychologues : c'est ainsi que j'ai été sensibilisée au sujet que me voici en train de traiter – par plusieurs pères révoltés qui m'ont un jour contactée, chacun séparément, car ils venaient de fonder une association. Ultérieurement, j'ai vu que plusieurs de ces « présidents-fondateurs » avaient fait fusionner leurs petites formations afin d'avoir davantage d'entregent et d'efficacité. J'ai ainsi connu *Pères-mères-enfants,* le *Mouvement pour l'égalité parentale, Les Pères résistants, La Condition masculine-soutien de l'enfant, L'Enfant et son père, Fédération des mouvements de la condition parentale, S.O.S. Papa,* etc. Par eux, j'ai su qu'il existait des mouvements similaires en Suisse, en Allemagne, aux Pays-Bas, et jusqu'en Australie où l'un d'entre eux s'appelle carrément *Men against alemonies* (hommes contre la pension alimentaire), à côté d'autres *Fathers without children,* etc.

La cause de ces associations militantes me semblait digne d'intérêt. Or, chaque fois que je les ai évoquées devant quelque juriste ou sociologue de la famille ou conseiller conjugal confirmé, j'eus droit à une mise en garde : « Méfiez-vous, ce sont tous des cas, des cervelles fêlées, des brindezingues, des psychopathes peu représentatifs, des pauvres types à idée fixe, des paranos, etc. » Les qualificatifs changeaient. Mais ils m'appelaient à la vigilance : ces pères n'étaient nullement représentatifs, ils exagéraient, ils fabulaient, ils n'avalaient pas les progrès accomplis par les femmes – des machos !

Ainsi, bien préparée à faire fonctionner à leur endroit mes préjugés féministes, donc à déceler dans tout ce qu'ils me disaient des relents de machisme patriarcal, j'ai été désarçonnée, puis intéressée, puis compatissante. Désarçonnée, pour avoir toujours rencontré dans ces associations de pères révoltés, des femmes qui militaient à leurs côtés : parfois les compagnes qui partageaient leur vie après leur divorce, comprenaient leur peine, dénonçaient l'injustice qui les frappait; parfois des avocates qui les avaient défendus sans succès et avaient été à même de mesurer les discriminations dont ils avaient été l'objet; parfois des grand-mères par le fils, écœurées de voir la société excuser et soutenir leur ex-belle-fille qui avait subtilisé leurs petits-enfants après avoir démoli la vie de leur garçon; parfois des femmes psychologues ou psychiatres, militantes de la présence paternelle. Ces femmes, à l'évidence, n'étaient pas les dupes de quelques excités du machisme.

Intéressée, je le fus vite, surtout par l'extraordinaire « besoin de comprendre » que tous manifestaient : la société, qui n'avait aucun reproche à leur faire, les avait empêchés de poursuivre l'éducation de leurs enfants, de remplir leur fonction paternelle. « Pourquoi? » demandaient-ils. « Comment expliquez-vous qu'en même temps il soit demandé au père de partager en tout les soins aux enfants et leur éducation, à l'instar des mères, et qu'on l'évince comme inapte, incapable, inutile sauf pour payer, qu'on lui interdise ce qu'on accorde à la mère? Y-a-t-il une clé? Des clés? » La plupart des pères militants que j'ai rencontrés ont, après leur divorce, commencé ou recommencé des études de psychologie, sociologie, démographie et droit, ou se sont mis à dévorer tous les manuels, rapports et articles possibles et imaginables. Ils veulent comprendre pour échapper au souvenir éprouvant d'une traversée dans l'irrationnel, s'apparentant au cauchemar.

Comment, enfin, n'aurais-je pas été émue de compassion à deviner, derrière les indignations et les proclamations offensives, une vraie et indicible douleur, pudique, rentrée?

Réactions des autres hommes : indifférence, incrédulité, méfiance

Cependant, comme eux, j'ai été vite surprise du peu d'échos que leurs cris éveillaient. « En matière de divorce, l'homme est souvent le pire ennemi de l'homme », écrit Bruno Décoret dans *Les Pères dépossédés* [1].

C'est vrai. La plupart des hommes demeurent indifférents aux malheurs des pères divorcés, quand ils ne sont pas franchement incrédules. Est-ce à dire qu'ils s'arrangent très bien d'une conception minimaliste de la paternité? Qu'ils n'ont guère envie d'attirer l'attention sur un droit à la paternité bien comprise dont les aspects « devoirs » les rebutent? Certains estiment-ils qu'il est après tout bien « naturel » (et bien commode) que les mères aient l'éducation des enfants en partage? Et, en plus, si elles le revendiquent, au moins cela, on ne va pas le leur disputer!

Une épaisse carapace d'insensibilité semble protéger de très nombreux hommes des malheurs de leurs semblables : peut-être parce qu'ils ne les considèrent plus comme leurs semblables du moment où ils avouent avoir été défaits par une femme dans un combat pour un enfant. Ces indifférents semblent appartenir à la grande famille des « raisonnables », qui font passer leur carrière avant leur famille, faisant toute confiance à leur épouse pour élever les enfants. Ce sont les arrières-petits-fils des pères qui entendaient être respectés et obéis, mais la tradition, aujourd'hui, les conduit à donner le pouvoir à Madame, avec ce qu'il faut de magnanimité, et un certain soulagement.

Cependant, ce ne sont pas les seuls hommes à lâcher les pères divorcés qui tentent de résister et de sauver leur lien parental. Les anciens soixante-huitards restés fidèles à Wilhelm Reich sont là aussi pour ricaner. Pour eux, le paternalisme est toujours à abattre et la paternité avec. Très nombreux chez les 35-50 ans, déçus dans tous leurs espoirs politiques, ils se raccrochent à un féminisme libertaire. Pour eux, les femmes ont toujours raison, ils leur passent la main. En outre, paternité rime avec hérédité,

1. Bruno DÉCORET, *Les Pères dépossédés,* Desclée de Brouwer, 1988.

c'est la continuité biologique, le lien du sang, la lignée – tout ce qu'ils exècrent.

Dans la grande armée silencieuse des lâcheurs, ont trouve même des hommes qui ont eux-mêmes divorcé, qui ont eux-mêmes été condamnés à une paternité au rabais, et qui, au fond, comprennent. Mais ceux-là se sont remariés ou mis en ménage avec une femme déjà mère d'enfants d'un premier lit. Les voici beaux-pères ou ami de la mère, vivant chaque jour auprès, non de leurs enfants, mais de ceux de leur nouvelle compagne. Depuis longtemps, il a été établi que ces pères-là espacent les visites à leurs propres enfants, relâchent le lien, et bien souvent cessent de les voir : 49 % d'enfants de divorcés voient leur père non gardien environ une fois par semaine quand il n'est pas remarié; et seulement 11 % s'il a une nouvelle « famille », observait-on aux États-Unis [1].

Réactions des femmes : ignorance, raillerie, hostilité

Jusque très récemment, l'opinion féminine semble avoir tout ignoré de ces pères qui récriminent. J'ai souvent énuméré, devant des femmes de tous milieux, tous âges, toutes opinions, la liste des associations de pères que j'avais été amenée à connaître. J'obtenais tous les signes de l'incrédulité : « C'est pas vrai ! » entrecoupés de : « Mais ils sont devenus fous ! » ou « C'est d'un ridicule... » Au moment où je nommais le *Front des pères résistants*, immanquablement, elles se tordaient de rire, et les railleries redoublaient. A l'énoncé : *Mouvement de la condition masculine*, ou bien le fou rire s'accentuait, ou bien certaines s'indignaient : « Eh ! bien ! Ils ne manquent pas d'air, ceux-là ! », « Les pauvres chéris ! Ils jouent les martyrs, peut-être ! » En tout cas, pas une once d'intérêt, de pitié ni de sympathie. Aucune ne semblait se souvenir des

1. F.F.Jr FURSTENBERG, « Reflections on remarriage », *Journal of Family Issues*, n° 4, déc. 1980, pp. 443-453.

rires goguenards et cruels qu'avaient, en leur temps, soulevé les noms des divers mouvements féministes.

Il m'est apparu évident que, s'agissant des enfants, la bonne conscience féminine est solide, lisse, irréfragable. Pas la moindre fêlure de doute. Une bonne conscience offrant un front si uni n'a pas été construite à partir d'expériences personnelles; il s'agit d'une croyance collective sans faille, qui relève de l'esprit du temps. C'est comme un article de foi : à savoir que seules les femmes sont discriminées, seules les femmes sont victimes. C'est comme ça, c'est une vérité établie. Ayant œuvré toute ma vie pour avertir les femmes des injustices qui leur sont faites et les encourager à lutter contre les pesanteurs sociologiques et les préjugés sexistes – je serais malvenue de me plaindre d'avoir eu trop de succès. Je note seulement que si l'on quitte le domaine du travail ou de la vie publique, où elles ont encore fort à faire pour établir leur droit à l'égalité, si l'on aborde le domaine de la naissance et de l'éducation des enfants où elles sont devenues les reines, au point que, au nord de l'Europe, on dénonce le *Family Planning Monopoly* [1] des femmes, leur bonne conscience n'est nullement ébranlée. Nous, femmes, nous sommes du bon côté. C'est nous qui faisons les enfants. C'est nous qui les élevons. Que peut-on nous reprocher? C'est vrai qu'il y a beaucoup plus d'hommes qui sont de bons pères. Mais il y en a encore beaucoup qui ne paient pas ou paient irrégulièrement les pensions. Si l'homme se plaint, ici ou là, d'être un *Sunday father* (père du dimanche) ou un *Zahlvater* (père qui paie), alors, nous, femmes, nous devrions fonder des mouvements de mères divorcées, avec des cahiers de revendications gros comme ça! Tous les débats que j'ai eus avec des femmes sur ces sujets ont pris cette tournure, ne laissant nulle place à l'écoute des problèmes des hommes, mais se terminant plutôt en déclaration de guerre résolue.

Cependant, une évolution de l'opinion féminine semble

1. *Mannen i förändring,* rapport sur le rôle des hommes dans l'avenir, ministère suédois du Travail, 1986.

se dessiner. Elle a commencé en Scandinavie, où le constat de déchirement du tissu familial (plus avancé qu'en France il est vrai) a conduit la société tout entière à reconsidérer l'importance de la famille et à demander aux femmes de laisser leur part aux hommes. Après des années de féminisme intransigeant, frisant parfois la paranoïa, l'ouverture a été souvent présentée comme l'intérêt des femmes elles-mêmes : si vous ne ré-introduisez pas les pères dans le circuit, vous allez tout droit à une paupérisation accentuée des femmes, à leur solitude et vulnérabilité irréparables. C'est ainsi que le concept de coparentalité [1] a pu se développer, une coparentalité qui doit prévaloir pendant l'union, et se poursuivre après la séparation, comme le permet la loi suédoise du divorce depuis 1977. La coparentalité ne s'est pas encore vraiment traduite de manière satisfaisante dans la vie des divorcés, mais les progrès dans l'opinion féminine sont indéniables et laissent espérer un développement harmonieux. En Scandinavie, il y a de la bonne volonté dans l'air, et surtout une sorte de certitude diffuse : la période de libération sexuelle accompagnée de guerre des sexes est révolue. C'est fini, c'est démodé, aussi démodé que les communautés danoises, où les enfants n'étaient pas à leur mère ni à leur père, mais à tout le monde.

Et en France? Quels signes permettent de dire que la guerre à couteaux tirés entre les hommes et les femmes divorcés, au sujet de la garde des enfants, est près de s'éteindre? Une première remarque : jamais n'a existé en France, entre les hommes et les femmes, ce mur de méfiance allant jusqu'à la haine qu'on trouve en pays anglo-saxons, et particulièrement aux États-Unis. Les hommes et les femmes en France ont toujours cherché à se plaire et à se séduire réciproquement, ont toujours adoré parler ensemble, manger ensemble, décliner ensemble plaisirs et bonheurs, même durant les années de luttes féministes. C'est ce bon climat de mixité amoureuse et affectueuse qui rend plus choquante encore la férocité des

1. Voir chap. VI.

affrontements entre ex-conjoints, parents d'enfants disputés. C'est ce qui désigne bien la loi et les procédures de divorce comme étant à l'origine des excès tragiques de ces mésententes.

Sous le prétexte « neutre » de l'intérêt de l'enfant, on a institué entre les pères et les mères, les hommes et les femmes, une asymétrie énorme, constamment favorable aux femmes, dont les intentions et les actes ne sont interprétés qu'avec indulgence et force justifications. Toujours approuvées, toujours encensées ou, à tout le moins, plaintes et comprises, les femmes ont besoin de faire un effort bien méritoire pour se dégager de cette bonne opinion que juges et jugements leur ont donnée d'elles-mêmes et de leurs qualités de mères, toujours reprise par les médias, devenue vérité première. « C'est pour mieux piéger les femmes dans la maternité », observent certaines féministes, non seulement en France, mais également en Angleterre et en Allemagne.

Sont-elles sensibles à cet argument, et désirent-elles échapper un peu aux contraintes et obligations que leur confère la supériorité qu'on leur reconnaît dès qu'il s'agit d'enfants? Trouvent-elles un peu lourd à vivre cet apanage excusif du geste maternel, dont parlait Romain Rolland? Ou bien, par esprit d'égalité et d'amitié envers les hommes, désirent-elles, honnêtement, abolir leurs propres privilèges et partager avec les pères? Toujours est-il qu'en 1992, interrogées dans un sondage au sujet du divorce, 60 % des Françaises ont déclaré qu'elles n'étaient pas d'accord avec la pratique qui confie les enfants à la mère [1]! 60 %! Deux femmes sur trois! Vingt ans auparavant, en 1972, à une question similaire seules 21 % de femmes s'élevaient contre cette pratique. Donc, elles ont changé, elles changent. Est-ce par esprit égalitaire? Est-ce parce qu'elles ne considèrent plus tellement la garde des enfants comme une victoire et un privilège – mais comme aussi... une charge et une corvée qu'elles aimeraient parta-

1. Evelyne SULLEROT et sondage SOFRES, « Les Français face au divorce », *Madame Figaro,* 8 février 1992.

ger? Il est trop tôt pour répondre. Mais une telle inflexion de l'opinion féminine laisse augurer des assouplissements plus favorables aux pères dans l'après-divorce.

Une guerre dont les pères sont les grands perdants

Mais nous n'en sommes pas là. Pour lors, le divorce, de l'avis des pères, est pensé, organisé et conduit comme une guerre, dont les mères sont les vainqueurs désignés au départ, et les pères les grands perdants. Mais pourquoi parler de guerre, quand nous avons vu [1] que, pendant les années 70, partout en Europe le divorce a été libéralisé? « Plus de divorce " saignant " », disait le doyen Carbonnier. Certes. Mais ce qui a été ouvert alors, c'est *l'accès au divorce :* dans toute l'Europe, les tribunaux ont accepté le divorce pour faillite du couple (*breakdown)* et par consentement mutuel.

Depuis une quinzaine d'années, c'est *l'après-divorce* qui crée des situations litigieuses et dramatiques où s'affrontent pères et mères. On a libéralisé la séparation des conjoints, qui peuvent être disjoints, d'un commun accord, sans injures et sans drame. Il en va autrement du couple parental, quand se pose la question : que vont devenir les enfants? A qui les enfants? Lors de la vague de réformes législatives du divorce en Europe, il semble que ce ne fut qu'en Norvège puis en Suède, assez tardivement (1977) que le principe de la libre volonté des époux fut poussé jusqu'au bout, jusqu'à être respecté dans l'après-divorce : la faculté leur a été laissée de s'arranger entre eux pour organiser conjointement la garde de leurs enfants, s'ils le désirent et s'ils y parviennent, le tribunal n'intervenant qu'en cas de désaccord (la loi norvégienne prévoit cependant l'attribution de la garde des jeunes enfants à la mère). Dans tous les autres pays, un jugement civil intervient qui *attribue* la garde de l'enfant, en général à l'un *ou* l'autre parent. En France, comme dans la plu-

1. Voir chap. v.

part des autres législations, c'est le parent gardien qui se voit dévolue « l'autorité parentale », le parent non gardien n'ayant qu'un droit de surveillance.

Le contrôle de la société, personnifié par le rôle du juge, s'est donc déplacé de l'avant-divorce (naguère il était plus difficile d'obtenir l'autorisation de divorcer) *vers l'après-divorce :* les pouvoirs du juge et l'autonomie qui lui est laissée sont nettement renforcés pour tout ce qui concerne ce qu'on appelle « les effets du divorce », c'est-à-dire les suites économiques de la rupture (attribution de prestations compensatoires, pensions, dévolution du logement, etc.) et l'organisation de la famille éclatée (attribution de la garde des enfants mineurs). Naguère, le droit du divorce sanctionnait les atteintes au mariage : l'un des conjoints avait « les torts », et l'autre était réputé « innocent ». L'enfant, dans la perspective du droit d'avant 1975, restait dans la famille avec le parent réputé « innocent ». Sa garde n'était pas « attribuée à »... par le juge.

Depuis 1975, la notion de faute envers l'institution du mariage a été beaucoup atténuée, ou effacée par l'introduction du divorce par consentement mutuel. Le juge, désormais, ne cherche plus tant un coupable au regard de la loi; il décide de la manière dont père, mère et enfants vont vivre après le divorce. Et, pour prendre des décisions aussi importantes, il ne dispose pas d'articles de loi à appliquer, mais seulement d'une ligne directrice : tout doit être fait « dans l'intérêt de l'enfant ». Un juge se défendait ainsi lors d'un colloque auquel participait le Mouvement pour l'égalité parentale : « Tout ce qu'il y a de meilleur et tout ce qu'il y a de pire dans ce domaine a toujours été fait " au nom de l'intérêt de l'enfant ", et le mieux est de partir de l'*a priori* selon lequel parents, juges, avocats, personnels sociaux, tout le monde n'avait que cet objectif en vue [1]. »

1. M. Alain Blanc, juge des enfants au T.G.I. de Paris, Colloque sur l'attribution de la garde et/ou gestion de la séparation, *op. cit.*, p. 14.

L'intérêt de l'enfant, notion vague, polymorphe et plastique

La bonne foi des juges et des personnels sociaux ne peut, en effet, être mise en cause *a priori*. Les avocats et les parents n'ont pu qu'essayer d'anticiper leurs décisions, puis les entériner. Ce n'est donc pas la bonne foi du tribunal que les pères mettent en cause, mais bien le caractère subjectif de la notion « d'intérêt de l'enfant » et l'arbitraire individuel ainsi introduit. Le doyen Carbonnier, connu et apprécié pour le libéralisme de ses vues en matière de droit familial, bien avant le vote de la loi de 1975 mettait en garde contre le vague de ce garde-fou : « L'intérêt étant multiforme et certaines de ses formes impalpables [l'intérêt moral, l'intérêt futur, l'intérêt familial où il y a du moral et du futur], chacun, de très bonne foi, peut s'en faire du dehors une conception différente, et la notion est finalement trop vague pour fournir un principe objectif de solution [1]. »

Irène Théry a étudié avec beaucoup de pénétration les avatars subis par cette notion « polymorphe, plastique [...] qui peut épouser toutes les époques et toutes les causes [2] ». Elle a constaté que l'usage de ce critère unique était de plus en plus contesté, pour deux raisons principalement. D'une part, parce qu'il n'y a plus de consensus social sur la répartition traditionnelle des rôles maternel et paternel, répartition à laquelle on ne cesse de se référer quand on parle de « l'intérêt de l'enfant ». Les féministes des années 70 ont largement contesté le rôle traditionnel de la mère, et les « nouveaux pères » ont remis en question la portion congrue laissée au rôle paternel durant ces dernières décennies. D'autre part, avance Irène Théry, « les modes

1. Jean CARBONNIER, note sous tribunal de grande instance de Versailles, 24.IX.62, *Dalloz 1960-1963.*

2. M. CHAUVIÈRE, « L'introuvable intérêt de l'enfance », *Le Droit face aux politiques familiales, évaluation et contrôle de l'intérêt de l'enfant dans et hors de sa famille*, université de Paris VII, colloque du 30.1.82.

de régulation sociale en matière familiale connaissent des mutations considérables. La définition de l'intérêt de l'enfant est l'enjeu de stratégies des différents corps professionnels amenés à intervenir dans le champ familial : magistrats, avocats, travailleurs sociaux, psychologues cliniciens, psychiatres. Dans un contexte d'incertitude et de désarroi, où l'exigence de protection sociale le dispute à la revendication de liberté individuelle, les débats sur l'enfant de parents divorcés ne prennent sens que rapportés à la mise en place, chaotique et contradictoire, d'un système complexe de régulation sociale du champ familial [1]. » On ne saurait mieux dire.

Indéniablement, le choix du père comme parent gardien « dans l'intérêt de l'enfant » n'a pas été favorisé par ce climat de contestation et de remise en cause « chaotique et contradictoire ». D'abord, parce que les pères sont les victimes des normes anciennes, qui sévissent toujours, concernant les rôles des parents auprès des enfants – et ceci en dépit des considérables changements intervenus dans les familles, comme par exemple le travail professionnel des mères. Ensuite, parce que les pères, jusqu'ici, n'ont guère tiré avantage des affrontements plus nouveaux entre les différents intervenants du « champ familial », à la poursuite d'un contrôle social problématique.

Des préjugés « sexistes » contre les pères

« Dans l'intérêt de l'enfant », la référence au rôle traditionnel de la mère demeure, en dépit des contestations, constante. Elle est celle qui est « naturellement compétente » auprès des enfants. Même si aucune allusion n'est faite à la « nature », il apparaît qu'aux yeux de bien des magistrats, « les femmes sont plus mères que les hommes ne sont pères [2] ».

1. Irène Théry, « La référence à l'intérêt de l'enfant », *Du divorce et des enfants*, INED et ministère de la Justice, cahier n° 111, préface de Louis Roussel, PUF, 1985.
2. Bruno Décoret, *op. cit.*, pp. 69 et *sq.*

En toute honnêteté, je me dois, avant de donner les réactions indignées ou douloureuses de certains pères à cette assertion, d'avouer que c'est ainsi, qu'à un niveau très profond, la mère que je suis, la femme que je suis, la petite fille que je fus ressent les choses. Effectivement, la femme me semble, en général, plus mère que l'homme n'est père, et je comprends la répugnance des juges à séparer un enfant de sa mère.

Mais cette répugnance conduit le juge, à cause des dispositions de la loi, à séparer l'enfant de son père. Or, pour mieux justifier cette pratique, toute une série de préjugés vont être suggérés ou formulés contre les pères. Non seulement ces préjugés sont, comme tous les préjugés, injustes, mais ils sont inutilement blessants et nuisibles. L'homme qui se les voit opposer, ou qui comprend qu'ils sont sous-entendus, lorsqu'on lui refuse la garde de son enfant, a l'impression d'être pris dans un filet inextricable : tout ce qu'il fera ou dira pourra être retenu contre lui. C'est une expérience dramatique, qui en conduit certains à des actes inconsidérés qui leur porteront tort, comme d'enlever leurs enfants, ou qui en conduit d'autres à la dépression, à la dévalorisation de soi, à la fuite.

Voici quelques-uns des préjugés qui conduisent à disqualifier le père « dans l'intérêt de l'enfant » : Un homme qui demande le divorce le fait par égoïsme, alors qu'une femme pense à ses enfants. Un homme ne peut spontanément vouloir élever ses enfants tout seul : s'il demande la garde, c'est pour faire mal à sa femme. Des enfants ne peuvent pas, spontanément, vouloir vivre avec leur père : s'ils expriment ce désir, c'est qu'ils ont été manipulés. On suspecte toujours un homme qui veut la garde de sa fille : n'y a-t-il pas quelque chose d'incestueux là-dessous? A un père qui réussit bien professionnellement, on objecte « qu'avec son travail, il n'y arrivera pas ». S'il dit qu'il préfère ses enfants à sa carrière, c'est que c'est un raté. S'il pleure, s'il exprime une forte émotion, c'est un homme fragile, dépressif, peut-être psychopathe. S'il assiste, calme, aux larmes de sa femme, c'est un insensible. S'il annonce qu'il va changer ses horaires, travailler moins pour avoir du temps pour ses enfants, on l'en dissuade. Il travaille trop ou pas assez...

Avant de mener la longue enquête qui m'a conduite à rédiger ce livre, je ne croyais pas à l'existence de ces préjugés. Je pensais que la seule barrière à laquelle se heurtaient les pères, c'était cette disposition de la loi qui stipulait que l'enfant devait être confié à l'un *ou* à l'autre des parents, jeu de quitte ou double obligeant les magistrats à chercher, éventuellement avec l'aide d'une enquête sociale, qui, de la mère ou du père, est « le meilleur » parent, dans l'intérêt de l'enfant. Mais j'ai dû me rendre à l'évidence : ces préjugés « sexistes » existent bel et bien. Ils ont résisté à la possibilité d'accorder la « garde conjointe », qui a été ouverte dans les pays scandinaves, ainsi qu'en France par la jurisprudence, confirmée par la Cour de cassation, depuis le début des années 80 [1].

Ainsi, un père suédois déclare : « Cela n'arrange rien que tous les droits soient accordés à la mère tandis que le comportement du père est systématiquement dévalué. » Un autre : « Le droit de garde de la femme est considéré comme allant de soi, alors que toutes les relations entre le père et l'enfant sont soumises à des *a priori* et à des conditions exorbitantes. » « Tous les préjugés sont là pour favoriser la mère », se plaint un troisième. Et tous confirment : « Toutes les personnes que j'ai contactées m'ont découragé de demander la garde conjointe en m'expliquant que les chances pour un homme d'obtenir la garde de deux enfants, surtout en bas âge, sont nulles [2]. » A quoi des pères français disent, en écho : « Sa première rencontre avec le juge convainc le père qu'en effet, la balance n'est

1. La garde alternée et la garde conjointe, avec maintien de l'autorité parentale aux deux parents ont été les deux principales innovations introduites en France par la pratique des tribunaux : la Cour de cassation leur a réservé un sort différent : par deux arrêts de principe (21 mars 1983 et 2 mai 1984) elle a condamné la garde alternée et consacré l'autorité parentale conjointe... au mépris des textes ! Néanmoins, certains tribunaux continuent de déclarer illégale la garde conjointe.

2. Témoignages tirés de Männens RÖSTER, *op. cit.*

pas égale. Il n'est pas écouté et éprouve la différence du poids des mots et de l'appréciation des faits, selon qu'ils émanent de lui et de son avocat, ou de la mère et de son avocat. Rien de tel que cette expérience pour qu'un homme comprenne, *a contrario*, ce que voulaient dire les femmes expliquant que leur parole, dans une société d'hommes, était de nulle valeur. Nombreux sont les magistrats des deux sexes qui, coupant court à toute argumentation, signifient d'emblée leur *a priori* en faveur de la mère, ruinant ainsi les espérances du père et sa confiance en la justice [1]. »

Des nombreuses interviews de pères que j'ai faites, je choisirai de donner ces exemples de *pré-jugés* :

« Comme je travaillais de nuit et ma femme de jour, c'est moi qui me suis toujours occupé de mes deux fils. Entièrement : toilette, nourriture, jeux, visites de santé, tout. C'est moi qui les conduisais tous les jours à la crèche et à la maternelle. Donc, je suis venu à la conciliation avec tout un paquet de témoignages de mes voisins, des commerçants, des dames de la crèche et des institutrices de la maternelle qui déclaraient tous que j'étais un papa exceptionnel, modèle, que tout le monde savait que c'était moi qui élevais les petits, que j'étais célèbre dans le quartier avec mes deux gamins dans la poussette. Eh ! bien, mes témoignages, on ne les a pas lus, pas regardés ! La juge m'a seulement dit : “ Personne ne vous a demandé de jouer les nounous ! ” Mais j'étais un père, moi ! Elle sait ce que c'est qu'un père? On ne dirait pas ! Elle me traitait comme quelqu'un qui avait usurpé un rôle, qui avait volé des enfants ! Mais ce sont les miens ! Ou, faut-il le dire? elle me traitait comme un anormal. Un père qui demande la garde de deux petits et prétend les avoir élevés – ce ne peut être qu'un fou, n'est-ce pas? Aussi, ai-je moi-même demandé une expertise psychiatrique. Le psychiatre a bien vu que je n'étais pas fou. »

Hélas ! les préjugés ne sont pas l'apanage des juges. Mon gentil « nouveau père » avait contre lui l'excès de son

1. Paul ELKAÏM, *op. cit.*

chagrin, il ne cachait pas que le fait qu'on lui ait enlevé ses petits, dont il ne savait même pas où la mère, qui ne les avait pas avec elle, les avait cachés, l'avait « déboussolé ». Il peut fort bien être tombé sur un psychiatre qui qualifiera d'un mot obscur et maléfique la plainte de ce *pater dolorosus* qui n'entre pas dans les normes. En fait, « sa juge » voulait lui voir jouer le rôle traditionnel du père pourvoyeur et payeur, et son cas était d'autant plus irritant que sa femme gagnait plus que lui, pauvre veilleur de nuit et nounou de jour. La référence aux rôles traditionnels réduisait à néant ses performances de « nouveau père ».

Mais, parfois, les reproches adressés au père sont exactement inverses, quoique produisant le même résultat. A celui-ci, dont la femme s'est volontairement arrêtée de travailler pour s'occuper des trois enfants qu'elle a volontairement faits, il a été reproché « de trop travailler, d'être trop pris par le développement de sa carrière, et de ne pas donner assez de temps à sa famille ».

Un troisième père travaille à domicile, ce qui lui permet de garder son enfant sans problème (du reste, il l'a fait depuis des mois car sa femme était partie, revenue, repartie, en proie à des difficultés psychiques lourdes). Eh! bien, non! ça n'allait pas! Il emmenait son enfant avec lui chez des clients auxquels il allait livrer son travail. Il était trop gai. Il avait trop d'amis et amies. Il n'était pas assez ci ou ça. Que son fils l'adore n'avait rien à voir. D'emblée, il m'a déclaré : « Vous voulez savoir ce dont je souffre le plus comme père? C'est de découvrir que, quoi que je sois ou fasse, je suis un être marqué du signe – alors que la mère, elle, peut faire ce qu'elle veut, elle est marquée du signe +, on ne lui en tiendra pas rigueur. »

Au cours du colloque sur l'attribution de la garde organisé sous l'égide de l'Institut de l'enfance et de la famille, un avocat a donné cet exemple : « J'arrive dans le cabinet du magistrat conciliateur avec un constat d'adultère contre la femme, à domicile, avec trois enfants présents au foyer. En trois minutes, le juge donne les enfants à la mère en disant : “ Elle n’a pas démérité en tant que mère. ” Je remarque : “ Mais lui, il n’a pas démérité en tant que père ! ” et le juge répond : “ Cela n’a aucun rapport. ” La femme se retrouve dans l’appartement avec les trois enfants et son amant installé chez elle, et le père avec une grosse pension à payer, installé dans la chambre de bonne et dans l’impossibilité de recevoir ses enfants... »

Comment ne pas rapprocher ce témoignage d’un article de Leonid Zuhovickij paru dans la *Literaturnaja Gazeta* de Moscou : « A l’époux, il reste la liberté, moins l’enfant, moins l’appartement, moins l’argent de la pension. A la femme il reste la liberté, plus l’enfant, plus l’appartement, plus l’argent de la pension [1]. »

Des préjugés anti-pères chez d’autres acteurs du divorce que les juges

C’est que l’égalité entre les parents n’est pas la fin vers laquelle tend le jugement de divorce. Seul « l’intérêt de l’enfant » doit guider le magistrat, selon la loi. Il n’a donc pas à sauvegarder les droits du père, mais à chercher ce que représente le père au regard de la sécurité, la moralité et la santé de l’enfant, en comparaison de ce que représente la mère. Ce n’est donc pas d’un déni de droit que peut être accusé le magistrat qui n’écoute pas le père et l’évince d’emblée. On peut seulement lui faire remarquer qu’il remplit sa fonction d’arbitre désignant le meilleur parent pour l’enfant en se fondant sur des stéréotypes dépassés et en ne cherchant pas à réévaluer, à la lumière des faits réels, la valeur éducative et affective que peut avoir un père. C’est-à-dire en *pré-jugeant.*

Au chapitre des préjugés anti-pères, je ne voudrais pas qu’on incriminât les seuls juges. D’abord parce qu’on ren-

1. Leonid Zuhovickij, « Kuda iscezajut nastojascie muzciny? » (Où sont passés les vrais hommes?), *Literaturnaja Gazeta*, 10.10.1984, p. 12, cité par H. Yvert-Jallu in *L’Après-divorce dans la société russe contemporaine*, à paraître.

contre de plus en plus souvent des magistrats qui n'ont pas pour seuls référents les vieux rôles traditionnels des sexes et ne semblent pas avoir de comptes à régler avec les hommes qui ont la fibre paternelle développée. Ensuite, parce qu'on trouve tout autant de têtes farcies d'idées toutes faites sur la mère-dévouée-meilleur-parent et le père-plus-égoïste-et-absorbé-par-sa-carrière, par exemple parmi les avocats. Même les avocats défendant les pères parlent souvent à coup de stéréotypes et agissent parfois à l'encontre de la volonté de leur client – qu'ils ne comprennent pas, dans sa réalité profonde. Ils et elles sont légion, les avocats qui découragent le père de demander la garde de l'enfant (« Nous allons devant un échec certain, cher monsieur ! ce n'est pas raisonnable ! »), mais qui lui feront miroiter ce que leur habileté d'avocat leur permettra d'obtenir : oh ! non pas l'enfant, non ! ni des conditions humaines d'exercice de son droit de visite ! mais l'évaluation la plus basse possible de la pension qu'il aura à verser... (« Je me fais fort, monsieur, de la faire baisser encore ! Nous ne serons condamnés qu'à X francs ! »)

Et que dire des assistantes sociales qui font les enquêtes sur la situation morale et matérielle de la famille et sur les pratiques éducatives des parents... Même si elles-mêmes ne les biaisent pas, leurs enquêtes sont bien sujettes à caution, notent J.-J. Guillermé et Ph. Fuguet [1], car recueils de témoignages qui ne sont « qu'indices fragiles, exprimant souvent des préjugés personnels ou des stéréotypes tendancieux, d'autant que les témoins qui fournissent la matière de ces enquêtes peuvent rester anonymes ». Ces mêmes auteurs hésitent à mettre en cause les assistantes sociales directement, mais rapportent que « d'aucuns vont même jusqu'à soutenir que le choix systématique de la mère pour l'attribution de la garde tient surtout à l'extrême féminisation du corps des assistantes sociales ! »

Irène Théry, qui a étudié leurs comptes rendus d'enquêtes, relève le contraste entre le style neutre, les

1. Jean-Jacques GUILLERMÉ et Philippe FUGUET, *Les Parents, le divorce et l'enfant*, ESF, 1987, p. 111.

renseignements factuels, puis, de-ci de-là, des phrases comme : « C'est une femme sensible et dévouée », « C'est une femme tout à fait désemparée qui s'accroche à l'idée de garder sa fille comme à une bouée de sauvetage » – révélatrices de la subjectivité de l'enquêtrice, laquelle, pourtant, cherche à masquer la relation qui s'est forcément établie entre enquêtrice et enquêtés, « l'inévitable dépassement de sa fonction de témoin ». Il faut savoir que l'enquête doit « éclairer » le tribunal, comme aussi les rapports des psychologues et psychiatres, et que, très souvent, elle se conclut sur des propositions extrêmement précises. Comment le tribunal n'en tiendrait-il pas compte, alors que le magistrat n'a pas d'autre accès direct aux données de fait? « La “ mission d'éclairage ” du tribunal se révèle donc plus proche d'une délégation du pouvoir de juger quand le magistrat se reconnaît dans l'incapacité ou l'impossibilité de déterminer où se trouve l'intérêt de l'enfant [1]. »

« Je n'ai eu affaire qu'à des femmes... J'étais seul homme, comme un accusé »

J.-J. Guillermé et Ph. Fuguet ont craint de paraître « sexistes » en prenant sur eux de déterminer le poids joué par « l'extrême féminisation » du corps des assistantes sociales, c'est un scrupule qui les honore. Ils n'ont pas voulu préjuger des préjugés des femmes en faveur des mères. Personnellement, je crois qu'il est sain de s'interroger carrément sur l'étonnante féminisation des acteurs du théâtre judiciaire des affaires matrimoniales. Après tout, on va juger d'affaires qui intéressent autant d'hommes (les pères) que de femmes (les mères) et, parmi les enfants concernés, autant de garçons que de filles. Alors pourquoi autant de femmes dans tous les rôles?

Les assistantes sociales sont presque toutes des femmes, les psychologues sont majoritairement des femmes, les

1. Irène Théry, « La référence à l'intérêt de l'enfant », *op. cit.*

avocates sont majoritairement des femmes, les juges sont majoritairement des femmes. Tout le monde sait que l'ensemble du corps des assistants sociaux ou des psychologues est très féminisé, dans tous les pays. Le cas des avocates et des juges est plus intéressant. C'est vrai qu'en France la profession d'avocat est passablement féminisée, mais, alors que ce sont des avo*cats* qui se spécialisent dans les affaires financières, les avo*cates* sont nettement majoritaires dès qu'il s'agit des affaires de famille et des divorces en particulier.

Il en va de même pour les juges : les Chambres de la famille regroupent davantage de juges jeunes et de juges femmes que l'ensemble du corps des magistrats. Est-ce parce que c'est la moins noble des branches de la justice parce que la plus éloignée du droit? Jacques Commaille rappelle que les Chambres de la famille sont destinées à traiter des questions « relevant des personnes sur un mode différent de celui de la Justice civile classique, avec l'intervention en continu de spécialistes des sciences humaines [1] ». Cette forme de la justice apparaît comme « constamment menacée et constamment en crise de fonctionnement et de légitimité », mais elle « se perçoit comme la plus accomplie, la mieux inscrite dans la modernité sociale [2] ». « Il existe chez le juge aux Affaires matrimoniales une tendance naturelle à faire primer l'équité sur le droit [3]. » Cette situation place le juge plus près des sciences humaines que du droit, et risque de donner l'impression qu'il ne dit pas la loi mais manie des « notions à contenu variable » (Carbonnier) comme celle de l'intérêt de l'enfant. Elle attire peut-être tout particulièrement les femmes, qui trouvent là une fonction sociale qui leur semble plus riche, même si elle est la plus éloignée des

1. Jacques COMMAILLE, *Familles sans justice? Le droit et la justice face aux transformations de la famille*, Le Centurion, 1982.

2. Jacques COMMAILLE, « Formes de justice. Enjeux professionnels et rapports entre ordre privé et ordre public »,*Annales de Vaucresson*, n° 27, 1987/2.

3. Danièle HUET-WEILER, préface à C. LIENHARD, *Le Rôle du juge aux Affaires matrimoniales*, Economica, 1985.

sommets hiérarchiques de la Cour de cassation. La même analyse s'applique aux *Family Courts* britanniques.

Toujours est-il que les JAMs (juges aux affaires matrimoniales) sont principalement des femmes, surtout au-dessous de cinquante ans. Cette tendance à la féminisation du corps s'accentue d'année en année. Aux yeux du père qui entre dans leur cabinet, même si leur arbitrage ne sera pas influencé par leur sexe, elles apparaissent comme des femmes. Une femme juge, une femme greffière, une femme avocate de la partie adverse, une autre aussi pour lui-même (lorsqu'il a cherché un avocat dans un cabinet connu, on l'a aiguillé vers une femme). L'assistante sociale qui est venue enquêter chez lui était une femme, elle a interrogé l'institutrice de la fille qui est une femme et la directrice de la crèche du garçon qui est une femme – et la concierge, et les voisines... La psychologue qui a rencontré sa fille était une femme. Un divorcé me disait : « Je me suis senti incongru. J'appartenais au mauvais sexe. J'étais condamné d'avance. C'était comme un cauchemar. » Et, comme je lui demandais d'expliciter le mot « cauchemar » : « Dans les rêves, parfois, on est tout seul, tout nu, au milieu d'une cérémonie où les gens sont tous habillés... C'était la même impression. Ma voix, mes gestes me dénonçaient comme homme, tout seul homme. Je ne sais pas si elles m'en voulaient d'être un homme, mais moi je me sentais très mal dans ma peau, dans un autre monde, je ne savais pas comment me tenir, ni quoi dire. Un peu comme si elles allaient juger tous les hommes à travers moi... »

Même écho chez les Suédois de Göteborg entendus par Barbro Lannéer-Axelson : « Déjà, les femmes s'expriment plus facilement que les hommes. Mais alors, devant des femmes. [...] Les femmes savent mieux trouver le mots qui touchent, par exemple pour parler du besoin qu'elles ont de leur enfant. » « C'est difficile de savoir l'idée du “ bon père ” que se font ces femmes. » « Les assistantes sociales, surtout si elles sont un peu âgées, n'acceptent pas l'idée que l'homme a pu changer et la figure du “ nouveau père ” n'a pas de place dans leur pratique. » Et puis, toutes ces femmes ne comprennent pas ce que signifie pour un homme « quitter sa maison », cette maison qu'il a acquise par son travail et qu'il doit laisser à sa femme, cette maison symbole de son inscription dans la société et la continuité. « Une femme ne peut pas bien comprendre la déstabilisation que cela signifie. »

C'est pire encore pour le chômeur, pour celui qui n'a pas la situation « stable » que les femmes attendent de tout homme et surtout de tout père de famille. Il sait bien qu'elles savent, ces femmes, qu'un homme ne tient en équilibre que grâce au double étayage du foyer et du travail. Si le travail craque quand le foyer éclate, elles savent que le bonhomme ne va pas tarder à s'effondrer. Et quand il va s'effondrer, il lâchera la main de l'enfant, il partira, il errera ou se terrera. Il ne saura pas, comme la mère seule, en appeler à la société pour obtenir le revenu minimum versé au « parent isolé ». Car, aux yeux des femmes qui jugent son divorce, il n'est pas une victime. Il est celui sur lequel, « dans l'intérêt de l'enfant », il ne faut pas compter. « Quand est venu le moment d'aller au tribunal pour le divorce, bien sûr, je n'avais pas de torts. Comme père, je n'avais aucun tort. Mais j'étais toujours sans travail... J'avais déjà mauvaise conscience de ça. En plus, j'arrive, et je n'ai eu affaire qu'à des femmes... Juge, avocates, toutes... J'étais comme un accusé, alors même que c'est elle qui avait des tas de choses à se reprocher, comme mère... »

Une intime conviction à géographie variable

Il ne faut pas en inférer que les femmes jugent plus sévèrement les pères, systématiquement. Bien des juges hommes ont également à leur endroit des réflexes répétitifs : garde à la mère, garde à la mère... presque sans examen. J'avais été alertée par le fait que, au sein de leurs associations, les pères divorcés « se refilent des tuyaux » et avertissent les néophytes des juges « à éviter à tout prix ». Par deux fois, ce sont des noms de femmes juges en province que j'avais entendu mentionner comme farouchement anti-pères. « Avec elle, tu n'as aucune chance. »

Mais, à mon questionnement, il fut répondu avec beaucoup de nuances. « Celles-là, oui, étaient systématiquement pour les mères, mais elles ne sont pas toutes comme ça. Certains pères préfèrent avoir affaire à une juge femme car, elle, au moins, c'est une femme qui travaille, elle sait qu'elle a des problèmes de garde d'enfant, comme un homme qui travaille. Tandis que, pour bien des juges hommes, toutes les mères sont toujours disponibles pour leurs enfants et tous les pères toujours indisponibles. C'est à croire qu'ils ne savent pas que les femmes travaillent et que, la plupart du temps, elles n'ont pas plus de temps libre que nous. Cela, un magistrat femme, qui l'a vécu, peut l'admettre. »

Juge femme ou juge homme, la question reste ouverte. Mais ce que révèlent les supputations de ces pères inquiets, c'est l'omnipotence des JAMs. Homme ou femme, ce juge qui va décider du sort de toute une famille pour des années, tranche-t-il au cas par cas, ou en vertu de ses convictions propres? Il apparaît bien que, ici, on décourage systématiquement les pères de demander la garde sous le prétexte « qu'elle n'est jamais accordée au père », tandis que, là, on permettra au père de tenter de l'obtenir, car tel juge se laisse parfois fléchir.

Pour en avoir le cœur net, Michel Thizon [1] a recherché, tribunal par tribunal, combien de pères avaient obtenu la garde de leurs enfants en 1990, et, d'autre part, combien de juges avaient attribué l'autorité parentale conjointe (qui semble connaître davantage de faveur depuis la loi Malhuret de 1987). Il est parti de la constatation suivante : le nombre des divorces avec enfants est suffisamment important en France chaque année pour qu'on puisse

1. Michel THIZON, SOS Papa, janvier 1992. Source : Jugements des divorces avec enfants par juridiction, Répertoire général civil du ministère de la Justice, chiffres communiqués le 15 octobre 1991.

lui appliquer la loi des grands nombres. Les attributions de la garde au père ou les prononcés de garde conjointe devraient se répartir entre tous les tribunaux, et la dispersion mathématique d'un tribunal à l'autre devrait être faible.

Or, ce n'est pas du tout ce qui se passe. Par exemple, s'agissant de la garde accordée au père exclusivement, alors que la moyenne nationale annoncée est de 7 %, on découvre que le père qui « passe » en jugement à Albi, Annecy, Avignon, Belley, Bobigny, Bourguoin, Évreux, Lons-le-Saulnier, ou Nice aura bien peu de chances car ces tribunaux n'ont accordé, en 1990, que 0 à 4 % de « gardes au père ». En revanche, à Dinan, Privas ou Saint-Gaudens, on en a accordé plus de 30 % ! Une telle dispersion n'a aucun sens, ni géographique ni sociologique. Elle renvoie seulement à des pratiques propres à tels juges, qui n'arbitrent pas « à la tête du client », mais « à leur tête à eux-mêmes », selon leurs convictions ou préjugés. Même constat pour l'attribution de la garde conjointe : Bergerac, Bordeaux, Châteauroux et Tarascon accordent des gardes conjointes à tour de bras, jusqu'à 80 %. En revanche, peu de chances à Albi (1,1 %), Blois (1,9 %), Bourg-en-Bresse, Brive, (9 %), Hazebrouk (0,7 %), Melun (1,1 %), Saint-Omer (1,9 %) et Vesoul (0,6 %). « Faut-il savoir déménager avant de divorcer? »

Ainsi, il est clair que, la plupart du temps, les agents du divorce se réfèrent bel et bien aux normes anciennes des rôles des sexes, alors même que toute la société bruit de leur remise en cause. Le père doit travailler et payer, et, quelque bon « nouveau père » qu'il puisse être, il n'a que peu de chance de se voir confier son enfant. Il n'en a aucune s'il n'a pas de travail. En revanche, la femme, qu'elle travaille ou non, conserve toutes ses chances.

C'est peut-être dans le cas de la séparation de parents jusque-là non mariés, seulement cohabitants, appartenant tous deux aux générations qui contestent le plus les vieux stéréotypes sexuels, que la référence aux vieilles normes est la plus choquante et la plus criante. A la mère, l'enfant et l'autorité parentale, à tout coup. Au père, seulement si elle a bien voulu, à la naissance de l'enfant, signer avec lui une demande d'autorité parentale conjointe, un droit de visite rigide et un devoir de pension; si elle a gardé l'autorité parentale pour elle seule, rien du tout, sauf le devoir de payer.

Le traitement social des suites du divorce ignore les pères

Les pères sont-ils affectés par d'autres stratégies sociales que celles exprimées par les tribunaux, par d'autres aspects de ce qu'Irène Théry appelait « la mise en place chaotique et contradictoire d'un système complexe de régulation sociale du champ familial »?

Le « champ familial » est un vrai champ de bataille aussi bien dans les pays qui réfutent toute « politique familiale », telle la Grande-Bretagne, que dans les pays qui se targuent d'avoir une politique familiale globale, telle la France. C'est un champ de bataille où s'affrontent des personnels spécialisés qui ont des logiques contradictoires, des méthodes différentes, renvoyant à des présupposés théoriques, parfois antagonistes. Je veux parler de l'immense armée des travailleurs sociaux, conseillers familiaux, psychologues, éducateurs spécialisés, psychiatres. Les uns appliquent le droit social sans états d'âme, d'autres ne jurent que par l'approche systémique, d'autres par les techniques de médiations, etc.

Le droit social, lui, n'a plus grand-chose à voir avec le droit civil. Il cherche à concilier l'inconciliable, c'est-à-dire les exigences d'autonomie des individus, et singulièrement des femmes, par rapport au mariage – exigences sans cesse croissantes mais très bien comprises et approuvées par la majorité de la société – avec, d'autre part, les exigences de tous, mais particulièrement des femmes seules avec enfants, de protection, de sécurité, à charge pour la solidarité nationale d'y pourvoir. Naguère, le divorce était rude aux femmes : certes, elles parvenaient, difficilement, à conquérir leur liberté, mais elles la payaient d'un grand risque économique et d'une forte perte de statut social. Maintenant, le père doit en principe continuer après le divorce à payer pour l'enfant, mais s'il ne le fait pas, ou s'il ne le peut pas, ou si l'enfant n'a pas de père, la société pense qu'elle doit venir en aide à la femme, au nom de la volonté redistributrice des politiques sociales qui ont à se préoccuper des plus vulnérables. La femme avec enfant, divorcée ou célibataire, qui ne touche pas de pension alimentaire du père de l'enfant, ou une trop petite ou trop irrégulière pension, va être prise en charge. En Grande-Bretagne, en Hollande, en France, elle va recevoir un minimum vital.

Comment interpréter cette logique de justice sociale du point de vue du père? Toutes nos législations sociales déclarent en effet que ces allocations peuvent être touchées par un « parent isolé », mère ou père, sans distinction de sexe; mais chacun sait qu'il n'y a guère que des mères qui les touchent, le « père isolé » avec allocation demeurant une exception bien rare. Une telle logique de justice sociale peut être considérée comme favorable aux pères, ou défavorable aux pères, selon la lecture qu'on en fait. Des fonds publics viennent compenser le manque ou la faiblesse des apports paternels à l'enfant : n'est-ce pas tout bénéfice pour les pères fuyards ou les pères en difficulté, auxquels la société se substitue? Oui, mais ces pères en fuite ou nécessiteux, la société ne les tient pas quittes pour autant : elle continuera de les poursuivre, et de faire des saisies sur leurs salaires s'ils en touchent. D'autre part, ne peut-on dire que de telles dispositions affaiblissent le rôle traditionnel du père, dans la mesure où « on en vient à pénaliser les vraies familles où le père assume sa responsabilité de bon pourvoyeur [1] »? Les « vrais bons pourvoyeurs » paient pour les mauvais pères. Ils paient aussi

1. Didier LE GALL et Claude MARTIN, « La complexité des régulations sociales appliquées à la famille : l'exemple des foyers monoparentaux », *Familles, interventions et politiques*, Annales de Vaucresson, nº 27, 1987/2, p. 185.

pour les femmes qui n'ont pas voulu de père pour leur enfant.

Car on ne peut plus raisonner comme du temps où chaque mère célibataire était la victime piégée d'un infâme séducteur. Aujourd'hui, toute femme peut éviter la grossesse grâce à la contraception, et si elle a été surprise et se trouve enceinte contre son gré, elle peut avoir recours à l'interruption volontaire de grossesse. Si des femmes continuent d'avoir des enfants que le père n'a pas reconnus, ou elles le font volontairement, ou ce sont des cas sociaux – encore que la plupart des femmes en situation sociale très difficile affirment avoir voulu leur enfant, même sans père, ou ne pas vouloir retrouver le père.

La « mère sans père » apprend, ou sait déjà, qu'elle a « droit à » une allocation de la part des fonds publics. On a parlé, en ce cas, de l'État-Papa, qui couvre les risques. On est bien loin du *Poor Relief Act* anglais de 1834, qui annulait toute obligation pour le père de subvenir aux besoins de son enfant si cet enfant était illégitime! Comme Michel Foucault l'a montré, le droit, généralement, cherche à ramener les dissidents dans le chemin de l'idéologie dominante. En faisant supporter aux filles-mères « la charge, les frais et l'opprobre », la société anglaise du XIXe siècle espérait raréfier les grossesses illégitimes et maintenir les femmes dans les rails du mariage.

Que cherche le droit social actuel, quand il prend en charge la mère célibataire ou divorcée qui ne reçoit rien du père de son enfant? Il n'y a plus d'opprobre et les frais sont à charge de l'État-providence. Est-ce un encouragement à faire des enfants sans père ou à se sauver loin du père de l'enfant? Ou faut-il croire à la théorie de Jacques Donzelot [1] selon laquelle, pour transmettre ses normes aux familles populaires, l'État aurait remplacé la sanction par la « philanthropie », et, via l'aide sociale, contrôlerait étroitement celles-là-mêmes qu'il entretient?

1. Jacques DONZELOT, *La Police des familles*, éd. de Minuit, 1977, p. 153.

Il est vrai que le contrôle social sur la mère seule est d'autant plus pesant qu'elle est pauvre. Or elle n'est guère encouragée à travailler pour conquérir son autonomie si elle perçoit le « *welfare* » ici, l'API là. Ce qui fait dire à John Eekelaar [1] que « le développement du divorce dans une société où le pouvoir économique reste inégalement distribué entre hommes et femmes et où l'éducation des jeunes enfants demeure fondamentalement basée sur la famille, a menacé l'accession équitable des femmes et des enfants aux ressources économiques » – et c'est pourquoi, depuis 1973, je me suis occupée de permettre aux femmes divorcées de se réinsérer dans le monde du travail. Les politiques sociales, désormais, tant en France qu'en Angleterre depuis 1984, cherchent à encourager la femme divorcée à acquérir son indépendance économique.

Il n'en est pas moins vrai que le traitement social des suites des divorces ou séparations a, sans l'avoir recherché, participé à l'effacement du rôle du père, remplaçable par un peu d'argent public. Mais il devrait permettre de constater que la famille autonome, la famille qui ne subit pas de contrôle social, la « famille contre les pouvoirs [2] », c'est la famille complète, avec père présent, ou la famille divorcée si les deux parents sont également responsables.

La liberté très conditionnelle du parent non gardien

Or, dans les divorces actuels, on est bien loin de cette responsabilité partagée qui laisserait le père jouer son rôle actif dans tous les cas, les plus nombreux, où il n'a pas commis de faute grave, où il n'a pas démérité comme père.

1. John EEKELAAR, *Oxford Essays in Jurisprudence*, third series, Oxford, Clarendon, 1987.
2. Pierre-Patrick KALTENBACH, *La Famille contre les pouvoirs*, Nouvelle Cité, 1985.

Ce père, la plupart du temps, ne désirait pas divorcer. Il obtempère au désir de sa femme, on lui apprend qu'elle demandera « la garde » des enfants et l'obtiendra à tous coups, inutile de lutter là contre, donc. Mais lui, que va-t-il devenir vis-à-vis de ses enfants? On le lui dit. C'est une expression purement négative. Il sera, logiquement, le parent « non gardien ». Mais encore? Quels droits aura-t-il ou quels droits peut-il demander, hormis la garde? Oh! il ne peut guère discuter ni obtenir beaucoup d'assouplissement de la part de la justice prétorienne qui a « attribué » son enfant à la mère. Il va être « condamné » – c'est l'expression, dure à entendre pour un non-coupable – à payer une pension pour l'enfant.

Pour le reste, on va lui remettre, *imprimées par avance*, les tristes et strictes dispositions de son « droit de visite ». C'est dire combien la marge de manœuvre du magistrat est négligeable; le père ne peut pas une minute avoir l'impression qu'on juge au cas par cas, qu'on l'écoute, qu'on comprend... Le père qui aime son enfant et que son enfant aime apprend d'un coup qu'il ne pourra plus le voir que deux fois par mois, généralement. Quel est le père qui peut reconnaître à une autorité quelconque la compétence pour lui infliger cette restriction dans l'accomplissement de sa fonction paternelle? Ce calendrier dans son besoin d'amour? On lui dit que c'est « dans l'intérêt de l'enfant » de ne plus le voir que de temps en temps. Peut-il sérieusement le croire? Ne pas en être blessé profondément? Rendu furieux? Désespéré?

Pourtant, il n'a pas encore mis en pratique ledit système. Il ne sait pas encore ce que cela signifie, être le parent « non gardien ». Voici ce qu'en dit Paul Elkaïm : « Rareté, brièveté, incertitude, contraintes de toutes sortes, contraintes horaires, routières, financières, souffrances psychologiques intenses qui sont l'effet de contradictions instituées comme à souhait, – saturent l'exercice du droit dit de visite et d'hébergement, au point que ses " bénéficiaires " le vivent comme une sorte de tolérance très conditionnelle dans le cadre d'une sanction afflictive, et non comme le moyen exigible du libre cours de leurs sentiments naturels. »

Vous ne les reconnaissez pas, sur les plages l'été, dans les parcs de loisirs l'hiver, les jeunes pères à la petite semaine, les jeunes pères d'une portion congrue de vacances scolaires? Voyez-les, ils se penchent sur leur fille, dans la queue au cinéma; ils se penchent vers leur garçon, attablé dans une brasserie devant une gigantesque glace, ils se courbent, comme s'ils étaient un peu sourds. Non, ils entendent très bien, mais c'est si difficile de trouver quoi dire, si difficile de trouver le ton, si difficile de trouver les gestes, quand on est en service commandé, tel jour, de telle heure à telle heure... La littérature nous a appris à abominer les cinq-à-sept adultérins en nous dépeignant l'incapacité où se trouvent les amants d'être naturels, et le cinéma y a ajouté le geste de l'un ou de l'autre, jeté sur le lit saccagé, qui regarde sa montre... Il faudrait que ce soit tout simple pour un père et son enfant?

Mais c'est difficile de se faire pardonner de lui voler un dimanche après-midi, à cette petite qui était justement invitée chez sa meilleure copine. C'est si difficile de rompre le silence, de parler autrement qu'en posant à la file des questions idiotes du genre : « Alors, à l'école, comment ça va? Elle est gentille, ta prof? » C'est si difficile parfois de trouver un lieu, un endroit, une maison pour « héberger » (on a le droit d' « hébergement ») son enfant, de telle heure le samedi à telle heure le dimanche. Dans une piaule meublée, non, non merci. Chez ses propres parents, ça fait un peu « régression infantile », et puis Mamie accapare l'enfant les trois quarts du temps sous prétexte de lui faire à manger, à moins qu'elle ne joue les discrètes et ne ferme la porte sur un : « Je vous laisse, vous devez avoir tant de choses à vous dire, tous les deux... » Avec la petite amie du moment, on hésite toujours. C'est gênant, et surtout, c'est périlleux car infiniment délicate est l'horlogerie sentimentale d'un enfant chahuté entre deux parents. Elle peut se bloquer soudain, enrayée de jalousie, alors que pour cette fille-là, ça ne vaut pas la peine de risquer un coup pareil. D'autant que l'enfant arrive de « chez sa mère », avec peut-être des préventions plein la tête qu'elle lui aura soufflées, et l'enfant retournera demain « chez elle », et sans doute il lui sera demandé de raconter tout, tout... en détails... comment est-elle, cette femme? Comment il l'appelle? *Non,* mieux vaut se retrouver ailleurs, dans la ville, aller en voiture quelque part, mais où? C'est difficile, si difficile chaque fois, quand on est le pôle de la famille qui a été rejeté loin, dévalorisé, qui doit bien avoir, dans l'esprit de l'enfant, des torts ou des faiblesses... Mais c'est difficile aussi quand l'enfant vous aime fort, vous attend, espère en vous. « Il m'étreint, se frotte contre moi, affectueux, débordant, c'est affreux comme on s'aime, va-t-on pleurer? Il faut se ressaisir. Et ce bavardage incessant, logorrhéique, diarrhéique, et ces rires forcés de la première heure, cette voix pas naturelle, et par moments il m'appelle Charles, ou Denise [1]... »

C'est encore plus difficile quand vient le dernier jour, la dernière heure. « Que pourrait-on faire aujourd'hui? – Comme tu veux, répond cet enfant de plus en plus docile à mesure que se rapproche notre séparation inéluctable [1]. » C'est encore plus difficile quand l'enfant s'accroche à son père, lui confie qu'il n'est pas très heureux avec sa mère et l'autre, et lui demande naïvement de le garder, le supplie, persuadé que si son père voulait vraiment, il pourrait le garder...

« Allons, monsieur! Ne vous énervez pas! », dit la police au père dont on bafoue les droits

Et c'est plus difficile encore lorsque la mère « gardienne » en vient à multiplier les bâtons dans les roues du pauvre père dépossédé. Les opposants à la « garde conjointe » après le divorce tirent argument de l'excitation

1. Michel Bideau, *La Dérive*, roman, Belfond, 1991, pp. 188 et 207.

permanente à la discorde que peut constituer la concurrence quotidienne des parents autour de l'enfant, des parents bien souvent en très mauvais termes au moment de leur séparation. Ils estiment que la garde monoparentale est un moindre mal, car elle calme davantage les esprits, en figeant dès le départ la situation : l'enfant habite avec la mère, qui seule a l'autorité parentale, le père peut « exercer » son droit de visite et d'hébergement dans certaines limites définies. Mais, dans la pratique, il arrive très souvent que la monoparentalité de la garde envenime les rapports des ex-conjoints, tant son vécu apparaît dur et injuste au parent non gardien, alors que l'autre, en position de force, grignote toujours un peu plus de terrain. Après quelques mois et plus encore quelques années, la mère se sent devenue plus que le « parent gardien » : le *bon* parent, le seul parent. L'existence de l'autre, avec ses week-ends et sa moitié des grandes vacances, la dérange de plus en plus.

Les pères « non gardiens » évoquent presque tous, avec agressivité ou mélancolie, les « bonnes raisons » avancées chaque semaine pour ne pas libérer l'enfant, les enfants qui lui sont systématiquement remis en retard, les certificats médicaux trop fréquents pour être honnêtes, les prétextes de toutes sortes dressés pour faire échouer les rencontres projetées. La loi, en ce cas, prévoit des amendes, et même des peines d'emprisonnement, car il est interdit de faire obstacle au droit de visite. Mais il faut le prouver. Le père ne peut pas tenir un huissier sous pression nuit et jour.

Plus étrange, il apparaît qu'il ne peut recourir aux gendarmes ou à la police : l'expérience montre qu'ils ne se dérangent pas pour faire respecter le droit de visite des pères : « Il m'est arrivé de demander à la gendarmerie voisine du domicile de mes enfants et de leur mère de se déplacer, non pour m'aider à exercer mon droit de visite, mais pour constater que c'était impossible... Ils ont tenté de me rassurer : “ Vous savez, c'est difficile, d'élever des enfants... Ils ne risquent rien, puisqu'ils sont avec leur mère... C'est souvent comme ça dans les divorces... Il ne faut pas vous énerver [1]. » Je n'ai pas eu à connaître de cas où les gendarmes ou la police se sont dérangés. Plusieurs pères m'ont conté la même débonnaire fin de non-recevoir.

En revanche, les mères trouvent presque toujours des policiers pour faire constater qu'à la date et à l'heure dite, l'enfant n'a pas été reconduit par son père, et pour traquer le père, après plusieurs jours de retard. On pourrait faire un livre de ces cas aberrants, entraînant des condamnations infamantes. Tel père, alors qu'il roulait en compagnie de son fils de 5 ans et demi, bloqué par deux voitures de police banalisées, dans le plus pur style de série télévisée, ceinturé par quatre gaillards, les menottes passées aux poignets devant son enfant qui hurlait, qui n'a pas cessé de hurler au commissariat, qui s'agrippait à son père. Jamais la police n'agirait ainsi pour récupérer un enfant qu'une mère non gardienne ne rendrait pas à la date prévue. Si je comprends parfaitement qu'aucune mère ne soit pourchassée ni ceinturée de force en tel cas, ce qui serait un scandale, je comprends moins bien que l'opinion publique ne crie pas au scandale quand on traite ainsi un père sous les yeux de son enfant.

Il faut s'interroger sur cette opinion publique, à la fois hypersensibilisée dès qu'il s'agit d'enfants, et étrangement sourde si le père est en cause. Si l'enfant est l'acteur du fait divers – comme le petit Cédric qui avait parcouru à pied plusieurs centaines de kilomètres pour rejoindre son père –, les médias font caisse de résonance, on en parle, on en vient à discuter du fond des choses. Mais parce que le père n'avait pas bougé. L'injustice était ressentie par l'enfant, qui avait agi en conséquence, bravant les interdits. L'injustice ressentie par les pères n'émeut pas les foules. Au contraire : ils sont volontiers taxés de jaloux, d'excités. Leurs plaintes sont rarement écoutées, encore moins répercutées par les médias, comme un fait de société. « La réglementation est à sens unique, concentrant tous les pouvoirs et prérogatives sur l'un des parents sans

1. Bruno DÉCORET, *op. cit.*

même lui imposer le respect des droits mineurs de l'autre. Il est arrivé que la mère change le prénom de son enfant, l'inscrive à l'école sous le nom d'un nouveau mari, déclare que son père est mort – on devine qui atteignent en réalité ces gestes proprement meurtriers – sans que nul ne lui demande des comptes, nul ne s'intéressant à l'existence physique d'un parent non gardien dont l'existence légale n'est opposable que pour le versement d'une juste pension [1]. »

Pour les médias, le « désespoir » des mères touche plus que la « révolte » des pères

Si les médias ne sont nullement responsables de ces faits et de leurs conséquences, la différence de traitement qu'ils réservent aux injustices selon qu'elles sont faites aux pères ou aux mères, est très révélatrice : sans doute pense-t-on, dans les rédactions, que l'amour d'un père est moins « crédible » et moins touchant que l'amour d'une mère. Ne parle-t-on pas de la « révolte » d'un père quand on parle du « désespoir » d'une mère? Le père bafoué semble avoir subi une « défaite », et c'est son orgueil, autant que son amour paternel, qui est blessé. La mère, elle, est intéressante parce que vaincue, parce que victime : sa défaite est la défaite de l'amour.

Qui n'a entendu parler des malheureuses mères dont les enfants, d'un père algérien, sont retenus en Algérie après un séjour de vacances réglementaire et sont élevés en arabe, dans la famille du père, en dépit du fait que le divorce du couple, prononcé en France, confiait les enfants à la garde de la mère? C'est à juste titre que télévisions, radios, magazines et quotidiens se sont émus de ces drames. Il faut même féliciter les médias d'être parvenus à organiser une sorte de campagne d'opinion, laquelle a tout de même eu des prolongements diplomatiques positifs, permettant d'espérer qu'à l'avenir ces véritables tra-

1. Paul ELKAÏM, *op. cit.*

gédies seront moins fréquentes. Surtout, la mère saura où frapper pour qu'on lui vienne en aide, et ces affreuses situations pourront être dénouées si les deux pays comprennent que c'est leur intérêt.

Mais je n'ai jamais entendu parler à la télévision, à la radio ni lu dans la presse quoi que ce soit concernant ce père dont, depuis 1983, les deux enfants sont séquestrés en Israël par son ex-femme, alors qu'il devait avoir la garde des enfants à partir de 1985. Le tribunal d'Aix-en-Provence, saisi, a condamné la mère à huit mois de prison ferme. Mais, restée en Israël, elle s'y est fait octroyer la garde définitive bien qu'elle fût de nationalité française. La mère a changé les prénoms et noms des deux enfants. Ils ne parlent plus et ne comprennent plus le français. S'il va en Israël, le père ne peut les voir. Ce père-là n'a pas trouvé un journaliste pour écouter son histoire et encore moins la rendre publique. Seul le bulletin de *Condition masculine* [1] a fait écho à son désespoir, et encore, seulement en publiant sa lettre « qui n'engage que son auteur », est-il précisé. Il est vrai que des enfants français enlevés et condamnés à parler hébreu « ce n'est pas la même chose » que des enfants français condamnés à parler arabe, même si le père spolié français n'était pas plus juif que les mères spoliées françaises n'étaient musulmanes... Pour ce père français et universitaire, dont l'ex-femme, iranienne, a enlevé le petit garçon de sept ans alors qu'il était en classe en France et a fait légitimer son enlèvement par un mollah de Téhéran, seulement quinze lignes dans un seul journal [2]. Pourtant, le mariage avait été célébré en France, l'enfant est né en France, le divorce a été prononcé en France, et le tribunal a attribué la garde au père. Celui-ci a vécu deux ans avec son fils, avant qu'il fût enlevé par la mère. Il sait aujourd'hui que s'il va en Iran chercher son enfant, il sera immédiatement arrêté et emprisonné...

On nous assure que le Bureau d'entraide judiciaire

1. *Condition masculine,* n° 46, 1986, p. 2.
2. *Le Figaro,* 16 septembre 1991, p. 12.

internationale du ministère de la Justice « commence à s'engager franchement dans la lutte contre les enlèvements internationaux d'enfants [1] » et que la Convention de La Haye organise une mesure immédiate de retour de l'enfant déplacé, sans que le débat puisse être porté sur la garde elle-même : on oblige le parent qui a organisé la voie de fait à la faire cesser immédiatement. Voilà qui est fort bien, mais n'explique pas la différence de résonance dans les médias des abus de pouvoirs et des délits selon que les victimes en sont des mères ou des pères.

Qui a parlé du malheureux père de Luc, René Charmasson, professeur à l'université d'Aix-en-Provence, avant qu'il ne prenne son fusil de chasse? Personne. Pourtant le fils dont il avait la garde lui avait été enlevé au Canada, ne lui avait pas été remis quand il avait été à ses frais le rechercher; pourtant, après qu'il l'eut enfin récupéré, ce fils allait à nouveau lui être enlevé... Ses étudiants ont beau avoir signé des pétitions pour assurer que cet homme n'était ni fou ni violent – c'est le côté « insensé » du geste de ce père malheureux qui a franchi le mur médiatique, ce n'est pas l'injustice qui lui était faite, ni sa douleur.

On pourrait multiplier les cas. La douleur du père n'est pas un sujet, sauf si elle revêt un petit côté pathologique qui lui enlève une grande partie de la sympathie qu'elle pourrait susciter. Pourtant, les médias sont tout-puissants dans le domaine hypersensible des « sujets de société » : on l'a bien vu avec *Kramer contre Kramer*, un film qui allait à l'encontre de toutes les idées toutes faites sur les pères et mères, sans dramatisation inutile, avec un tact d'une extraordinaire efficacité. Donc, c'est possible. On peut « en parler ». Effectivement, à quelques signes qui se multiplient, on sent tourner le vent. L'opinion publique recevra à l'avenir de plus en plus de nouveaux messages, qui l'éveilleront sans doute au respect des droits des pères, et la sensibiliseront aux malheurs de cet amour paternel,

1. F. DEKEUWER-DEFOSSEZ, « La paternité vue par le droit civil », *Pères et Paternité, op. cit.*

qu'on a si souvent minimisé, défiguré, dont on a même parfois nié l'existence.

Les tristes fuyards, les pauvres abandonnants

Preuve d'un changement de climat, une enquête sensible, *Des pères face au divorce*, réalisée par Daniel Bertaux et Catherine Delcroix en 1990, et – c'est important – financée par la Caisse nationale d'allocations familiales : cette étude, en effet, porte sur les plus honnis, les plus vilipendés des pères divorcés, ceux qui ne paient plus la pension alimentaire, ceux qui ont fui, ceux qui se dérobent à leur devoir de père.

Les auteurs s'inquiétaient, comme je l'ai fait tout au long de ce livre, de l'augmentation très rapide du nombre d'enfants qui n'ont plus aucun contact avec leur père, et de la proportion alarmante d'enfants dans ce cas que nous connaîtrons à la fin du siècle. Fragilisation du lien paternel? se sont-ils demandé. C'est pourquoi ils ont désiré mieux connaître et mieux comprendre le « désengagement familial des hommes » qu'avait dénoncé une sociologue américaine, B. Ehrenreich [1] qui s'était intéressée à ce sujet au début des années 80. Elle avait conclu que c'est « le refus des responsabilités qui expliquerait la forte proportion des pères abandonnants ». Or l'enquête conduite en France par D. Bertaux a plutôt mis en évidence le fait que beaucoup de pères séparés de leurs enfants vivent cette situation sans l'avoir voulue. L'étude établit que « la responsabilité incombe en premier lieu aux conduites maternelles de captation qui ne peuvent se développer que parce qu'il existe un consensus social : aujourd'hui, toutes les institutions sont d'accord pour confier les enfants à la mère. C'est ce consensus qui constitue le phénomène social capital. Aussi la responsabilité est-elle déplacée des

1. B. Ehrenreich, *The Hearts of Men : American Dreams and the Flight from Commitment*, New York, Anchor Books, Doubleday, 1980.

individus (ce n'est pas la « faute » des pères ni des mères) vers un modèle culturel collectif induisant la fragilisation du rapport paternel [1]. »

En second lieu, il est apparu aux auteurs que statut paternel et statut professionnel sont étroitement liés, comme je l'ai souligné dans plusieurs chapitres de ce livre. Les travailleurs occasionnels, les intérimaires instables, les chômeurs de longue durée et tout particulièrement les SDF (sans domicile fixe) sont dans l'incapacité matérielle de remplir le rôle de pourvoyeur que leur assigne la société, qui ne met en œuvre aucune particulière « philanthropie » à leur égard.

Chassé de la sphère du travail, l'homme se replie sur la sphère familiale, où sa position, quand il ne gagne plus d'argent, est mal assurée, mal identifiée. Il supporte mal cette situation, que sa femme ne cesse de lui reprocher. Dès les premières disputes entre les parents, les enfants se rapprochent de la mère, d'autant plus que, souvent, le père se réfugie dans l'alcool. « Doublement atteint par la perte de son emploi et ses problèmes personnels, il tarde à réagir », tandis que la mère cherche déjà des aides sociales et entame un divorce, tambour battant. Pendant le divorce, ou juste après, la crise éclate et, soit le père est chassé hors du foyer par la mère, soit la mère part avec les enfants.

Le père divorcé sait bien qu'il doit payer, et, encore mieux, que tout père qui ne paie pas doit « aller en prison ». Cela ne l'incite pas à se présenter à sa femme ou à ses enfants, car cette peur mêlée de honte vient renforcer sa propre dévalorisation. Les interviews approfondies permettent de découvrir que certains de ces pères abandonnants se sont mis à vivre leur paternité sur le mode imaginaire (« sa fille reste à ses yeux la seule œuvre qu'il ait réussie, mais à laquelle il n'a plus accès »). D'autres l'ont profondément enfouie. C'est le cas de nombreux SDF qui fréquentent le Bureau d'aide sociale de Paris : « Ils

1. « Des pères face au divorce », *Espace et familles*, n° 17, Caisse nationale d'allocations familiales, 1990, p. 8.

refusent l'idée de renouer avec leur famille car ils ont honte de leur déchéance. » La honte est plus forte que le désir de voir l'enfant. « L'absence de tout statut et l'hostilité de leur ex-femme » s'ajoutent l'une à l'autre, et la situation se prolonge, elle ne peut s'améliorer, le contentieux est de plus en plus lourd, l'homme ne peut plus songer à se présenter devant ses enfants grandis sans lui. Il lui devient impossible d'en sortir.

Dans d'autres cas, ces pères appartenaient, par leur milieu de naissance (souvent dans les couches populaires traditionnelles d'un pays méditerranéen ou maghrébin) à une culture où les rôles de l'homme et de la femme étaient très tranchés, et ils se sont mariés jeunes, dans leur pays, comme s'étaient mariés leurs pères. Venus en France, ils ont mal supporté de voir leur femme adopter un genre de vie bien différent de ce qu'ils attendaient et avoir des exigences de liberté qu'ils ne toléraient pas. Leur mariage a été vite un orage permanent, achevé en divorce, divorce demandé et gagné aisément par leurs femmes. Désarçonnés et pleins de rage, car, dans leur esprit, ils n'ont pas fauté, ils n'ont pas admis que la société écoute et récompense leur femme indocile et mauvaise. Ils ont vite coupé les ponts, d'abord parce que leur ex-femme ne leur laissait pas voir les enfants; ensuite parce qu'elle s'est vite remise en ménage : ils ont cessé alors de visiter leurs enfants, approuvés par tout leur clan et par leurs parents, puisque cette femme leur avait volé leurs enfants et les faisait vivre avec un autre.

Des années passent, et ces hommes se laissent peu à peu pénétrer par les modes de vie et de penser de la France urbaine où ils vivent. Très souvent, ils se remarient, parfois avec une femme seule avec enfants. Or ils se montrent alors d'excellents beaux-pères. Comme aussi d'excellents pères s'ils ont des enfants de leur deuxième union. Dans leur vie, ils ont successivement été deux pères complètement différents, relevant de deux sociétés différentes. Ce n'est que tardivement qu'ils parviennent à analyser le naufrage de leur premier mariage et de leur première paternité, mais même s'ils comprennent mieux ce qu'a vécu leur première femme, ils continuent de la tenir pour responsable de l'éloignement complet où ils sont de leurs premiers enfants, devenus des étrangers.

En Russie, de même, on semble considérer avec de plus en plus d'indulgence les débiteurs de pensions alimentaires (les *alimensciki*) tant il est connu que bien des femmes ne leur laissent jamais voir leurs enfants, qu'elles élèvent parfois dans la haine de leur père. Les pères, en effet, apparaissent impuissants à faire respecter leurs droits. Ils peuvent en principe s'adresser à la section de l'Instruction publique de leur quartier (le *Rono*) pour demander qu'on leur organise, à l'école, des rencontres avec leurs enfants. Mais, dans la majorité des cas, les femmes qui travaillent au *Rono* prennent le parti de la mère et refusent ces rendez-vous, sous prétexte qu'ils iraient à l'encontre du bien de l'enfant. De ce fait, on estime entre 60 % et 80 % la proportion des pères divorcés qui cessent de payer la pension et ne voient plus jamais leurs enfants. « Le langage populaire donne à ces enfants le nom d' " orphelins de pères vivants " ou encore de " demi-orphelins " [1]. » Ces pères abandonnants se remarient parfois, ou viennent grossir le nombre des solitaires, souvent alcooliques. Alors que, jusqu'à ces dernières années, l'accent, en Russie, était toujours mis sur les femmes victimes du divorce, voici que, depuis peu, médecins et psychologues affirment que les pères qui ont perdu tout contact avec leurs enfants s'en tirent beaucoup moins bien, à la fois culpabilisés et marginalisés.

Et si l'opinion tournait et montrait un peu de sollicitude aux pères divorcés?

Du sommet à la base, depuis la fin des années 60, l'opinion a pris fait et cause pour les pauvres mères divorcées « qui ont la charge des enfants » et contre les pères *a for-*

1. H. YVERT-JALLU, *op. cit.*

tiori. Les intellectuels, les autorités scientifiques, psychologues et sociologues en tête, les autorités administratives judiciaires et sociales, les acteurs sociaux en contact avec les familles, les médias, bien sûr, qui ont répercuté, personnalisé et stylisé ce grand consensus, les enseignants et leurs élèves, et Madame Tout-le-Monde – ont milité pour le féminisme-maternisme.

Monsieur Tout-le-Monde s'est tu. Ce n'était pas le moment d'élever la voix. Personne ne l'eût écouté. Et puis, il était culpabilisé et se demandait s'il avait le droit de penser autrement sans être un salaud. Voyez les associations de pères divorcés : elles ont eu bien peu de retentissements, quand elles n'ont pas provoqué des sarcasmes.

Ainsi, au début de l'été 1989, quand toute la France fut saisie d'une frénésie de célébrations révolutionnaires à cause du bicentenaire de 1789 et de la Déclaration des droits de l'homme et du citoyen, une cinquantaine de pères divorcés, coiffés de bonnets phrygiens du plus beau vermillon, ont défilé dans les rues de Paris, brandissant des pancartes et scandant des slogans qui réclamaient.... l'égalité parentale! Qui en a parlé? Personne. Pas de passage télé, pas de photo choc dans *Paris-Match*. Rien.

Plusieurs fois, cette année-là, on a célébré Olympe de Gouges et sa *Déclaration des droits de la femme*, avec solennité et ferveur. Pauvre Marie Gouze, dite Olympe de Gouges, auteur d'un prospectus non publié, *Le Cri d'un sage par une femme*, qui jamais ne put devenir journal faute d'argent, auteur d'une *Déclaration des droits de la femme* dont le superbe article 10 fut attribué par Michelet à Sophie de Condorcet [1]. Elle avait fait imprimer son libelle à ses frais et l'avait elle-même distribué sur les trottoirs en quelques centaines d'exemplaires, avant de mourir

1. Voici cet article 10 : « La femme a le droit de monter à l'échafaud : elle doit avoir également celui de monter à la tribune. » Olympe de Gouges ne fut pas guillotinée à cause de sa *Déclaration des droits de la femme*, mais à cause d'une affiche, signée de son nom, qu'elle avait placardée dans Paris : *Pronostics sur Maximilien Robespierre par un animal amphibie*. Voir Evelyne Sullerot, *Histoire de la presse féminine en France, des origines à 1848*, Armand Colin, 1966.

guillotinée le 13 brumaire an II – quelle revanche méritée, deux cents ans plus tard ! Chaumette, qui n'aimait pas les dames, avait trouvé bon de l'enfoncer encore après son supplice : « Rappelez-vous l'impudente Olympe de Gouges qui la première institua des sociétés de femmes et abandonna les soins du ménage pour se mêler de la République, sa tête a tombé *(sic)* sous le fer vengeur des lois ! » Elle qui réclamait déjà le droit pour les femmes à la recherche de la paternité quand elles étaient séduites et abandonnées, elle qui osait, en plein patriarcat révolutionnaire, plaider pour le droit des mères, elle avait cent fois droit, en 1989, à cet hommage public posthume comme à la reconnaissance populaire des femmes françaises.

Mais comment expliquer la surdité de l'opinion 1989 aux cris pour l' égalité parentale ? N'est-ce pas parce qu'ils étaient poussés par des hommes, même affublés du bonnet de la République, héritiers donc des « maris aristocrates » et des « tyrans domestiques » que dénonçait déjà, en 1791, *Le Courrier de l'Hymen*, journal du mariage, féministe et antiraciste ? Sans doute. Mais ces descendants des superbes, des oppresseurs, peut-être ne furent-ils pas entendus parce qu'ils étaient les victimes du moment, ceux dont on a eu raison, les vaincus, les pelés, les galeux de la fable, ces pères que l'un d'entre eux décrit si bien d'un trait féroce et fraternel : « Ah ! les pères moustachus et ternes, blessés, gémissants, rescapés des querelles, dépossédés de leur désir d'amour, militants timides et stupéfaits de cette injustice inédite de l'Occident moderne, conséquence perverse du triomphe féministe nécessaire, étalant un chagrin original et incommensurable [1]. »

La surdité de l'opinion aux cris des pères est-elle près de s'atténuer ? Je veux en relever certains signes, comme justement la publication de l'étude de la Caisse nationale d'allocations familiales, qui désigne bien la responsabilité collective dans le consensus à la primauté exorbitante de la mère. Il en est d'autres. En décembre 1989, les spécialistes européens de la famille ont été réunis par la CEE

1. Michel Bideau, *op. cit.*

pour réfléchir à ce que pourrait un « espace européen de la famille [1] ». Certes, ils ont surtout célébré « la famille symétrique » (Wilfried Dumon, Belgique) et « le principe de l'égalité intrafamiliale formelle » ainsi que « la banalisation des accidents familiaux » (Franz Schultheis, Allemagne). S'ils se sont préoccupés des problèmes difficiles qui naîtront des divorces des couples binationaux (Augustin Barbara, France), c'est surtout du point de vue de l'enfant. Ce sont du reste les réflexions sur les droits de l'enfant qui vont conclure cette confrontation. Mais justement, Marie-Thérèse Meulders (Belgique) qui en traite va poser le problème des pères : « Un curieux renversement des rapports de forces s'exerçant cette fois au profit de la mère et au préjudice du père [s'observe] en telle manière qu'il puisse en résulter de nouvelles discriminations entre les sexes, lesquelles sont susceptibles de se répercuter sur les enfants eux-mêmes. [...] Comment assurer dans l'Europe de demain l'exercice d'une véritable co-parentalité des père et mère dans le respect de leurs droits respectifs et plus encore de l'intérêt de l'enfant? »

En Suède, l'opinion avait un peu bougé au moment du vote des lois (1977 et 1984) qui ont donné la possibilité du partage de l'autorité parentale aux concubins et qui ont précisé la garde conjointe après les séparations. Ce fut également le cas en France, à l'occasion de la loi Malhuret de 1987. L'opinion découvrait que les pères non mariés qui avaient reconnu et élevé leur enfant n'avaient guère de droits parentaux pendant la cohabitation et plus du tout après la séparation, pas même un droit de visite minimum : elle s'en est montrée émue. La loi Malhuret qui a notablement, sinon complètement, atténué cette inégalité a été bien acceptée et bien ressentie – sauf de quelques pères qui ont pensé qu'elle n'allait pas assez loin, et qui n'ont pas été entendus.

1. *Familles d'Europe sans frontières,* Grande Arche, décembre 1989.

Bien sûr, il faut changer la loi

Bien sûr, il faudrait aller plus loin. Mais on ne le pourra que si toute l'opinion sort de son conformisme féministe non réfléchi. Alors, elle poussera au très nécessaire changement de la loi sur le divorce. Car il faut changer la législation, non seulement dans la lettre, mais dans l'esprit. Et il faut proclamer le droit des enfants à avoir deux parents, à connaître leurs deux parents, à n'être pas arbitrairement séparés d'un de leurs parents.

La loi du divorce doit rester souple et laisser aux juges une marge de manœuvre afin de tenter de s'adapter aux situations réelles, cas après cas. Mais elle ne devrait plus les pousser à trancher si inégalement entre les deux parents – puisque l'on en voit bien les résultats : des foyers monoparentaux, des enfants « demi-orphelins » et des pères marginalisés ou rejetés. La loi devrait inciter les juges à favoriser, par tous les moyens, le maintien après le divorce de la double relation parentale pour l'enfant. Elle devrait inciter les juges à susciter ou soutenir, chez les parents divorçant, les projets de partage des soins de l'enfant, partage de l'éducation de l'enfant, partage même du temps de l'enfant, l'un après l'autre puisqu'il ne peuvent plus le voir en même temps. De tels encouragements sont indispensables, plus encore que l'augmentation du nombre des gardes conjointes. Les gardes conjointes ne sauraient fonctionner si les parents ne sont pas persuadés qu'il est de leur devoir absolu de s'entendre au sujet de leur enfant, de ne pas en faire l'enjeu de leurs affrontements, et de laisser l'autre parent exercer ses prérogatives. C'est une disposition d'esprit qui devrait être préconisée par la loi et transmise par les juges.

Elle changerait tout, à commencer par la garde unilatérale. Voici comment le Code civil de l'État de Californie énonce ces principes :

« Dans le cadre de la présente section (4 600.5 §C), le terme “ garde conjointe ” signifie une décision attribuant la garde du ou des enfants mineurs aux deux parents et prévoyant que la garde physique sera partagée par les parents de telle sorte que le ou les enfants aient *des contacts fréquents et prolongés avec chacun des deux parents.* Il est spécifié cependant que la garde conjointe légale peut être accordée sans garde conjointe physique. »

Ainsi, à défaut de spécification contraire, la garde conjointe en question est une *joint physical custody*, ce qui correspond à notre garde « associée », ou « alternée », permettant, selon les arrangements les plus divers, que l'enfant puisse résider tour à tour chez chacun de ses parents. Si le juge californien ne pense pas qu'une telle solution puisse être aménagée, il prononce la *joint legal custody* ou partage de la responsabilité parentale devant la loi. C'est cette forme de garde conjointe (physique et légale ou légale seulement) qui a été, après de longs débats, présentée en tête des options offertes aux juges californiens, pour marquer envers elle une certaine préférence des législateurs. Ceux-ci se sont expliqués ainsi : « L'idée étant qu'un parent qui demande la garde conjointe et accepte de tolérer l'autre dans une telle organisation a une moindre propension à l'agression et aux procédures, et est, de ce fait, un plaideur moins efficace », qui n'envenimera pas le conflit.

Mais la garde unilatérale, qui n'est pas oubliée, profite également de l'esprit de la législation, qui est d'encourager les parents à partager, afin que l'enfant maintienne, autant que faire se peut, sa double relation parentale. « En prenant la décision d'accorder la garde à un seul des parents, précise la loi californienne, le tribunal prendra en considération parmi d'autres facteurs *lequel des deux parents est le plus enclin à favoriser ou permettre des contacts fréquents et prolongés du ou des enfants avec le parent non-gardien, et le Tribunal ne devra pas donner la préférence à un parent, en tant que gardien, en raison de son sexe.* »

Face à deux parents dont l'un demande la garde conjointe et l'autre la garde unilatérale, le juge peut prononcer l'une ou l'autre, mais il lui est explicitement demandé de choisir le parent le plus coopérant, c'est-à-dire celui qui a demandé la garde conjointe. Comment ne pas voir qu'une telle loi pousse les parents à s'entendre et fait du juge un conciliateur s'exprimant réellement « dans l'intérêt de l'enfant », en arbitrant en faveur de l'altruisme et contre l'esprit de possessivité? Non seulement le juge *doit* prononcer la garde conjointe quand les parents se sont mis d'accord, mais encore, s'il ne le fait pas, il devra s'en expliquer : « Si le tribunal refuse d'accorder la garde conjointe, il devra motiver, dans sa décision, les raisons de son refus. » Il peut, également, pour pondérer le sérieux des dispositions des parents, leur demander un « plan de garde », considéré comme « un moyen de discerner la volonté de coopération d'un parent dans l'exercice de sa garde ».

L'expérience a montré qu'après le vote de cette loi les gardes prononcées avec l'accord des deux parents sont montées à 90 % du total, 10 % seulement étant prononcées au contentieux. Deux années de pratique donnaient à peu près les résultats suivants : garde unilatérales : 67 %; gardes conjointes : 33 %. Le nombre de recours a été deux fois moindre pour les gardes conjointes que pour les gardes unilatérales, ce qui fait litière des objections toujours avancées, selon lesquelles la garde conjointe « ne marche pas ».

Ce n'est pas uniquement pour venir en aide aux pères défaits et malheureux que j'ai voulu citer ces extraits. Bien plus encore, c'est pour faire prendre conscience à tous, femmes et hommes, mères et pères, qu'une démocratie se doit d'introduire de la démocratie partout, y compris dans les rapports familiaux, y compris dans le traitement des litiges familiaux. Et la démocratie doit faire confiance aux individus pour conduire leur vie privée et assumer leurs responsabilités.

Hélas! les législations européennes n'ont pas encore sauté ce pas vers la démocratie, et même dans les pays scandinaves où elles sont en principe plus favorables à l'exercice de la co-parentalité, les pratiques des magistrats ne semblent pas s'être assouplies, au contraire. Cependant, il faut espérer. Dans dix ans, dans vingt ans, les lois changeront. Car l'opinion, doucement, va changer.

L'irrésistible diffusion de la médiation familiale

J'en veux pour preuve le succès grandissant, irrésistible, de la médiation familiale. Jusque-là, les divers intervenants du théâtre judiciaire sont apparus aux pères comme des alliés du tribunal, tous liés entre eux pour l'enfoncer : depuis l'avocat, qui lui coûte cher mais ne plaide pas ce qu'il désire ou le laisse faire appel quand il sait qu'il n'a aucune chance; jusqu'à l'assistante sociale qui n'a vu que ce qu'elle voulait voir, n'a entendu que des « histoires de bonnes femmes », n'a rapporté que des témoignages le caricaturant où il ne reconnaît rien de sa vie; en passant par le psychologue pour qui il est un malade, qui souffre – mais de le savoir ne le soulagera pas d'avoir perdu sa femme, sa maison et ses enfants –, sans parler du juge pour qui, de toute façon, « l'enfant va à la mère, point final ».

Voilà qu'apparaît le médiateur, qui n'a partie liée avec personne, et la médiation qui, dans le climat tendu du divorce, fait pénétrer un peu d'air frais et de bon sens, et des concepts nouveaux comme la coopération pour la résolution des conflits, le dialogue pour parvenir à une conciliation.

« La médiation est un processus de coopération en vue de la résolution d'un conflit dans lequel un tiers impartial est sollicité par les protagonistes pour les aider à trouver un règlement amiable satisfaisant » (d'après Kelly, Vanderkoi et Pearson). C'est une activité qui a un objectif défini *(goal focused)*, des tâches bien précises à remplir *(task oriented)* dans un temps limité *(a time limited process)*.

Par exemple, les divorçants rencontrent le médiateur

plusieurs fois. Chaque séance est consacrée à un problème différent : que va-t-on faire de la maison? Où habiteront les enfants? Comment répartir les ressources? Outre des sujets bien définis, la médiation arrête parfois des règles (par exemple : le mari doit sortir chaque fois qu'il commence à se mettre en colère) ou des devoirs (par exemple, chacun doit lire des textes se rapportant à la garde des enfants, faire une évaluation précise de ses biens propres, etc.). Le médiateur a pour tâche d'instaurer un climat dépassionné et de permettre à chacun d'exposer ses attentes et ses appréhensions très calmement, ce qu'il ne pourrait faire dans la mise en scène d'affrontement qu'agencent généralement les procédures judiciaires. « Le médiateur ne se trouve pas dans une position d'autorité par rapport aux divorçants : même lorsqu'il se rattache à une structure judiciaire, il n'intervient pas dans l'élaboration de la décision, comme le ferait un témoin ou un expert [1]. »

« La médiation ne porte pas sur le passé, mais sur le présent et le futur » (Kelly). Elle n'a pas pour but de permettre aux divorçants de se défouler, d'exprimer leur non-dit ou leur désespoir. Elle a parfois des effets bénéfiques sur le plan psychologique, car elle réduit l'anxiété et l'angoisse, et l'agressivité, mais ce sont là des bénéfices secondaires, non des objectifs poursuivis. En revanche, la médiation cherche à changer l'idée que les divorçants se font de la rupture, dont ils peuvent percevoir un aspect « partage », un aspect « échange », un aspect « réorganisation », autant d'outils dont ils pourront ultérieurement se servir après le divorce dans leur métier de parent séparé. La médiation fait des divorçants les acteurs de la résolution du conflit et les décideurs des solutions adoptées. Le médiateur ne propose aucune solution.

Depuis son apparition, vers 1970 aux États-Unis, la médiation familiale s'est accommodée de différentes

1. Benoît BASTARD et Laura CARDIA-VONECHE, « L'irrésistible diffusion de la médiation familiale », *Annales de Vaucresson*, n° 29, 1988/2.

formes institutionnelles : parfois, elle est une alternative au jugement de divorce et se déroule alors dans le secteur privé; parfois, des juges désirent offrir aux divorçants cette possibilité, dans le cadre du système judiciaire, de régler leurs différends en dehors du déroulement de la procédure. Dans le secteur privé, la médiation est pratiquée surtout par des psychologues et thérapeutes de la famille, mais aussi par des avocats. Une formation est bien entendu nécessaire, à la fois pour préparer le médiateur à l'écoute et à la « gestion des problèmes émotionnels », et pour lui donner des bases juridiques sur ce que peut être l'après-divorce, et ses aménagements concrets. La médiation dans le secteur public s'est développée à l'initiative des juges. En Grande-Bretagne, où on l'appelle « conciliation », elle est définie comme « le fait d'aider les parties à faire face à la rupture [...] en obtenant des accords ou en réduisant les divergences en ce qui concerne la garde des enfants, les pensions, le droit de visite et l'éducation des enfants, etc. » (Parkinson, 1986). Des services de tribunaux ont donc été organisés pour offrir aux justiciables ce recours. Les médiateurs (*probation officers*) ont été généralement recrutés au sein des travailleurs sociaux des services judiciaires. Aux États-Unis, on trouve des services de médiation dans quarante-six États. On en rencontre également, d'une grande diversité, en Grande-Bretagne et au Canada, en Australie, Nouvelle-Zélande, etc. En France, la médiation familiale ne se pratique que dans le secteur privé, à l'initiative d'associations, comme Père-Mère-Enfant. Il en est de même en Suisse et en Belgique.

Les magistrats des cours de la famille qui l'ont adoptée la considèrent comme un moyen de garantir la validité des décisions qu'ils prennent, « de faire respecter le fragile équilibre des relations entre époux après le divorce » (Folberg). Le juge est en quelque sorte délivré de tout ce qui est écoute du divorçant et mise au point de dispositions pratiques. Il peut se consacrer à dire le droit et à faire son métier. Mais sont-ils toujours assez attentifs à la formation des personnes auxquelles ils confient une si délicate mission? Et la médiation, pour être équitable, peut-elle se dérouler sous l'auspice des tribunaux? On doit plutôt s'attendre à l'extension de la médiation opérée par des « professionnels » de mieux en mieux préparés, installés de manière autonome, et non auprès des tribunaux.

Ce qui fait l'intérêt principal de la médiation familiale, ce qui justifie son « irrésistible diffusion », et mon optimisme pour l'avenir du divorce – c'est qu'elle est porteuse d'une idéologie nouvelle du fonctionnement familial. Elle considère chaque parent comme également responsable de ses enfants, elle fait fond sur leur sens de la responsabilité, et elle leur laisse assez d'autonomie dans la réalisation de leurs accords. Elle aboutit du reste souvent à une pré-entente des parents, à un plan de garde sérieux et accepté par le père et la mère – en conséquence de quoi, ils demandent la garde conjointe au tribunal. Elle ne diabolise pas le divorce, mais ne minimise pas ses effets. Elle ne culpabilise pas systématiquement les divorçants, mais elle force chacun à concevoir toutes les conséquences pratiques, toutes les retombées en termes d'organisation familiale, de son acte. Il est impossible, avec la médiation, de divorcer « pour un oui pour un non » sans mesurer les effets à terme, sur les enfants, particulièrement, de cette dissolution du couple. Enfin, elle ne préjuge pas du rôle du père et du rôle de la mère à partir de vieux stéréotypes. Elle permet à chaque couple des ajustements particuliers, qui laissent aux pères plus de chances que les sentences répétitives qui en font des parents de second rang.

CHAPITRE IX

Pater certus est! motus...

Lorsque Portalis, coauteur du Code civil napoléonien, a écrit : « La maternité est certaine, la paternité *ne le sera jamais* », a-t-il soupiré pour lui-même : « Hélas! »

C'est ce que je croyais quand j'ai commencé ce livre. Il m'apparaissait qu'après des siècles et des siècles d'incertitude l'annonce de la découverte, par la science, d'un moyen relativement simple et infaillible de déterminer la paternité s'apparentait à une extraordinairement « bonne nouvelle », une nouvelle mirifique. Elle mettait un point final à la malédiction proprement masculine. Certes, il n'y a pas que les hommes qui ont pu souffrir du doute, impossible à lever absolument, planant sur la paternité. Des enfants, filles comme garçons, à la charnière de l'adolescence, quand se lèvent les interrogations sur son identité propre, ont pu se poser l'étrange question sacrilège : Et si mon père n'était pas mon père? Si ce n'était pas mon « vrai » père? Mais ce questionnement n'est le plus souvent qu'un jeu de l'imagination qui ne s'empare pas durablement de l'esprit de celle ou celui qui se risque à le formuler.

Apaiser une angoisse existentielle

Il en va tout autrement, pensais-je, du doute de l'homme à propos de sa progéniture : cet enfant est-il mon enfant? Il s'agit alors d'un tourment déchirant, qui ne laisse pas de paix à celui qui ne parvient pas à l'extirper. « C'est un jaloux », commentent souvent les femmes qui n'ont pas de pitié pour cette angoisse existentielle. Bien sûr, son doute peut être envenimé de jalousie amoureuse. Mais pas seulement. Quelque chose d'autre peut venir le troubler, qui n'est pas de l'ordre de la jalousie amoureuse et ne se concentre pas autour de l'image de sa femme. C'est une incertitude qui se glisse entre son enfant et lui, qui l'éloigne de son enfant, de manière irrémédiable s'il ne peut maîtriser son anxiété. Celle-ci peut le dessécher de feinte indifférence envers l'enfant dont il doute. Elle peut déréaliser toute sa vie de père.

On dit souvent d'une femme qu'elle s'est épanouie du moment où elle a été mère. Comme si elle recevait alors un supplément d'identité, elle a accompli un obscur destin, elle s'est confirmée à ses propres yeux. Elle a « donné la vie », elle a fait un enfant, au moins cela, qui est sûr et certain. Elle l'a porté dans son corps. Elle en a accouché. Il y a un « avant » et un « après » dans sa vie. On dit, de nos jours, qu'elle s'est « réalisée ». La naissance de son enfant ne peut apporter au père des certitudes de cet ordre. Il y a un tel décalage entre l'acte à l'origine de l'enfant et la venue de cet enfant... Au tréfonds de la campagne française, aux confins des pays poitevin, limousin et charentais, on avait coutume de dire : « Maïré suro Païré béleu... » c'est-à-dire : « Mère, c'est sûr. Père, peut-être... » Ce « peut-être » était sujet à des sarcasmes et des rires suspects. Ce « peut-être » pouvait conduire au drame des têtes faibles mais aussi des cœurs bien trempés.

Or, au terme de mon enquête, je m'aperçois que la plupart des femmes et bien des hommes ne se réjouissent pas de l'avènement de la paternité certaine. Ils et elles se trouvent très bien des vieilles incertitudes et des précautions juridiques qui les enveloppent. J'en viens à croire que le respectable Portalis, une fois apposé le point final à sa sentence sur l'incertitude éternelle de la paternité, a dû se dire : « Puisque ces mystères me dépassent, feignons d'en être l'organisateur[1] ! » et, derechef, avec ses confrères juristes, il s'est empressé d'imaginer et d'agencer les diverses conditions et dispositions de la paternité civile, comment et à qui se transmettent le nom du père et ses biens, jusqu'où et sur qui s'exerce la « puissance paternelle », etc.

La preuve génétique de paternité interdite aux particuliers

Il semble qu'il en soit toujours ainsi. Du moment où la science nous a apporté un moyen d'établir à coup sûr, sans marge d'erreur, la filiation paternelle d'un enfant, notre gouvernement n'a eu qu'une hâte, c'est d'en faire un instrument réservé à l'usage exclusif du judiciaire, qui permettra aux juges « d'attribuer » à l'enfant un état civil, un nom, des droits de succession, ou d'annuler une « présomption » de paternité, en somme de faire marcher la machine à organiser l'identité juridique. Mais il s'est empressé d'en soustraire l'usage aux simples particuliers, aux pères qui voulaient être sûrs, aux mères qui voulaient être crues, à tous ceux qui ne désiraient pas forcément un branle-bas judiciaire aux conséquences irrattrapables, mais seulement transformer une intime conviction en certitude, ou faire taire des soupçons récidivants dont l'acidité pourrait à la longue corroder un amour. N'est-ce pas une manie bien française que de vouloir tout soumettre au contrôle juridique, sous prétexte de protéger les droits de l'homme?

Madame, vous voulez convaincre cet ami un peu occasionnel que, oui, c'est vrai, c'est lui le père de ce petit nouveau-né rougeaud et fripé qui ne ressemble encore à per-

1. Jean Cocteau, *Les Mariés de la tour Eiffel,* Paris, 1921.

sonne si ce n'est peut-être à Winston Churchill vieillissant. Bien que très surpris, votre ami, qui ne savait rien de votre grossesse, serait disposé à reconnaître cette petite chose et à s'engager à l'élever, si... si seulement il était sûr. Mais il est loin d'être sûr. Il est abasourdi, et par conséquent sceptique. Il ne veut pas être mené en bateau pour une affaire aussi grave. Il ne veut pas être piégé pour la vie s'il n'est pour rien dans la venue au monde de cette enfant. Cela, vous le comprenez. Non, ce n'est pas un lâche. Il est même assez touchant dans son désarroi. Vous n'avez nulle envie de le traîner devant les tribunaux, il ne le mérite pas. D'abord, il ne l'a pas faite exprès, cette enfant. C'est vous qui l'avez voulue. Et puis, la justice, ça laisse des traces. Votre fille pourrait un jour découvrir que ce n'est que « confondu » par la justice que son père l'a reconnue. Vous proposez donc à votre ami de vous rendre tous les trois à tel laboratoire réputé, pratiquant des tests d'identification génétique, lui, vous et le bébé, et d'y laisser trois gouttes de vos trois sangs, de payer et d'attendre. Cela coûtera moins cher qu'un procès, au cours duquel le juge vous aurait envoyés au même laboratoire. Et vous attendrez moins longtemps le résultat. La discrétion sera assurée. Votre ami sera convaincu, la preuve en main, il se persuadera qu'il est père, et il courra à la mairie reconnaître sa petite fille. En grandissant, elle prendra le temps de lui ressembler. Il l'aura déjà adoptée dans son cœur.

Eh! bien, non, cette démarche, vous ne pouvez la faire en France, où elle est interdite. Irez-vous en Angleterre? En Allemagne où plus de 20 000 tests de ce type sont effectués chaque année?

Monsieur, votre tout jeune ménage a connu une épreuve inattendue. A la suite d'un malentendu, vous vous êtes séparés quelque temps ; à votre grande joie, vous vous êtes retrouvés, vous avez repris la vie commune. Cette fois, c'est pour de bon, vous n'avez plus peur des lendemains. Et puis, crac! votre femme vous annonce qu'elle est enceinte. Commence pour vous une succession épuisante de joies sans mélange et de bouffées d'angoisse. Vous comptez et recomptez sur vos doigts. Vous passez de l'enthousiasme à l'abattement. Votre femme enceinte ne comprend pas vos sautes d'humeur, ni pourquoi vous vous dérobez alors qu'elle vous est revenue et a plus que jamais besoin de votre attentive tendresse. Un soir éclate une scène, au cours de laquelle vous laissez échapper le doute qui empoisonne votre joie. Bien sûr, elle proteste, elle jure. Cela suffira-t-il ? Mais, si elle se montre si désireuse de vous rassurer (« Je ferais n'importe quoi pour te prouver que tu te trompes ! »), alors, elle ne refusera pas la preuve des preuves, la plus indolore, la plus simple, la plus discrète. Elle ne refusera pas de vous accompagner pour faire ce test, dès que le moment sera propice pour le bébé. Ce sera comme un remède, le seul efficace, contre cette maladie un peu honteuse mais tenace qui brouille votre joie, et après, vous serez guéri. Personne ne saura, que vous deux et un médecin tenu par le secret médical, par quelles affres vous êtes passé. Surtout pas vos parents à tous deux, enchantés de vous voir réunis à nouveau, mais toujours en train de vous ausculter du regard. Surtout pas votre très curieuse belle-sœur, ni l'amie chez laquelle votre femme avait habité lors de votre brouille. Personne ne saura que vous avez douté. Et vous, vous saurez la vérité apaisante, la vérité prouvée, et votre enfant deviendra bien le « gage » de votre bonheur.

Eh! bien, non! ce n'est pas possible en France. Vous devez intenter une action contre votre femme et la traîner devant un juge qui, seul, aura le pouvoir de vous ouvrir la porte du laboratoire de génétique – s'il veut bien y recourir. Or une jeune femme peut pardonner un doute s'il est quelque peu justifié par les circonstances, ni injurieux ni pathologique. Elle ne peut pardonner un procès, même si sa bonne foi en sort confirmée – ou surtout dans ce cas. Ce sera le divorce, à vos torts, et vous perdrez votre femme et l'enfant qui était de vous. Alors, aller en Angleterre? Comme naguère les femmes qui voulaient avorter? En catimini, comme des coupables? Pourquoi?

Pourquoi une telle réticence et de telles complications en France ? Pour des raisons nombreuses, d'ordre tout à fait différent, qui en viennent à s'ajouter et se conjuguer. Les unes sont à demi inconscientes, ou du moins rarement explicitées, comme la crainte de froisser le féminisme orthodoxe devenu presque une religion d'État. Une autre, qui découle un peu de la première, est un curieux préjugé anti-paternité qui montre le bout de l'oreille dans divers textes émanant de cercles de réflexion officieux, sinon officiels, influencés par l'application systématique des méthodes d'analyse de l'anthropologie structurale à notre société actuelle. Plus importantes, même si elles demeurent le plus souvent implicites, sont les très fortes résistances à la génétique, voire même l'hostilité profonde à tout ce qui peut avoir affaire de près ou de loin avec la génétique. Il faudrait explorer le non-dit philosophique entraîné par cette peur, car il a beaucoup à voir dans le désintérêt pour la paternité biologique et tout ce qui touche à la filiation.

Le souci de maintenir la paix des familles

Et puis, il y a cette manie bien française de légiférer de tout, même de la vie privée, sous prétexte de protéger la liberté. Pourtant, nous l'a-t-on assez répété, ces temps derniers, que nous assistions à un retrait de l'implication de l'État dans la sphère privée, à un « recul prémédité de la norme juridique [1] »!

Ce « recul prémédité du juridique » se manifesterait par la tolérance élargie aux « situations de fait », qui ont pris une importance croissante : des unions de fait sans mariage, des séparations de fait sans divorce, des filiations de fait : « Le droit de la filiation a longtemps été marqué par l'incertitude de la paternité et la suprématie du mariage; aujourd'hui la maîtrise de la procréation, l'établissement de preuves biologiques et le statut d'égalité conféré aux enfants ont rendu sans intérêt le recours à la fiction, que les individus ne supporteraient plus », précisait J. Rubellin-Devichi. Alors, pourquoi, en contradiction avec

1. Jacqueline RUBELLIN-DEVICHI, « Du droit et des mœurs – l'approche juridique », *Informations sociales,* n° 7, 1986, pp. 1-16.

ce retrait discret du juridique, le recours à un test génétique plus fiable que les précédents pour infirmer ou confirmer une paternité est-il interdit aux intéressés librement? Pourquoi leur est-il enjoint de faire obligatoirement le détour par la machine judiciaire?

Voici comment le gouvernement explique cette démarche : « Il est apparu nécessaire, *afin d'éviter toute dérive de nature à porter atteinte aux droits fondamentaux de l'homme,* de poser, pour l'ensemble des tests génétiques, le principe d'un encadrement législatif et de limiter en conséquence leur recours aux seuls cas expressément prévus par la loi. [...] En matière civile, *le recours à cette technique doit être réservé aux cas où une action en matière de filiation est engagée, dans le souci de maintenir la paix des familles.* [...] La gravité des *atteintes à l'ordre public* auxquelles pourrait donner lieu le non respect de ces prescriptions conduit à assortir celles-ci de sanctions pénales [1]. »

Le souci de « maintenir la paix des familles » n'est pas un cliché, employé ici comme une référence obligée. Bien au contraire, j'ai pu me rendre compte, au cours de l'enquête que j'ai conduite pour écrire ce livre, que c'était là le souci obsessionnel, la hantise sincère de ceux et celles qui ont été amenés à préparer et rédiger ces textes. En outre, cette alarme très exagérée, sinon infondée, est partagée par un nombre impressionnant de personnes en principe compétentes, des juristes, des démographes, des sociologues, des médecins.

Il m'est apparu, en les écoutant, qu'une double erreur d'appréciation se trouve à l'origine de la crainte exagérée de voir le recours par des particuliers au test de Jeffreys menacer « la paix des familles ». La première erreur a trait aux personnes susceptibles de demander ce test, erreur d'appréciation entretenue par une méconnaissance très répandue des modalités de cet examen. La seconde erreur découle d'une évaluation parfaitement fantaisiste de la

1. Exposé des motifs du projet de loi MDJX 92 00024 L, relatif au corps humain et à l'identité génétique de l'homme, février 1992.

proportion d'enfants de familles constituées « qui ne seraient pas de leur père ». Le sujet favorise la naissance et la circulation de véritables rumeurs sans fondement.

C'est un exercice de salubrité intellectuelle que de démonter les mécanismes qui ont contribué à construire de si vives préventions.

Un test irréfutable : les empreintes génétiques

D'abord, il faudrait mieux connaître ce test diabolisé et ses modalités pratiques. C'est un biologiste anglais de l'Université de Leicester, le professeur Alec Jeffreys, qui a inventé la méthode dite « des empreintes génétiques » en 1984. Auparavant, les tribunaux avaient recours, pour établir « la preuve biologique » d'une filiation, à des examens du sang de l'enfant en question et du père présumé. Bien que les probabilités d'erreurs se fussent amenuisées, au fur et à mesure des améliorations apportées à l'analyse des facteurs sanguins (HLA, etc.), l'attribution d'une paternité comportait encore une faible marge d'incertitude. Il n'y en a plus avec la méthode Jeffreys, fondée sur l'analyse de fragments d'ADN des chromosomes (prélevés à partir de sang, de salive, de sperme, de cheveux avec leur bulbe, etc.). Certaines séquences se répètent, sans ordre apparent, sur l'ADN, séquences qui sont différentes chez chaque individu. Les biologistes transcrivent ces séquences en codes barres sur un film, qui peut donner une image, comme les empreintes digitales (du reste, l'analogie d'utilisation aux fins d'identification des individus a conduit les Anglais à couramment appeler « *genetic fingerprints* », « empreintes digitales génétiques », cette méthode qui n'a plus rien de « digital »).

C'était trop beau pour ne pas être contesté : ainsi en France, dans les milieux où a été élaboré le projet de loi ci-dessus, il était bien porté de critiquer vivement la fiabilité du test de Jeffreys. Des biologistes ne sauraient pas bien lire les codes barres et commettraient des bévues. En outre, ajoutait-on, ce test, utilisé par la police américaine, était à l'origine d'une erreur judiciaire, car il avait servi à accabler un innocent. Si les personnes qui m'ont fait état de ces critiques avaient été conséquentes avec elles-mêmes, elles eussent dû demander un supplément d'information sur les aspects scientifiques du test et, s'il n'était pas valable, proposer son interdiction pure et simple en France. Ce n'est pas ce qu'elles ont fait, car ce n'étaient pas des doutes qu'elles nourrissaient à l'endroit de cette méthode, c'étaient des préventions, et même des préventions idéologiques.

Rien de tel qu'une disposition d'esprit hostile pour donner crédit aux informations défavorables. La prétendue erreur judiciaire de 1987 commise sur la foi d'une identification par empreintes génétiques n'en était pas une : le coupable ainsi désigné, après avoir proclamé son innocence, a fini par avouer. Il était bien le coupable. Quant à la lecture trop hâtive des codes barres, c'est affaire de sérieuse formation scientifique des biologistes et il est légitime de s'assurer de l'excellente qualité des laboratoires qui seront autorisés à utiliser cette technique. Du reste, la méthode des codes barres telle qu'elle est aujourd'hui utilisée va sans doute être substantiellement améliorée par le Pr Jeffreys lui-même, qui aurait inventé une nouvelle technique plus rapide de déchiffrage des séquences de l'ADN, dont les résultats seraient immédiatement informatisés, car exprimés non plus en codes barres à interpréter, mais en « codes digitaux » qu'un ordinateur peut stocker [1].

Toujours est-il que, pour l'instant, une opération d'identification de la filiation paternelle ne peut pas se faire à l'insu de la mère, comme beaucoup de personnes le croient. Car il faut établir les codes barres de la mère, du père présumé et de l'enfant en question, et puis les comparer. Le code barre du vrai père doit contenir des séquences qu'on retrouve chez l'enfant, mêlées à celles léguées par la

1. Ce qui permettra d'échapper aux critiques sur la subjectivité des observations formulées par exemple par le Dr Ch. Msika dans *Nature*, septembre 1991, p. 121.

mère. Tous les laboratoires qui pratiquent actuellement des tests pour des particuliers exigent la présence et l'accord formel de l'homme et de la femme. L'idée d'un méchant père mesquin et jaloux allant, à l'insu de sa femme, faire analyser quelques cheveux d'un de ses enfants dans une ville voisine – cette idée relève de la plus haute fantaisie. Les femmes qui s'adressent à ces laboratoires sont consentantes, et les hommes aussi, même s'ils ne sont pas tous volontaires.

Les femmes n'y perdent pas, bien au contraire

En France, on a dans l'esprit que seuls des hommes voudront « lever le voile pudique dont la Nature a recouvert la paternité », et, partant, que les femmes y seront perdantes. C'est méconnaître l'intérêt de celles qui cherchent ainsi à faire reconnaître sa paternité au père de leur enfant quand il prétend n'y être pour rien. La « paix des familles » est d'autant moins troublée par le libre recours à cette technique que ce sont des célibataires qui en forment la clientèle principale [1]. Soit que des mères veuillent persuader le père de l'enfant qu'il lui faut le reconnaître, soit que des hommes nient être le père biologique de l'enfant que leur a attribué la mère, soit que des services sociaux, las de payer de lourdes allocations aux mères célibataires,

1. Certains écrits de presse ont laissé entendre que le libre accès des particuliers aux analyses de recherche en paternité provoquerait un « rush » d'autant plus choquant que les laboratoires compétents en tireraient de copieux bénéfices. Il faut rétablir la vérité : non, les clients n'ont pas afflué vers les laboratoires qui les acceptaient librement, loin de là ! Ainsi, l'Institut de médecine légale et de médecine sociale de la Faculté de médecine de Strasbourg, qui a reçu des demandes de particuliers en 1992, sans l'intermédiaire d'un tribunal, à son laboratoire de génétique « Codgene », n'en a traité que 9 en un trimestre : nous sommes loin du « marché florissant » dont ont parlé certains journalistes. D'autre part, il est intéressant de récapituler les cas qui ont été soumis à ce laboratoire aux fins de détermination de la paternité de 1989 à 1992 compris : sur 40 cas, 32 émanaient de célibataires et 8 de familles constituées. Les demandes émanaient dans 26 cas du père, et dans 14 cas de la mère.

poussent celles-ci à désigner le père qui doit partager l'entretien de l'enfant (ce qui est le cas en Suède et en Grande-Bretagne depuis le *Child Support Bill* de 1990).

On ne peut guère imaginer le père confiant d'une paisible famille constituée, tout à coup pris de l'idée baroque de passer tous ses enfants, ou le petit dernier, au test de Jeffreys... Le père de famille qui ferait une telle démarche serait déjà rongé de doute ou de rancœur; après des mois de querelles, il viendrait quémander une preuve pour mettre fin à une situation invivable. Où est la « paix » d'une telle famille, brisée par ce test diabolique? Elle n'existait pas.

Si, dans une famille sans histoire, dont les enfants sont également aimés de leur père légal, la mère sait que l'un n'est pas de son mari, ne faudrait-il pas qu'elle soit démente pour, d'elle-même, faire voler en éclats la paix de son foyer et révéler, preuve à l'appui, ce qu'elle a si longtemps, si parfaitement caché? Dans une telle famille, seul un événement fortuit amenant à découvrir le secret préservé pourrait conduire à recourir au test : après la paix enfuie, pas avant.

Le seul cas vraiment traumatisant pour une famille « en paix » serait celui d'une mère forçant un homme marié à reconnaître qu'il a eu avec elle un enfant adultérin, à l'insu de sa femme. Mais c'est le cas type où la « demanderesse » préférera intenter une action en justice, plutôt que d'aller directement dans un laboratoire où elle sait bien qu'elle ne saurait faire venir, de son propre chef, le père de son enfant pour une épreuve qui le confondrait.

La protection de « la paix des familles » est un curieux prétexte à la mise en tutelle judiciaire de ce test des empreintes génétiques, car, dans la réalité des faits, le libre recours serait beaucoup moins traumatisant que l'obligation d'aller devant un tribunal – et, en particulier, dans tous les cas où les tests, effectués dans la discrétion, prouveraient que l'enfant est bien le fruit de ce couple, et que par conséquent toute action en désaveu de paternité serait inutile.

« Savez-vous que 12,5 % des enfants légitimes ne sont pas de leur père? »

Au cours de mon enquête, à qui aurais-je pu faire valoir les raisonnements que je viens de développer? A peine avais-je parlé de « libérer l'accès au test des empreintes génétiques » que mon interlocuteur m'interrompait : « Vous rendez-vous compte du désordre que vous allez introduire dans les familles! Savez-vous que 12,5 % des enfants légitimes, c'est chose établie, ne sont pas de leur père? » Pour un autre, c'était 10 %. Pour un autre encore, 25 %, soit un enfant légitime sur quatre... Une autre fois, ce fut 30 % : mais il était précisé qu'il s'agissait des Anglais...

Chaque fois, j'ai eu envie de demander en quoi la possibilité de recourir au test des empreintes génétiques changerait quoi que ce soit à une telle situation : personne n'obligerait les habiles dissimulatrices que sont les mères adultérines à dévoiler leur secret, personne ne contraindrait les pères confiants à brutalement mettre en doute leur lien avec des enfants qu'ils ont acceptés et que, probablement, ils aiment. La chose cachée demeurerait cachée, tout aussi bien ou tout aussi mal que du temps où, au lieu des empreintes génétiques, les pères n'avaient à disposition que des preuves négatives à partir des facteurs rhésus du sang. Mais comment ma curiosité n'eût-elle pas été piquée par l'information qui m'était délivrée avec une précision statistique confondante à propos d'un phénomène par définition occulté?

Ainsi, 12,5 %, 10 %, 25 % ou 30 % des enfants vivant dans une famille légitime auraient en réalité pour géniteur un autre homme que celui qu'ils appellent papa, qui les entretient et qui les élève! Eux-mêmes, ces pères abusés, ne le savent pas, bien entendu. « Mais vous, comment l'avez-vous appris? – Oh! m'a-t-il été plusieurs fois répondu, des études très sérieuses ont été faites par des généticiens, dirent les uns – des médecins, affirmèrent les autres – des médecins accoucheurs, précisa encore un autre. – Du reste, ces évaluations corroborent celles que donnent les prêtres, à partir des confessions qu'ils entendent. »

J'étais stupéfaite, comme sociologue, qu'un tel phénomène ait pu exister si bien qu'on en avait mesuré l'incidence, non négligeable ! et je n'en avais rien su ! Et comme femme, encore plus : comment et pourquoi, maintenant que les femmes disposent de la pilule et en usent dans des proportions considérables, maintenant qu'elles peuvent interrompre une grossesse et je sais le nombre, relativement important, de celles qui y ont recours chaque année, – comment et pourquoi des femmes seraient assez imprudentes, assez bêtes, assez folles ou assez garces pour se mettre en situation de faire tant et tant d'enfants qui ne sont pas de leur mari ?

Comment, femme qui connaît bien les femmes, était-il possible que je n'eusse jamais reçu de confidences de ce type – mais que les accoucheurs et les curés, eux, fussent en mesure d'établir des statistiques à la virgule près ? Racontent-elles à leur obstétricien avant l'accouchement, qu'elles ont un petit problème, docteur, l'enfant n'est pas de mon mari... ? Où sont-ce les parturientes qui, entre deux cris, se délivrent de leur secret au moment où leur mari est sorti téléphoner ? Ou bien sont-ce les accoucheurs qui, à vue de nez, estiment que tel nouveau-né a le scrotum trop foncé ou trop de cheveux ou un nez trop épaté pour être le fils du père ? « Les médecins », sans plus de précisions, sont-ce des pédiatres à qui les mères disent : « Celle-ci, docteur, elle n'a pas le même tempérament que son frère, pensez donc, elle n'est que sa demi-sœur, elle n'est pas du même père... ceci entre nous, bien sûr... » ?

Après les médecins, les curés...

Quant à la référence aux curés, elle me parut encore plus incroyable – peut-être, parce que, fille de pasteur protestant, je sais que les ministres du culte sont des tombeaux de discrétion qui n'iraient jamais divulguer les confidences, et encore moins les confessions, qu'ils reçoivent. Ils sont au-dessus de tout soupçon en la matière, quoique puissent en dire les gens qui semblent prendre un « malin » plaisir à déconsidérer l'Église en prêtant aux curés d'obscurs pouvoirs et de tristes manies. Mais qui donc peut croire à de telles sornettes? Imagine-t-on les curés comptant et recomptant, avec des croix, le nombre de bâtards que leur ont avoués leurs pénitentes, le rapportant au nombre total de leurs ouailles mères de famille, qu'ils multiplient par le nombre d'enfants qu'elles ont, puis faisant un pourcentage sur leur calculette. Ensuite, lors de je ne sais quelle réunion diocésaine, demandant à leurs collègues : « Et vous, combien trouvez-vous? » Pauvre échantillon, du reste, car le troupeau des catholiques pratiquantes avec enfants s'amenuise d'année en année, et même elles, elles ne vont plus à confesse...

Pourtant cette référence méchante et cocasse doit bien revêtir pour quelques gogos une certaine crédibilité, puisque non seulement elle m'a été rapportée, mais encore je l'ai retrouvée, citée par un journaliste : « On sait que 10 à 12 % des enfants prétendus légitimes sont, en réalité, le fruit d'un adultère (ce chiffre, obtenu par le biais des tests de dépistage prénatal, confirme les estimations avancées depuis longtemps par les ecclésiastiques sur la base de la confession.) »

Il est vrai que celui-là donne seulement une fourchette : 10 à 12 %. Mais le plus curieux, au cours de mon enquête, a été la précision des chiffres qui m'ont été cités, lesquels allaient de 7 % à 30 %. Et, en regard, l'imprécision dès qu'il s'agissait d'établir la base de l'échantillon : « 12 % de quoi – Des enfants légitimes. – Très bien, mais où? quand? comptés à quel propos? » Nul ne pouvait me le dire avec certitude et encore moins m'indiquer une référence écrite où je pourrais trouver cette estimation. Les pourcentages avancés par les médecins, on pensait que ce devait être, que ça ne pouvait qu'être sur l'ensemble de leur clientèle, je pense, mais... Notre journaliste renvoie à l'ensemble des enfants légitimes (pardon « prétendus légitimes »), mais évoque le test de dépistage prénatal. Quel test de dépistage prénatal? Sur combien d'enfants le pratique-t-on? Cherche-t-on alors la formule génétique de leur père « présumé »?

Si c'était le cas, si ce test était si courant qu'on puisse considérer les enfants auxquels on le fait subir comme un échantillon représentatif du tout-venant des enfants légitimes, et si on passait également pères et mères à la même épreuve révélatrice, alors la machine à bouleverser « la paix des familles » serait déjà en place. Il n'y aurait plus lieu de s'affoler à l'idée d'un libre recours des particuliers aux empreintes génétiques!

La chasse aux chiffres permet de débusquer une rumeur

Pour en avoir le cœur net, j'ai consulté un homme-qui-sait-tout, médecin, démographe et généticien, le docteur Biraben, directeur de recherches à l'Institut d'études démographiques. Il m'a affirmé ne connaître aucune étude à ce sujet: la seule chose qu'il pouvait me dire, c'était que, suivant à la trace, dans des populations françaises, génération après génération, certaines maladies transmissibles, il pourrait au contraire m'en extraire des chiffres qui tendraient à prouver qu'on était scrupuleusement fidèle, dans ces familles, au moins pour ce qui concerne la filiation paternelle. « Mais, poursuivit-il, vous m'y faites penser, j'étais en Allemagne la semaine dernière, et un de mes collègues a avancé le chiffre de 7 %... Mais d'où le sortait-il? Je ne sais. Le Professeur David, lui, a estimé de 70 000 à 100 000 le nombre de naissances annuelles, en France, d'enfants " qui ne sont pas de leur père légitime [1] ". Ce qui donne 9 à 12 % du nombre des naissances totales; mais, d'où tenait-il ce chiffre? Je ne sais. »

1. Georges DAVID et *alii*, *Au début de la vie, des catholiques prennent position,* Paris, La Découverte, 1990.

Le Professeur David, grand spécialiste du sperme et de la fécondité et stérilité masculines, a également fondé les CECOS, ces centres qui aident les couples sans enfants par stérilité du mari à avoir l'enfant qu'ils souhaitent ardemment, au moyen d'insémination artificielle avec donneur (IAD). Sa spécialité lui a-t-elle permis des évaluations? « Non, dit-il, pas du tout : ce sont des spécialistes des transfusions sanguines qui ont cité ce chiffre devant moi, mais j'avoue ignorer l'ampleur de leur échantillon et la méthode utilisée. »

L'épisode le plus cocasse de ma quête s'est déroulé à l'issue d'une réunion du Conseil scientifique de l'INED [1] dont j'ai l'honneur de faire partie. Tout le monde s'était levé et ramassait ses affaires. Je me suis approchée de Michel-Louis Lévy, directeur du très remarquable périodique *Population et sociétés* et auteur d'ouvrages de référence sur la démographie, pour lui poser ma question. « Ah! oui, me dit-il, j'ai su que les Anglais avaient fait des statistiques là-dessus, voici déjà quelque temps, et ils donnaient des chiffres ébouriffants, de l'ordre de 30 %! Mais c'étaient des médecins qui avaient établi cela. Et puis, maintenant, avec le test de Jeffreys, ce sont des biologistes. Nous, ici, on n'a rien, mais voilà notre collègue de l'INSERM [2] qui s'en va, rattrapez-le, c'est eux qui ont cela! » Je cours et parviens à entrer dans l'ascenseur avec le collègue de l'INSERM, qui, à ma question, répond : « Ah! oui, je sais qu'il existe des études là-dessus... Des proportions considérables... Mais nous, côté médical, nous n'avons rien. Demandez aux démographes, c'est eux qui vous donneront les références. Vous devriez remonter, et demander à Lévy... »

Bien entendu, j'ai continué mes recherches. J'ai pensé aux laboratoires qui, déjà, établissaient des empreintes génétiques à la demande des juges chargés d'instruire des actions en recherche de paternité ou désaveu de paternité, et je leur ai demandé s'ils savaient quelle proportion, etc.

1. Institut national d'études démographiques.
2. Institut national de statistiques et de recherche médicales.

Et comme tout me renvoyait vers l'Angleterre, j'ai poursuivi en écrivant et téléphonant à divers laboratoires anglais. Et j'ai fini par trouver une réponse satisfaisante. Mais, avant même de l'obtenir, j'avais compris que, cherchant des études scientifiques et des preuves irréfutables – j'avais découvert autre chose, qui a quelque prix en sociologie : j'avais débusqué une rumeur !

À quoi reconnaît-on une rumeur?

Qu'est-ce qu'une rumeur? C'est une information, souvent dramatique, qui circule de bouche à oreille sans le support d'aucun média. A quoi reconnaît-on une rumeur? Le locuteur qui la rapporte commence toujours par : « Savez-vous que... ? » et l'auditeur qui la reçoit écoute avec intérêt. Les exclamations du type : « Pas possible ! » qu'il profère sont des litotes, car il croit à ce qu'il entend, ne pose aucune question embarrassante sur les sources de l'information, et s'empressera, à l'occasion, de la faire circuler. Le message qui va ainsi voyager est caractérisé par le contraste entre la précision des détails donnés et des chiffres cités d'une part, et le flou de la source de l'information d'autre part. « On m'a affirmé que... », « Je l'ai lu quelque part », « La personne qui me l'a dit le sait de source sûre » sont les seuls renseignements donnés sur la fiabilité de la source.

La charge émotionnelle contenue, de manière explicite ou implicite, dans le message est une autre caractéristique de la rumeur. L'information rapportée exprime parfois un grand espoir, une attente collective irraisonnée. Ainsi, les étudiants parisiens qui construisaient leurs premières barricades au Quartier latin, la nuit du 10 au 11 mai 1968, répétaient inlassablement : « Les ouvriers viennent nous rejoindre ! Les ouvriers descendent le boulevard Sébastopol ! Ils arrivent ! » en dépit du fait qu'aucun des milliers de transistors branchés, dans cette foule et sur les balcons, ne confirmait cette information née d'une folle espérance.

Pourtant, ces transistors déversaient en continu des informations sur la situation dans tout ce Paris en ébullition.

Mais, le plus souvent, la rumeur véhicule une information dramatique ou angoissante, dont on pense que « les autorités n'ont pas intérêt à ce que cela se sache », ou « on cherche à nous le cacher », « on ne le dit pas officiellement pour ne pas affoler les gens », etc.

En outre, la rumeur désigne souvent, à mots couverts, des méchants occultes « qu'on ne veut pas dénoncer publiquement » par une coupable mauvaise volonté des autorités ou assimilées. Ce sont les trafiquants de drogue qui distribueraient aux enfants des « décalcomanies imprégnées de LSD » ou de quelque autre substance psychotrope, et que la police ou les enseignants laisseraient agir. Ce sont les commerçants en confection d'origine israélite que la rumeur d'Orléans – qui a sévi aussi à Tours – accusait de faire disparaître des jeunes femmes à peine entrées dans une cabine d'essayage et de fournir ainsi la « traite des blanches ». Edgar Morin a excellemment étudié cette rumeur et ses significations.

Bien entendu, la rumeur concernant la proportion d'enfants adultérins parmi les enfants légitimes apparaît beaucoup moins haineuse et beaucoup moins grossière. Pourtant, elle revêt bien les caractéristiques de la rumeur. Elle aurait dû être arrêtée par le scepticisme : « Comment diable a-t-on pu évaluer si bien des faits par définition cachés? »; par une curiosité précise et même méfiante : « Quelle méthode a-t-on utilisée? Qui a étudié cela? Sur quel échantillon? »; et par l'exigence d'une référence, comme me le disait Jean-Noël Biraben : « Il faudrait trouver une publication et en faire une étude critique. »

Autre caractéristique de la rumeur : la facilité avec laquelle elle est acceptée par celui à qui vous la redites : « Oui, il paraît que... » « Eh! bien! c'est inouï! Mais, vous savez, ça ne m'étonne qu'à moitié... » ont été les réactions que j'ai recueillies quand j'ai essayé de propager ma grande nouvelle sur la formidable infidélité des femmes mariées et la jobardise des pauvres pères. Mais attention! cette rumeur-ci revêt deux caractères qui lui sont propres : elle circule fort bien dans des milieux scientifiques, ce qui tout de même en fait un objet rare, elle balaie aisément l'esprit critique toujours en éveil chez les scientifiques, ou du moins potentiellement présent, espère-t-on. Et, surtout, elle ne fonctionne que chez les hommes!

Dévoilement d'un malaise parmi les hommes

Aucune femme de ma connaissance ne s'y est laissée prendre. Les réactions féminines ont été beaucoup plus souvent le rire : « Qu'est-ce que c'est que cette histoire à dormir debout? » ou l'indignation : « Voilà ce que les hommes inventent pour déconsidérer les femmes! », ou bien encore la surprise sceptique : « Maintenant que nous avons la pilule, quelles sont les tordues qui iraient se mettre dans des situations pareilles? »; ou la jubilation comique : « On leur a fait ça! Eh! bien, tant mieux! Tous ces jaloux roulés dans la farine, c'est réjouissant, non? »

Ainsi la crédulité des hommes et l'incrédulité des femmes révèlent bien la nature de la charge émotionnelle attachée à cette prétendue information. L'angoisse masculine liée à l'incertitude de la paternité a préparé le terrain; la peur de la perfidie féminine a fait le reste. Les hommes souffrent tous ou presque d'une peur vague, souvent inconsciente, de n'être pas maîtres de leur filiation et de ne pouvoir lutter à armes égales contre les femmes, qui ont les moyens de les duper – et le désir de les duper. Les méchants suggérés, dans cette rumeur, ce sont les femmes, leurs séductions, leurs artifices et leur rouerie – face à quoi les hommes sont faibles et impuissants, ou se croient faibles et impuissants.

En outre, les hommes d'aujourd'hui sont assez souvent persuadés qu' « on » montre une excessive indulgence pour les femmes, auxquelles « on » ferait toutes sortes de faveurs depuis que les féministes ont « gagné », et c'est pourquoi de telles statistiques seraient tenues sous le boisseau. « On » ne ferait rien pour démasquer ces femmes. Au contraire, « on » finirait par considérer que c'est bien leur droit de gruger les hommes, etc. « On », bien entendu, est un pronom indéfini : il semble en l'occurrence qu'il désigne tout à la fois le gouvernement, son administration des Affaires sociales, la justice, les journalistes, la police et je ne sais qui encore. Ainsi donc, toutes les caractéristiques sociologiques de la rumeur sont réunies. Auxquelles il faut ajouter, bien entendu, le trait principal, la marque définitive de la rumeur : à savoir que l'information qui vole ainsi de bouche en bouche est fausse. Que c'est une invention, disons « collective ».

En Grande-Bretagne, il est bien connu que...

Alors, la vérité? Qui ne serait impatient de la connaître après toutes ces considérations! Première constatation : les Français, même scientifiques, ne sont pas les seuls à s'être laissés gagner par l'inquiétude sur la fréquence des cas de non-paternité ni les seuls à avoir cité des proportions statistiques. Les Américains et les Anglais, pour ne parler que d'eux, ont bien fourni la machine à faire tourner la rumeur, jusqu'à lui faire, peu à peu, acquérir le statut d'une vérité admise : « Il est bien connu que... » « C'est chose établie que... » Ainsi, les étudiants en médecine britanniques apprennent, dans leur manuel de génétique, que les taux de non-paternité sont de l'ordre de 10 à 15 %. Leurs cours sur l'ADN, eux, affirment 10 % [1]. 10 % est également le taux qu'ont repris des commentateurs à propos d'un programme de recherche d'un caractère récessif entraînant une grave anomalie héréditaire, programme qui nécessite de détecter les porteurs de gènes aussi bien

1. A.E.H. Emery, *Elements of Medical Genetics*, Edimbourg, Churchill Livingstone, 1983.

chez les pères que chez les mères des enfants susceptibles d'être atteints [1].

Alertées, deux chercheuses écossaises de l'Unité de sociologie médicale du Medical Research Centre de Glasgow, Sally Macintyre et Anne Sooman [2] (deux femmes!) ont voulu savoir d'où sortaient ces estimations et ont conduit une longue et consciencieuse investigation sur tout ce qui avait été publié sur ce sujet. Elles ont vite découvert que les estimations rigoureuses indiquant notamment l'échantillon de base de l'étude, la méthode suivie, la technique utilisée pour donner l'identité génétique des enfants et des deux parents – ces estimations-là, on les rechercherait en vain. Elles ont relevé de nombreuses allusions qui faisaient référence à une remarque faite par le docteur Elliott Philipp en 1972 à un symposium sur les aspects éthiques de l'insémination artificielle avec donneur (IAD) : il avait affirmé avoir dû interrompre une étude sur les corrélations entre formation des anticorps et groupes sanguins (A,B,O, M ou N) car cette étude révélait que « 30 % des enfants de son échantillon, pris dans 200 à 300 familles du sud-est de l'Angleterre, ne pouvaient avoir été engendrés par les maris de leurs mères [3] ». Par la suite, il avait à plusieurs reprises confirmé cette découverte (voilà nos 30 % d'Anglais auxquels Michel-Louis Lévy devait se référer). Mais le travail auquel il faisait allusion n'a jamais été publié, et par conséquent ne peut être étudié par un observateur indépendant, sous le rapport de l'échantillon retenu, ou sous celui de l'analyse des groupes sanguins. Il en va de même pour une autre estimation, de 20-30 % celle-là, que l'on retrouve citée partout comme provenant d'une

1. Stewart A.D. « Screening for cystic fibrosis », *Nature*, 1989, n° 341, p. 696.

2. Sally MACINTYRE & Anne SOOMAN, « Non-paternity and prenatal screening », *The Lancet*, oct. 1991, n° 338, pp. 869-871.

3. G.E.W. WOLSTENHOLME, D.W. Fitzsimmons ed., *Law and Ethics of AID and embryo transfer,* Amsterdam, Associated Scientific Publishers, 1973, p. 66.

recherche connue sous le nom de « Étude des appartements de Liverpool » (*Liverpool Flats Study* [1]) : on en a parlé, mais l'étude elle-même demeure introuvable, et on ne peut juger ni de ses hypothèses ni de ses méthodes.

Les seules publications existantes ont trait à des études fort anciennes et fort disparates qui n'avaient en commun ni le but de la recherche, ni l'échantillon, ni les méthodes d'analyse. A partir des groupes sanguins A,B,O et des facteurs Rhésus, Edwards, en 1949-1950, estimait à 5 % les enfants qui n'étaient pas de leur père légal parmi 2 596 bébés du Middlesex ouest. Des Américains trouvaient 1,4 % pour les Blancs et 10,1 % pour les Noirs dans le Michigan en 1962. Un autre Américain en a décelé 2,3 % dans une population de familles hawaïennes signalées comme « du même sang [2] ». Voilà tout ce qu'on a à se mettre sous la dent en trente années de recherches... Et cela avant la découverte de la technique des empreintes génétiques par Alec Jeffreys.

Qu'en concluent nos deux patientes chercheuses écossaises en 1991 ? « Qu'il est important de reconnaître l'absence de données publiées récentes, vérifiables et pertinentes sur le sujet. » Si des taux élevés de non-paternité ont été cités, ils semblent improbables pour le Royaume-Uni. Quant aux 10 % si fréquemment repris, on ne saurait leur conférer le moindre brevet d'exactitude, faute de preuves. « Les pourcentages de non-paternité ont revêtu peu à peu le caractère de légendes urbaines – productions de la sagesse des nations qui rencontrent une large adhésion, bien qu'étant, en fait, très peu fondées. »

1. H.C. McLaren, cité *in* Cohen J., *Reproduction*, Londres, Butterworth, 1977.

2. J.H. Edwards, « A critical examination of the reputed primary influence of ABO phenotype on fertility and sex ratio », *Br. J. Pre. Soc. Med.* 1957; Michigan : L.E. Schascht & H. Gershowitz, Congress on Human Genetics, Rome, sept. 1961 ; Hawaï : G.C. Ashton, *American Journal of Human Genetics*, 1980, n° 32.

Premier enthousiasme des juristes pour le triomphe de la vérité biologique

Cependant, ces contes et légendes sans fondement de la fin du xxe siècle n'en ont pas moins eu des conséquences. La rumeur à propos des enfants légitimes dont le père légal ne serait pas le géniteur a eu une influence certaine sur les réflexions conduites sur la filiation depuis les progrès décisifs de la génétique et de la procréatique. En jetant le trouble sur l'opportunité de rechercher « la vérité » biologique d'une filiation paternelle, elle a contribué à affaiblir le concept même de paternité. Pour comprendre comment s'est diluée sa substance même, petit à petit, dans l'ambiguïté, alors que le concept de maternité ne cessait de se renforcer grâce au libre choix de la contraception, il faut revenir quelque peu en arrière.

Au début des années 70, un fort vent en faveur de l'égalité, de plus d'égalité, soufflait sur le droit de la famille. Il avait déjà opéré en faveur de l'épouse et de la mère, à laquelle furent accordés un statut et des droits égaux à ceux de l'époux et du père, par exemple par la loi sur l'autorité parentale (1970). Puis, pour établir davantage d'égalité entre les enfants, au regard de la filiation, qu'ils fussent légitimes, naturels ou adultérins, les juristes comprirent vite l'usage qui pouvait être fait des premières « preuves biologiques », même seulement négatives, récusant un lien paternel, puis des preuves biologiques établissant presque à coup sûr la paternité – c'est-à-dire la comparaison des groupes sanguins dans un premier temps, puis les systèmes HLA par la suite.

Dans nos sociétés, pour tout enfant, la filiation paternelle revêtait une grande importance; à la filiation étaient rattachées la transmission du nom, les obligations alimentaires du père, les successions, etc. Or cette filiation dépendait de la situation du père au moment de la naissance de l'enfant : l'enfant était « légitime » si son père était marié à sa mère; « naturel » si son père n'était que le concubin ou l'amant de sa mère; « adultérin » si son père était marié à une autre femme que sa mère au moment de sa conception. L'enfant légitime pouvait prétendre à tout, l'enfant naturel à peu de choses, l'enfant adultérin à rien du tout. Il apparaissait nettement qu'à l'origine de ces injustices était la définition toute juridique, toute artificielle du père dans l'incertitude où on était de la vérité biologique : celui-là était le père qui était le mari de la mère *(« pater is est quem nuptiae demonstrant »)* ou qui faisait un acte volontaire de « légitimation », même s'il n'était pas le père de l'enfant par le sang. Dans un tel contexte, les « preuves biologiques » furent accueillies avec une grande faveur pour les juristes qui voulurent « faire triompher la vérité [1] » afin d'en finir avec la hiérarchie des filiations, et introduire le plus d'égalité possible entre des enfants qui n'étaient pour rien dans la situation matrimoniale de leur père au moment de leur conception ou de leur naissance.

On entrait dans le règne de la vérité après celui de la fiction, concernant le lien avec le père. La loi du 3 janvier 1972 sur la filiation mit fin à l'infériorité des enfants « naturels », et cela grâce à la preuve biologique, considérée comme « l'instrument du progrès ». En même temps, le mari ne fut plus le seul à pouvoir désavouer sa paternité et faire tomber la filiation légitime : d'autres personnes furent investies de ce droit, la femme, le « vrai » père, etc. Les tribunaux eurent recours, sans réticences, à l'expertise biologique. En 1985, deux arrêts de la Cour de Cassation mirent fin, de manière définitive, à la fiction père = mari, en permettant à tout intéressé – femme, enfants, héritiers, etc. – de contester la paternité du mari pendant trente ans, et même quarante-huit ans pour l'enfant! En Belgique, aux Pays-Bas, en Italie et au Royaume-Uni la contestation fut ouverte à tous ceux qui y ont intérêt et put se fonder sur l'expertise médicale.

1. Jean Foyer, Rapport sur le projet de loi sur la filiation, Assemblée nationale.

Valse hésitation entre paternité biologique et paternité sociale

A partir de là on vit se dessiner un double mouvement qui allait diviser les pays européens entre eux, puis même les opinions publiques à l'intérieur des pays, sans que l'on puisse encore affirmer que les points de vue soient fermement arrêtés. On peut distinguer un courant important en faveur de la primauté et valorisation de la paternité biologique, d'une part, et un courant inverse conduisant à émettre de nombreuses réserves sur la préséance donnée à la paternité biologique sur la paternité sociale, d'autre part. Une grande incertitude demeure, à l'issue d'années d'innovations en matière de reproduction assistée et de progrès dans l'identification du père biologique. On sait de mieux en mieux déterminer le père génétique, celui qui a engendré l'enfant; on sait de moins en moins déterminer clairement ce qu'on entend par père social, ou socio-affectif – qu'il s'agisse des actes de volonté qu'il doit poser, des engagements qu'il prend vis-à-vis de l'enfant, ou qu'il s'agisse des conditions de vie socio-économiques et psychologiques qu'il est censé assurer à l'enfant : cohabitation, soins, amour, etc.

Il n'est pas indifférent que ces débats se soient déroulés pendant les années de profonds changements où les femmes ont affirmé leur maîtrise sur la fécondité, faisant de leurs grossesses des actes volontaires. On n'a cessé de les considérer comme affectivement plus proches de leurs enfants, psychologiquement plus importantes pour l'enfant, socialement indispensables au développement harmonieux de l'enfant. On n'a jamais mis sur le même pied la nature du lien biologique entre le père et l'enfant d'une part, entre la mère et l'enfant d'autre part.

Pour l'immense majorité des gens, ce qui crée le lien physique entre la mère et son enfant, ce sont les neuf mois de gestation, c'est l'accouchement, la mise au monde d'un corps vivant par un corps vivant. Bien peu nombreux sont ceux qui savent que la mère lègue à son enfant un matériel génétique contenu dans son ovocyte, et que c'est cet ovocyte qui est le symétrique du spermatozoïde du père. Parmi ceux qui le savent, bien rares sont ceux qui y accordent une attention primordiale. On a dernièrement annoncé à son de trompe à la télévision que des mères anglaises de près de 50 ans s'étaient fait inséminer afin d'avoir un enfant après neuf mois de grossesse. Quelques journalistes ont mentionné qu'elles avaient reçu auparavant l'ovocyte d'une jeune femme. D'autres journalistes ne l'ont pas même mentionné. Tous ont insisté sur le fait extraordinaire de ces quinquagénaires qui allaient « faire un enfant » comme des jeunes femmes. Personne n'a souligné le fait que cet enfant ne serait pas, génétiquement, leur enfant, même après neuf mois de grossesse dans leur ventre.

Pour la mère, le lien biologique, c'est que l'enfant est « la chair de sa chair ». Voilà qui est fort, émouvant, « naturel », évident. Pour le père, le lien biologique, ce sont les chromosomes contenus dans une demi-cellule envoyée, parmi des milliers d'autres, neuf mois avant la naissance, au hasard... Pour le père, la preuve biologique fait appel à la génétique, cette science effrayante qui dévoile l'hérédité – concept détesté – cette science dont nous redoutons les déploiements à venir par horreur des dévoiements du passé.

Non, le spermatozoïde n'émeut pas. Sa nage aveugle est trop indépendante de la volonté humaine, trop conduite par le destin pour apparaître comme un acte d'amour. Comme comparer le lien qu'il crée entre le père et l'enfant au « lien de chair et de sang » qui attache la mère à son enfant?

Donneurs de sperme et pères par volonté

Le spermatozoïde, ce n'est pas grand-chose, à tout prendre, et moins encore quand il est congelé en paillettes qu'on conserve dans un thermos. Si ces minuscules gouttes froides peuvent venir combler l'immense désir d'être mère d'une femme dont le mari est stérile et l'intense désir d'être père d'un homme stérile, qu'importe qu'elles ne soient pas du mari, s'est-on dit quand l'insémination artificielle avec donneur (IAD) s'est répandue! De plus, ce mari qui ne peut pas « faire d'enfant » à sa femme est en puissance, dans sa tête et dans son cœur, un « vrai » père, puisqu'il s'apprête à accueillir cet enfant comme le sien, à lui donner son nom, à l'aimer et l'élever sans jamais lui dire que le minuscule spermatozoïde qui fut à son origine provenait d'un autre, à jamais anonyme.

Personne ne saura jamais, ni ses propres parents qui seront tellement heureux de voir leur bru enceinte et qui trouveront sûrement que ce bébé « est le portrait tout craché de son père », ni ses amis, ni personne, sauf sa femme. Il sera père pour tout le monde, depuis la salle où sa femme accouchera jusqu'à son lit de mort. L'IAD n'est pas une intervention si nouvelle que cela : elle fut pratiquée en Grande-Bretagne dès 1884 [1], du moins de manière médicalement contrôlée, car si l'on en croit le merveilleux roman de Milan Kundera, *La Valse aux adieux,* de nombreux enfants pourraient tenir la vie de cadeaux en sperme généreusement dispensés par des médecins compatissants... Cependant, le plus rigoureusement et le plus scientifiquement du monde, quelque vingt mille enfants français ont ainsi été conçus par un « donneur » de sperme demeuré strictement anonyme et impossible à retrouver, et ont été déclarés par un-père-à-part-entière, qui a tu sa stérilité.

L'opinion avait d'autant mieux accepté cette pratique que les CECOS l'avaient entourée de précautions scientifiques et éthiques rigoureuses : ces centres médicaux de

1. L'insémination d'une femme avec le sperme de son mari remonte à... 1779. Il s'agissait de faciliter une fécondation naturelle empêchée par des obstacles mécaniques. Cette insémination artificielle avec la semence de l'époux a, depuis, toujours été pratiquée dans les hôpitaux, dans le cadre du traitement de la stérilité des couples mariés.

haut niveau exigeaient que le sperme fût « donné » et non vendu, aucun aspect mercantile ne devant flétrir le service rendu qui permettait à un couple sans enfant d'en mettre un au monde; les « donneurs » étaient soigneusement sélectionnés et devaient être des hommes mariés et pères d'enfants sains, et leurs épouses devaient être tenues au courant de ce don et consentantes; ils ne devaient en aucun cas pouvoir connaître le sort réservé au « don » qu'ils avaient fait; la femme inséminée et son mari ne devaient jamais pouvoir connaître l'identité du « donneur ». Enfin, les CECOS étaient si soucieux de permettre la constitution d'une famille pour les enfants nés ainsi qu'ils refusaient d'inséminer une femme seule ou une lesbienne – au motif qu'aucun enfant ne pouvait choisir de venir au monde sans père.

La conception du « père » ainsi magnifiée était celle de la paternité volonté, de la paternité choix, de l'engagement socio-affectif. Il semblait que ce fût une adoption avant procréation naturelle, l'absence de relation génétique entre le père et l'enfant n'étant connue que des seuls « parents ». La démarche des CECOS m'avait beaucoup touchée, leur haut niveau de conscience scientifique m'avait rassurée, et j'ai fait pour eux des émissions de radio et des conférences afin d'encourager toujours davantage de généreux « donneurs » à se présenter dans leurs centres. Ce qui me touchait surtout était la manière élégante dont était préservé un couple que la stérilité du mari eût pu à la longue conduire à la séparation et dont était comblé le puissant désir de maternité de la femme. Comme à la plupart des personnes mêlées à cette aventure, il m'apparaissait qu'elle considérait et respectait la plus belle conception de la paternité qui fût – la paternité de la volonté et du cœur. Au fond, tout au fond, j'admirais surtout que l'acte de paternité fût, en l'occurrence, un acte d'amour du mari pour l'épouse. Il comprenait son immense désir d'avoir un enfant. Il acceptait, en quelque sorte, de lui donner l'enfant qu'il ne pouvait lui donner, de la manière la moins égoïste qui soit, la plus tendre et la plus désintéressée.

C'est dire si nous fûmes bouleversés lorsque advint le premier cas de désaveu de paternité, engagé devant les tribunaux par un « père » IAD. Il s'agissait d'un homme qui voulait divorcer et ne désirait pas assumer les devoirs de paternité toute sa vie envers un enfant que sa femme avait voulu, mais qui ne lui était rien, génétiquement. Mais, pensions-nous, il a donné son consentement au processus qui avait abouti à cet enfant ! Il l'avait vu naître ! C'est un peu comme s'il l'avait adopté par avance : or rien ne peut rompre le lien d'adoption, jamais. Le tribunal de Nice en jugea autrement. A ses yeux, il n'y avait pas eu acte d'adoption – tout au plus un consentement tacite, qu'on ne pouvait prouver. En revanche, le tribunal considéra la « preuve biologique » fournie par l'analyse de la liqueur séminale du mari, décidément azoospermique. L'homme obtint son divorce et son action en désaveu de paternité fut reçue. Plusieurs autres jugements allèrent dans le même sens.

Un net recul devant la reconnaissance du primat de la vérité biologique

Il semblait manifeste que « la vérité biologique » triomphait. La composante génétique de la paternité était reconnue comme primordiale. Après cela, logiquement, l'amélioration croissante de la fiabilité des tests de paternité aurait dû renforcer ce courant et conduire à une valorisation toujours plus grande des « liens du sang ».

Or les choses ne se sont pas passées ainsi, en France tout du moins. Le droit est resté prudemment en retrait. Le recours systématique à la vérité biologique n'a pas été consacré par la loi. Des voix se sont élevées, de plus en plus insistantes, pour que l'on freinât le « jusqu'au-boutisme » de la logique de la « vérité biologique ». Alors qu'en Allemagne, les tribunaux estimaient que tout enfant a le droit de voir établie sa filiation paternelle et, en cas de désaveu par le père social d'un enfant né d'une IAD, attribuaient systématiquement la paternité au père biologique – c'est-à-dire au donneur de sperme qui ne peut donc se trouver totalement anonyme –, en France, on a continué de préserver l'anonymat des dons. Implicitement, cela signifie bien qu'on a opté en faveur de la prévalence de la volonté comme valeur fondatrice de la filiation. A l'inverse, les Allemands ont substitué de plein droit la paternité biologique à la paternité sociale.

Est-il possible, est-il souhaitable de reconnaître à l'enfant un droit à connaître ses origines? Redoutable question, qui vient fendre en deux le concept de paternité : lorsque le père biologique ne coïncide pas avec le père social, doit-on permettre l'établissement de la vérité et la faire connaître à l'enfant, si l'une des parties la demande? En France, le Comité d'éthique et le Haut Conseil de la population et de la famille ont donné une réponse plutôt restrictive à cette question. Un des premiers arguments avancés en faveur de la prudence, donc du *statu quo* quand l'enfant a un père social qui n'est pas le père biologique, fait état de notre « rumeur ». Ainsi, le Haut Conseil de la population et de la famille écrit dans son rapport du 21 mai 1990 : « Il est vrai que l'expérience des enfants adoptés ou abandonnés montre qu'il est le plus souvent bénéfique pour un enfant de connaître la vérité sur ses origines. Toutefois, peut-on prendre la responsabilité d'étendre cette recherche alors que l'on estime à plus de 5 % le nombre d'enfants adultérins? Quelles pourraient être les conséquences de la découverte de filiation adultérine dans des conditions aussi traumatisantes [1]? »

Ce texte est important, et par ce qu'il exprime, et par ce qu'il sous-entend. Que dit-il clairement? Qu'il semble préférable de préserver de la vérité les situations familiales acquises chaque fois que l'enfant a un père social qui n'est pas son père génétique, mais que l'enfant est dans l'igno-

1. La source citée est, en ce cas, D. Salmon, selon lequel « 7 à 10 % » des enfants légitimes ne seraient pas des enfants génétiques de leurs parents », *Droit de la filiation et progrès scientifiques*, Journées de l'association « Famille et Droit », Economica, 1981.

rance de cette situation, n'en souffre pas et ne demande pas à être éclairé sur ses origines. Selon cette position, deux catégories d'enfants doivent avoir, en quelque sorte, « droit au silence » sur leur origine paternelle afin de préserver leur situation dans une famille et de leur éviter le traumatisme d'une vérité insoupçonnée :

1) les enfants qui vivent normalement avec leurs deux parents légitimes mais qui sont en réalité les fruits d'un adultère de la mère, laquelle les a conçus avec un autre homme que le père;

2) les enfants nés à la suite d'une insémination artificielle avec donneur (IAD) qui sont élevés par leur mère et par celui qui a exprimé la volonté, dès avant leur conception, d'être et d'agir comme leur père social.

Logiquement, cette position devait conduire au projet de loi précédemment cité, qui interdit le recours, par des particuliers, aux empreintes génétiques. Cette interdiction vise à favoriser le silence pour geler la situation, même si elle est fondée sur une tromperie de la mère, même si elle prive l'enfant de la connaissance de ses origines paternelles.

Tout aussi logiquement, cette position devait conduire à interdire le désaveu de paternité du mari acceptant que sa femme soit inséminée par IAD, afin que les enfants nés selon cette technique n'aient qu'un père et un seul – leur père social – et ne puissent jamais connaître l'identité du « donneur » dont ils sont issus.

Effectivement, le projet de loi 1992 n'a pas oublié ce cas et propose de le traiter de la façon la plus claire : « Il n'est pas admissible, notamment, qu'un homme qui a accepté que sa femme soit inséminée avec le sperme d'un tiers anonyme désavoue sa paternité (filiation légitime) au seul motif qu'il a été recouru à une insémination artificielle. Il n'est pas davantage admissible qu'à l'occasion de la rupture du couple, la femme ainsi inséminée conteste la paternité de son compagnon pour le même motif. [...] Afin de responsabiliser les personnes qui acceptent de recourir à ce type de procréation et de garantir une certaine stabilité à la filiation de l'enfant, le projet de loi interdit à quiconque de remettre en cause la filiation de l'enfant qui en est issu à ce seul motif. La filiation ne pourra être contestée que s'il est prouvé soit que le conjoint de la mère, ou, selon le cas, son compagnon, n'a pas donné son accord à la procréation médicalement assistée, soit que l'enfant n'est pas issu de celle-ci. En outre celui qui, après avoir consenti à une procréation médicalement assistée avec donneur, refuse de reconnaître l'enfant qui en est issu, engage sa responsabilité [1]. »

Des sous-entendus révélateurs d'une grande peur de la génétique

Mais ces conceptions claires et leurs conséquences juridiques logiques reposent sur des sous-entendus qu'il est intéressant de mettre au jour afin d'éprouver leur validité :

– Il est sous-entendu que dans les situations où l'enfant a un père social qui n'est pas son père génétique, sans la preuve biologique, *on ne s'apercevrait de rien.* C'est-à-dire qu'on donne à entendre que rien n'est moins « évident » que le lien du sang, surtout quand il s'agit du père.

– Il est sous-entendu que le père social aura pour l'enfant qui n'est pas de lui le même élan et la même affection que pour sa progéniture. Donc, *qu'il n'existe pas de lien privilégié liant le père et l'enfant de son sang*, et que si tous les peuples en ont parlé, chanté, rimé, ce n'est tout de même que pure légende.

– Il est sous-entendu que *l'enfant n'aura nul besoin de connaître son identité génétique plus tard.* Donc, que les artifices de filiations paternelles du XXe siècle pourront se poursuivre au XXIe, alors même que les rapports entre la santé et les prédispositions génétiques ne cessent de se développer et laissent augurer un temps où la connaissance de son patrimoine génétique, au moins partielle, sera nécessaire à chacun pour se faire soigner.

1. Projet de loi NOR : MDJX9200024L.

– Il est sous-entendu *que l'identité conférée à un enfant pour son père est, avant tout, de nature sociale :* « La déclaration de naissance à l'état civil ou la reconnaissance de l'enfant inscrivent le nouveau-né comme un individu, familialement et généalogiquement situé, socialement reconnu comme partie de la nation [1]. » Si cette inscription sociale saute, parce que l'homme qui l'a faite n'est pas biologiquement le père, on sent quelle perte irréparable c'est pour l'enfant.

– En résumé, puisque, quand existe une paternité sociale distincte de la paternité génétique, et qu'il n'y a pas de contestation, la paternité sociale doit être préservée avant tout, cela signifie que *la paternité biologique ne peut, seule, fonder la filiation.* Ceux qui ont raisonné ainsi répugnent en effet à considérer le père génétique comme le « vrai » père ou le « seul » père. Ils vont jusqu'à imaginer ce qui se passerait si la filiation légale était fondée sur la seule filiation génétique et ils dénoncent alors « le risque de créer *des filiations légales dénuées de toute humanité,* le père biologique restant irrévocablement le père juridique bien que se désintéressant en fait de son enfant [2] ».

On sent, sous ces expressions, le préjugé fortement défavorable à la paternité génétique. On va plus loin encore, en suggérant que lier l'enfant par la filiation à son père biologique « pourrait facilement entrer en contradiction avec la réalité des liens affectifs ». Quels sont ces liens affectifs supérieurs à ceux qui peuvent accompagner la paternité biologique? Eh! bien, ceux qui peuvent se tisser entre l'enfant et l'amant de la mère : « Une telle systématisation empêcherait par exemple de consacrer juridiquement une relation affective entre un enfant naturel et le concubin de la mère, alors que celui-ci n'est pas le père de l'enfant mais vit avec lui et le traite comme son propre enfant [2]. »

1. Jean-Louis BAUDOUIN et Catherine LABRUSSE-RIOU, *Produire l'homme, de quel droit?* Paris, 1987.

2. Haut Conseil de la population et de la famille, *Filiation sociale et filiation biologique*, rapport au Président de la République, rapporteur Christine Maugue, 21/5/90.

Les conceptions qui viennent d'être exposées, qu'elles soient expressément articulées ou simplement sous-entendues, méritent d'être discutées. En premier lieu parce que ce ne sont pas seulement celles des hautes instances de la République, mais, me semble-t-il, celles qui sont le plus largement partagées par l'opinion, en France ainsi que dans d'autres pays d'Europe. En second lieu, parce qu'elles me semblent bien plus largement inspirées du passé que faites pour affronter l'avenir.

Regarder vers l'avenir plutôt que vers le passé

L'avenir qui nous attend, c'est celui des progrès constants dans l'identification génétique de chaque individu : attention ! je *ne* veux *pas* dire par là que nous serons tous fichés selon nos chromosomes par une sorte de police bio-identitaire toute puissante à laquelle il serait impossible d'échapper en trafiquant ses gènes comme on falsifie un passeport. Non, je ne crois guère à la dérive Big Brother de l'identification génétique. Nos sociétés peuvent parfaitement l'empêcher de se constituer, c'est affaire de choix politiques. Mais il ne faudrait pas pour autant enrayer les progrès de la connaissance. Depuis quelque trente ans, on a vu se réduire comme peau de chagrin la liste des affections que l'on proclamait naguère psychosomatiques, et dont on s'est aperçu qu'en réalité elles avaient beaucoup affaire avec le terrain génétique, ou même avec un gène précis. Et ce n'est pas fini. On ne peut s'attendre à ce que les psycho-somaticiens fassent amende honorable, mais on peut s'attendre à ce que, au fur et à mesure que le code génétique va être mieux déchiffré, la médecine s'enrichisse de diagnostics se rapportant à des données génétiques – sans parler des traitements.

De ce fait, certains savoirs de la génétique propre à chaque individu deviendront, inéluctablement, plus courants. Déjà, il nous est recommandé de porter constamment sur nous, entre notre carte d'identité et notre carte de Sécurité sociale, une « carte de groupe sanguin et facteur Rhésus », indispensable en cas d'accident nécessitant une transfusion sanguine. Demain, en prévision de greffes ou d'autres types d'intervention, on aura peut-être besoin de porter sur soi quelque formule plus élaborée. La confrontation de ces formules fera apparaître clairement les impossibles filiations. Déjà, groupes sanguins + facteur Rhésus suffisent à éliminer des paternités et peuvent susciter des doutes...

De plus, il est inévitable que, demain, une certaine connaissance génétique des individus soit requise pour combattre les maladies transmissibles. C'est dans le métro parisien qu'a été conduite une recherche sur la diffusion du diabète dans les familles. De telles enquêtes révèlent les liens de sang – ou leur absence – entre père et enfants. Ainsi, l'étude des deux spécialistes de sociologie médicale de Glasgow, Sally Macintyre et Anne Sooman, dont j'ai fait état pour en finir avec la rumeur sur les enfants adultérins, avait été commandée avant la mise en place d'un programme de recherche concernant une maladie transmissible (la mucoviscidose). Son gène peut être transmis par le père ou par la mère, et il faut identifier le risque que présentent certains couples de transmettre la maladie à leur enfant, afin de pouvoir leur offrir un dépistage prénatal lors de chaque grossesse. Ceci n'est qu'un exemple. La connaissance du patrimoine génétique des individus deviendra de plus en plus fréquemment nécessaire dans des programmes de prévention médicale.

Dans ces conditions, il sera de plus en plus difficile de maintenir, non pas la paix des familles, mais la fiction des filiations non biologiques. Au cours de la vie d'un enfant adultérin, ou adopté, ou IAD, le risque de voir éclater l'impossibilité génétique qu'il soit l'enfant de son père va augmenter d'année en année. Or cette révélation, qui risque de terriblement éprouver sa relation avec son père social, ne lui apportera qu'une certitude négative si l'on peut dire (du type : ton père n'est pas ton père) mais aucune certitude positive (du type : voilà l'homme qui est ton père).

Existe-t-il un droit de l'enfant à connaître ses origines?

Voilà qui complique encore la question à l'ordre du jour en Europe, à savoir : devra-t-on, à l'avenir, reconnaître à l'enfant *un droit à connaître ses origines?* Il est extrêmement difficile, sinon impossible, d'en décider au nom de l'enfant, ou même d'affirmer où est l'intérêt de l'enfant. Si l'on répond : « Oui, l'enfant a droit à connaître ses origines », il faut s'apprêter à lever deux voiles : l'un sur la manière dont il a été conçu, l'autre sur l'identité de son géniteur.

En effet, pour l'enfant, une chose est d'apprendre que celui qu'il appelait Papa n'est pas son père; tout autre chose est d'apprendre qu'il a été conçu par des paillettes de sperme d'un inconnu. Comment réagit-on dans un tel cas? Personne, jusqu'ici, ne peut le dire, pas même le psychologue le plus émérite. Ou encore d'apprendre que votre mère vous a fait avec un partenaire qu'elle n'a jamais revu et auquel elle n'a même pas dit qu'elle était enceinte, et dont elle affirme ne pas savoir où il habite, tandis qu'elle en tait le nom. Ou encore d'apprendre que sa mère a trompé son mari doublement, bernant le mari et abusant le père. Autant de situations qui peuvent modifier tout à fait les sentiments d'un enfant pour sa mère.

L'autre voile qu'il faut lever est celui qui dérobe le « donneur » de sperme dans un anonymat définitif. On sait la souffrance que représente, pour les enfants adoptés, le fait de ne jamais pouvoir savoir qui étaient leurs parents biologiques. Ils savent seulement qu'ils ont été abandonnés. Mais ils se bercent d'espoirs et d'histoires. En dépit de toutes les mises en garde de leurs parents adoptifs, chez qui ils sont aimés, certains partent en recherche et se heurtent aux infranchissables murailles qu'a dressées l'administration pour qu'ils ne puissent jamais savoir. Pourquoi n'en serait-il pas ainsi pour les enfants IAD? Leur père génétique n'était pas un père abandonnant, mais un homme jeune, sain, intelligent (sans quoi il n'aurait pas été sélectionné comme « donneur ») et désintéressé, qui a voulu rendre service à un couple stérile. Ils peuvent avoir, de ce fait, encore plus envie de tenter de le retrouver.

La réflexion sur ces sujets, si délicats, est loin d'être close. C'est un terrain miné pour les idées simples et les convictions tranchées. On peut très bien être conscient des risques du dévoilement de la vérité sur ses origines à un enfant, et, en même temps, penser qu'aucune personne humaine ne devrait être privée du droit de connaître ses origines. Pour dénouer ce dilemme, il faudrait pouvoir affirmer : « Voilà ce qui est bon pour l'enfant, aujourd'hui, et sera bon encore demain. » Mais qui peut se vanter de pouvoir prendre une telle décision en toute connaissance de cause – et de conséquence... ?

Deux choses sont sûres : il faut parvenir à exiger des femmes, comme c'est le cas en Suède ou en Hollande, et comme ce sera le cas en Grande-Bretagne de plus en plus, qu'elles désignent nommément le père de l'enfant dans tous les cas où cela est possible, c'est-à-dire tous, sauf les viols par un inconnu, cas bien rares parmi les naissances, et les IADs. Les femmes sont les premières responsables de l'ignorance dramatique où beaucoup d'enfants se trouvent de leur origine paternelle. D'autre part, « il ne faut pas mettre l'enfant en demeure de décider, parce que tout choix est une exclusion [1] ».

Mais de plus en plus nombreux sont ceux qui pensent qu'il faut laisser à l'enfant la possibilité de savoir, s'il veut savoir. On pourrait considérer comme un droit de l'homme le droit de connaître ses origines, et particulièrement ses origines paternelles, s'il le souhaite. La société pourrait activement promouvoir ce droit, en exigeant des mères qu'elles désignent le père biologique (et en les aidant si cette révélation complique leur vie), et en levant toutes les barrières qui interdisent l'accès aux informations sur les origines paternelles de certains enfants et en

1. Jean-Pierre ROSENCZVEIG, « Faut-il donner des droits à l'enfant? », *Informations sociales*, n° 7, 1986, p. 51.

font à jamais des enfants de pères inconnus et inconnaissables.

« Monsieur, vous êtes mon Papa génétique! »

C'est pourquoi les Suédois, qui ont déjà décidé ce que les Français s'apprêtent à voter – à savoir qu'un homme qui s'est engagé à être le père social d'un enfant IAD n'a pas le droit de se dédire au prétexte qu'il est stérile et doit assumer jusqu'au bout sa responsabilité paternelle – en même temps, ont levé l'anonymat des « donneurs » de sperme. Et ce, afin qu'un adolescent ou un jeune adulte qui a appris qu'il était né d'une IAD se voit ouverte la possibilité de connaître son géniteur s'il en exprime le désir.

Il reste bien clair que le géniteur, dans ce cas, n'a aucun droit ni aucune responsabilité à son endroit, même si cette jeune femme, ce jeune homme vient le trouver un jour en disant : « Voilà je suis votre fille, votre fils biologique, je voulais vous connaître. » Il est aisé de comprendre que cette disposition, prise assurément dans l'intérêt des enfants, n'est guère confortable à vivre pour les donneurs de sperme. Ils doivent envisager l'éventualité de voir arriver un jour, à leur foyer, devant leur femme et leurs enfants légitimes, un jeune adulte qui déclare être né, non de « ses œuvres » comme on disait jadis, mais d'un spermatozoïde qu'il avait donné à un laboratoire. Pour cet homme, qui avait peut-être même oublié ce don ancien, ce sera un choc difficile à tenir et une étrange réalité à faire admettre aux siens.

C'est exprès que je viens d'imaginer la scène science-fiction mélodramatique du « Bonjour, Monsieur, vous êtes mon Papa génétique! » se déroulant devant femme et enfants de l'ancien « donneur ». Car, en France, nos experts conseillant le législateur ont tendance à souligner fortement que « l'inscription sociale dans une famille et une généalogie » est le fait du père social, le père biologique se contentant de fournir le matériel vivant. C'est négliger sciemment que la filiation biologique aussi, la filiation biologique surtout confère une identité unique à l'enfant et *l'inscrit dans une famille.*

Chaque être possède une identité génétique propre, mais cet être unique est génétiquement plus proche de son père, de sa mère, de ses frères et sœurs que de tout autre individu au monde. La paternité biologique ne désigne pas seulement le géniteur de l'enfant : elle lui donne des grands-parents, des oncles et tantes, des frères et sœurs, peut-être, toute une lignée – dans laquelle il ne fera peut-être pas figure d'étranger, car il y a de fortes chances pour qu'il offre plus d'un trait de ressemblance avec les membres de cette famille. La « famille », c'est d'abord un groupe de personnes liées par des liens de filiation et d'alliance. La « filiation » est d'abord génétique. Martine Ségalen, qui en donne une définition « sociale », fait tout de même ressortir cette priorité biologique, quand elle écrit : « La filiation est la reconnaissance *de liens* entre des individus qui descendent les uns des autres [1]. »

C'est pourquoi il faut combattre la dénomination perverse de « familles monoparentales » pour désigner des foyers mère + enfant(s) alors que le père vit toujours ailleurs. La « famille » n'est pas la reconnaissance d'un groupe qui vit au même endroit : les pensionnaires, dans leurs collèges ou lycées, s'ils ne sont pas orphelins, ont toujours leurs père et mère et font toujours partie d'une « famille ». Trois amis ou amies vivant ensemble, quelles que soient leurs relations sexuelles, ne font pas une « famille ». Si deux de ces personnes se marient, elles forment alliance, et se trouvent alors avoir, en la personne des membres de la « famille » de leur conjoint, de nouveaux parents « par alliance » – ce qui ne sera pas le cas si ces personnes se contentent de vivre en concubinage. Mais le couple marié comme le couple concubin, du moment où il aura des enfants, aura lui-même « fondé une famille », famille légitime ou famille naturelle – mais, d'abord, famille biologique.

1. Martine SEGALEN, *Sociologie de la famille*, Paris, 1988.

En reconnaissant la vérité de la filiation par la « preuve biologique », nos juristes ont déjà fait un pas énorme vers la clarification du concept de paternité. Il est bien compréhensible qu'après des siècles de définitions sociales et juridiques de la personne du père, certains s'effraient des conséquences d'une reconnaissance de la préséance du lien biologique. Toute transition recèle des difficultés et révèle d'innocentes victimes des changements de définition. Il faut, dans toute la mesure du possible, chercher à les protéger – c'est pourquoi il faut sûrement interdire au père social qui a autorisé sa femme à avoir recours à une IAD de renier son enfant légitime sous prétexte qu'il n'en est pas le père biologique. C'est pourquoi le « donneur » de sperme, même s'il n'est pas anonyme pour le laboratoire auquel il a donné sa semence, ne peut être tenu pour père social de l'enfant. Mais il s'agit là de situations marginales, par rapport à l'enjeu.

Pour arrêter l'effilochement des liens de filiation paternelle

L'enjeu, c'est, à l'âge du « *pater certus est* » qu'autorise la science, l'élaboration d'une notion de la paternité qui ne soit plus scindée en deux parts : la paternité biologique et la paternité sociale, toujours susceptibles d'être opposées l'une à l'autre. Ainsi, et ainsi seulement, on parviendra à ralentir puis interrompre le rapide déclin qu'a connu la paternité dans nos démocraties modernes, sans pour cela rétablir l'insupportable règne du patriarcat, fondé sur le seul père social.

Reconnaître la primauté de la paternité biologique, maintenant qu'elle est possible, est certainement le seul moyen d'arrêter l'effilochement des liens de filiation entraîné par l'instabilité des couples. On ne le répétera jamais assez, *un enfant n'a qu'un seul père et qu'une seule mère biologiques, pour toute sa vie.* Il ne peut en changer au gré des divorces, séparations, remariages et liaisons de ses parents. Le père biologique d'un enfant est père pour toute sa vie de cet enfant précis et ne peut modifier cette réalité, ni en l'abandonnant, ni en laissant la mère lui imposer pour père son nouveau partenaire sexuel. « La filiation biologique a, pour l'instant, l'immense mérite d'être invariable; l'enfant ne sera pas soumis aux vicissitudes sentimentales de la mère [1]. »

Mais asseoir la filiation sur la paternité biologique impose une double nécessité :

1. *Les hommes doivent être pénétrés de leur responsabilité totale à l'égard des enfants qu'ils « font » biologiquement, même s'ils les ont eus sans le vouloir* : ils doivent donc veiller à ne pas se mettre en situation de se voir imposer un enfant d'une personne dont ils n'en désiraient pas, ou à un moment où ils n'en désiraient pas. Voilà qui réclame une éducation à la responsabilité des hommes, qui n'ont pas encore appris à séparer plaisir sexuel et génération. La loi, les dispositions juridiques et sociales et leurs acteurs, les juges, les éducateurs, les psychologues, les médecins et surtout les médias doivent rappeler aux pères qu'ils ont, à l'égard de leurs enfants, *des droits* et *des devoirs* égaux à ceux de la mère, et que, en conséquence, ils doivent jouir de leurs droits et remplir leurs devoirs. Ils ne doivent pas renoncer à leurs droits sur l'éducation de leurs enfants en abdiquant devant la mère. Ils ne doivent pas oublier leurs devoirs en désertant, en abandonnant la mère, ou en ne partageant pas avec elle les tâches et les charges entraînées par la présence de l'enfant.

2. *Les femmes doivent être persuadées qu'elles ne sont jamais l'unique parent d'un enfant, et ne peuvent réclamer d'être le parent primordial.* C'est-à-dire qu'elles ne doivent pas utiliser les facilités de la contraception pour « faire » un enfant pour elles seules, dont elles s'imagineraient pouvoir être à la fois le père et la mère. Elles ne

1. Jacqueline RUBELLIN-DEVICHI, *Pour une synthèse des législations européennes sur la filiation*, Centre de droit de la famille, Lyon, 1990.

doivent pas non plus pouvoir utiliser les dispositions des séparations et des divorces pour couper un enfant de son père et un père de son enfant. Elles doivent apprendre que l'apanage qu'elles ont désormais de la procréation leur impose une nouvelle morale : même si elles sont les décideurs, elles doivent chercher à obtenir le consentement de l'homme à sa future paternité avant de tenter de concevoir un enfant de lui. Elles doivent apprendre à vivre et à gérer la coparentalité, pendant la vie commune avec le père et après une éventuelle séparation. Elles ne doivent jamais imposer à l'enfant comme un nouveau père leur nouveau partenaire sexuel, sauf si le père biologique est mort ou, par sa seule faute, a tout à fait disparu.

Une mobilisation sociale est nécessaire contre les poncifs

Il est certain que le puissant travail culturel que représente un tel programme, à la hauteur des énormes mutations infligées à la famille par les avancées de la procréatique et les certitudes de la génétique, réclame la mobilisation de toute une société. Il faut revoir certaines de nos lois, renverser certaines pratiques juridiques et sociales, et changer nos mentalités. A coup sûr, il est dans l'intérêt des enfants d'avoir un père et un seul, et un père qui s'occupe d'eux, aux côtés de la mère, et ne les laisse jamais tomber. Pour parvenir à unifier les paternités biologique et sociale et à leur ouvrir un champ de droits et de devoirs digne d'elles, il faut y croire.

Tout le monde n'y croit pas et ne veut pas y croire. Dans les plus hautes instances de réflexion à ce sujet de la République française, j'ai entendu des experts prétendre que si la maternité était destinée à devenir sans cesse plus puissante, passant « de la sphère dévouement-devoir à la sphère du pouvoir », la paternité déclinerait, quelques « paternités spirituelles venant remplacer les paternités réelles » (B. Guibert). Le Haut Conseil de la population et de la famille n'a-t-il pas, dans son ensemble, ratifié l'opinion selon laquelle « le lien biologique n'est pas forcément plus stable que le lien social car la notion de vérité biologique est susceptible de varier dans le temps et s'avère aussi éphémère, même si son contenu n'évolue le plus souvent que lentement ». Et, d'autre part, qu'en instaurant un primat du père biologique « on risque de créer des filiations dépourvues de toute humanité, le père biologique se désintéressant en fait de son enfant [1] ».

Une grande partie de l'opinion reste également persuadée que « le vrai père, c'est celui qui aime ! » fameuse réplique d'une pièce ô combien patriarcale ! le *César* de Marcel Pagnol. Marius est parti naviguer, laissant derrière lui, sans le savoir, la pauvre petite Fanny enceinte. Le vieux Panisse épouse Fanny et légitime ainsi l'enfant qu'elle met au monde. Revenu au pays, Marius voudrait récupérer son fils, mais son père lui-même, César le bien nommé, le lui interdit : « Le père, c'est celui qui aime ! » On retrouve dans un autre film de Pagnol, *La Fille du puisatier* – véritable condensé des croyances et des usages de la société patriarcale méditerranéenne –, la même situation et le même thème. Le pauvre et laid assistant du puisatier apprend la disgrâce de la fille de son patron, que voilà enceinte d'un beau citadin envolé; il propose de l'épouser, elle et son petit « et bien content, encore ! ». Dans l'échelle des valeurs patriarcales, le père social qui épouse et légitime est une manière de pur héros qui sert à abaisser l'homme qui engrosse une femme et l'abandonne, qui n'est pas un « vrai » père. Un « vrai » père est celui qui s'engage à protéger et à éduquer l'enfant. Étrangement, la traduction en langage simple de la caractéristique principale de ce « vrai » père, c'est, comme le déclare solennellement César : « celui qui aime ».

L'opinion, aujourd'hui, a plébiscité la proposition : « celui qui aime », c'est celui-là le seul vrai père. De nos jours, l'amour semble mille fois plus important que la lignée, la légitimité ou l'honneur. L'amour de l'enfant, l'amour pour l'enfant. Nombreuses sont les mères qui jus-

1. *Op. cit.*, p. 11.

tifient ainsi l'éloignement du père biologique de l'enfant et l'installation près d'elles d'un autre homme dont elles disent : « Lui, il aime ma fille plus et mieux que son père ne l'aimait. » Elles sont relayées par bien des psychologues qui les soutiennent et les déculpabilisent en leur citant, hors contexte, Françoise Dolto, qui aurait dit : « Il n'y a de père qu'adoptant. » Sans doute faisait-elle allusion justement à l'amour, qui ne peut naître qu'après la naissance de l'enfant, quand ce petit être n'est plus un projet mais une personne, qui déclenche un grand élan d'engagement et une vague de tendresse – comme en éprouvent les pères adoptants. En sorte que le père serait père en deux fois : père biologique qui donne la vie, père adoptant qui choisit et qui aime.

Paternité biologique? Les femmes récusent toute comparaison avec la maternité

Mais la majorité de ceux et celles qui citent cet aphorisme en déduisent que la paternité ne s'accompagne pas d'amour comme la maternité, et réclame de l'homme une sorte d'acte volontaire d'adoption, dont bien des pères biologiques sont incapables. Ce contresens légitime, à leurs yeux, que la mère éloigne le père biologique et préfère voir, auprès de son enfant, l' « autre », dont elle dira qu'il est « vraiment gentil pour le petit ». Pourtant, presque tout le monde sait, aujourd'hui, que bien des femmes ont, elles aussi, besoin de deux phases après leur accouchement pour « adopter » et aimer leur rejeton. Certaines femmes, lors de la naissance, ne ressentent pas le flot d'amour qui submerge les autres à la vue du nouveau-né, elles s'en affligent souvent et se sentent anormales. Pourtant, la dépression *postpartum* est bien connue, qui laisse souvent la jeune maman incapable d'amour. Un tel contretemps n'augure en rien de l'avenir. Telle jeune accouchée indifférente ou dépressive deviendra la plus aimante et la plus épanouie des mères.

Certes, nous l'avons vu, on se préoccupe de plus en plus, surtout en Amérique, du père-qui-attend-un-enfant (le fameux *expecting father*) et on le prépare à traverser le vertige et la déprime de l'accouchement, quand la mère et le nouveau-né sont le centre du monde et que nul ne se préoccupe de ce qu'il advient du père, qui ne sait pas ce qui lui arrive.

Mais cette sollicitude *ante partum* au bénéfice de quelques « nouveaux pères » ne doit pas faire illusion. Elle ne signifie nullement que le procès contre les pères biologiques soit près de s'éteindre. L'hostilité d'une partie de l'opinion à l'idée qu'on puisse réhabiliter la paternité en la fondant sur le primat de la vérité biologique plutôt que sur le primat de la volonté du père social, cette hostilité-là est bien loin de désarmer.

Il est vrai que de nombreuses femmes s'imaginent – à tort – qu'elles y perdraient. Aussi préfèrent-elles laisser entendre que, par nature, elles-mêmes sont plus mères que les hommes ne sont pères, et cela à toutes les phases qui instaurent la parenté. Elles affirment qu'une femme a beaucoup plus besoin et envie d'être mère qu'un homme d'être père. Qu'une femme souffre beaucoup plus de sa stérilité qu'un homme stérile. Que si les hommes féconds qui ne veulent pas d'enfants hésitent à se faire stériliser, c'est par peur de perdre leur virilité, et non leur puissance génitrice, dont ils se moquent. Que la naissance d'un enfant ne s'accompagne pas, chez les géniteur, d'un surgissement d'amour, comme chez elles. Que l'engendrement ne crée aucun lien qui soit comparable à celui créé par l'accouchement. Qu'il ne peut donc être le fondement d'un investissement d'amour et de dévouement, comme pour la mère biologique. Oui, jadis, il semble que les pères bondissaient de joie et de fierté : mais n'étaient-ils pas animés par l'orgueil de leur lignée, par une fierté de coq, par le sens du propriétaire? – en somme, rien que des sentiments machos aujourd'hui proprement inavouables.

Sans doute n'ont-elles pas tort. Sans doute, nulle comparaison n'est-elle possible entre « la mère de chair » d'une part, et, d'autre part, l'autre parent selon la Nature, qu'on l'appelle « le géniteur » ou « le père biologique ». La mère que je suis est toute prête à l'admettre et à partager leur certitude de la supériorité de la maternité en qualité et en intensité. Mais ne peut-on quand même s'interroger un instant sur les changements qu'ont peut-être introduits dans le vécu de la paternité les progrès de la biologie et de la génétique, tout particulièrement la certitude d'être le « vrai » père? Les personnes qui répugnent à fonder la filiation en priorité sur la paternité biologique restent fort sceptiques à l'égard de « l'existence d'une prétendue tendance naturelle de l'homme à privilégier les enfants issus de son sang ». Qu'en disent les biologistes que leurs spécialités ont conduits à rencontrer beaucoup d'hommes, puisqu'ils travaillent, avec de nouvelles techniques, dans le domaine de la paternité?

Long et lourd silence sur la stérilité masculine

Georges David, professeur de biologie de la reproduction et du développement, s'est spécialisé dans l'étude du sperme et a fondé les CECOS (centres d'étude et de conservation du sperme). De nombreux hommes sont venus à lui qui s'interrogeaient sur leur fertilité. Aussi, l'humaniste qu'il est s'est-il intéressé à l'histoire de la stérilité masculine, ou plutôt à ce que l'on en sait. Elle semble bien plus courte que celle de la stérilité féminine, puisqu'il a fallu attendre la seconde moitié du XXe siècle pour que l'étude biologique du sperme permette de poser des diagnostics de stérilité vraiment argumentés. Il n'est, du reste, que d'évoquer les légendes, les mythologies ou même les récits historiques pour se rendre compte que s'il est souvent question de couples qui ne parviennent pas à avoir de descendance, c'est toujours la femme qui est rendue responsable de cette infécondité. Si Abraham se plaint au Seigneur de n'avoir pas d'héritiers, c'est Sarah qui est désignée comme stérile. Depuis des siècles, dans tous les pays, il semble que la répudiation de la femme en cas de stérilité du couple, ou l'annulation du mariage et le remariage de l'homme avec une autre femme aient été la règle. Comme si la stérilité masculine étant inconnue, la « faute » retombait toujours sur la femme.

Aussi, la surprise de Georges David a-t-elle été grande quand il s'est aperçu que l'infertilité masculine était déjà signalée par Hippocrate, et, surtout, que celui-ci la distinguait déjà de l'impuissance. Par la suite, Galien, auteur d'une « bible » médicale à laquelle tous les médecins, du IIIe au XVIIe siècle, se sont référés, insista également sur la différence entre stérilité et impuissance sexuelle chez l'homme. D'où Hippocrate et Galien pouvaient-ils tenir ce savoir, avant la découverte du microscope, des spermatozoïdes et de leur état? Comment les médecins grecs, arabes et chrétiens qui leur succédèrent et qui répétèrent leur enseignement justifiaient-ils cette distinction essentielle? Georges David suppose que c'est l'étude des suites des castrations, beaucoup plus répandues qu'aujourd'hui, qui a pu servir d'expérimentation *in vivo* : « En effet, lorsqu'elle est pratiquée à l'âge adulte, la castration peut laisser intacte la sexualité et n'avoir pour effet que la stérilité. » Mais alors, le plus surprenant n'est-il pas le silence total des sociétés sur la stérilité masculine pendant vingt-trois siècles, alors que la médecine l'avait identifiée?

« Si la médecine connaît la vérité, le corps social l'ignore, poursuit Georges David. On s'interrogera longtemps pour savoir où siège la responsabilité : est-ce la médecine qui s'est tue ou le corps social qui s'est refusé à entendre? » Sa longue pratique comme médecin conduit Georges David à pencher pour la surdité volontaire de la société, non tant pour accabler les femmes que parce que, dit-il, « la stérilité masculine est insupportable. S'il est facile à une femme d'avouer cette déficience, et, généralement, elle ne s'en prive pas, combien c'est difficile pour l'homme! »

A l'appui de ce jugement, il évoque ses nombreuses consultations de couples stériles; quand le diagnostic avait éliminé la femme et s'orientait vers l'homme, il est souvent arrivé que l'épouse le supplie de ne rien dire à son mari, au motif que : « La vérité, il aura trop de mal à la supporter. » Puis, un sondage par questionnaire fut effectué par son équipe en 1986 sur 800 couples inféconds du fait de la stérilité de l'homme. Il ressort de cette étude que l'homme est aussi affecté par la stérilité du couple que sa femme, sinon davantage, et qu'il n'informe que rarement (20 % des cas seulement) quelqu'un de son entourage familial ou amical de son état. Sans doute le ressent-il comme une disgrâce, une tare douloureuse qu'il est préférable de taire. En tout cas, aucun de ces 800 hommes, à une seule exception près, ne s'était ouvert de sa stérilité... à son propre père! *Il semble impossible à un homme d'avouer sa stérilité à son père*, car c'est avouer qu'il ne pourra remplir ce devoir de reproduction que son père a accompli et auquel il doit la vie.

Plutôt mourir, mais se reproduire

L'extrême douleur tenue secrète de la stérilité masculine conduit à mieux cerner ce qu'est l'essence même de la paternité biologique : un puissant désir de survie, comme un défi à la mort ou une négation de la mort, un désir de reproduction presque métaphysique, bien différent du désir de procréation de la femme qui nourrit et façonne une créature humaine en sa matrice.

Georges David donne une illustration frappante de la force du désir d'être père chez l'homme quand il évoque certains malades jeunes qu'il lui a été donné souvent de rencontrer : leur vie même était menacée par un cancer qu'on venait de découvrir; on les avait prévenus que le traitement qu'on allait leur faire subir avait toute chance de les sauver de la mort, mais comportait de grands risques de les rendre à jamais stériles. Ils étaient venus au CECOS demander qu'on leur prélevât du sperme en vue de conservation, avant d'entreprendre leur traitement mutilant, dans le but de pouvoir être pères plus tard, par insémination.

Le cancérologue ne leur avait laissé qu'un délai extrêmement bref, de quelques jours, avant d'entamer le traitement dont dépendait leur survie. Or, pour assurer la conservation que ces malades demandaient, il est nécessaire de constituer un stock de sperme assez abondant et de bonne qualité. Il arrive que ce soit difficile à réaliser en quelques jours. Quand le recueil de sperme n'était pas satisfaisant, ces grands malades préféraient reculer le début de leur traitement afin de parvenir à réunir une provision de liqueur séminale suffisante en richesse et en volume, avant l'administration du protocole qui devait les sauver. « En somme, dans cette véritable compétition entre un traitement qui conditionne leur survie et une mesure qui leur donne des chances de se reproduire, ils choisissent de privilégier le deuxième objectif. Dans des circonstances aussi dramatiques, ce comportement manifeste à quel point le besoin de descendance est profond. Cette attitude est d'autant plus impressionnante qu'elle survient aussi bien chez les jeunes célibataires que chez les mariés [1]. »

Peut-on imaginer démonstration plus éloquente de la force du désir de paternité biologique chez l'homme et exemple plus tragique de sa spécificité? Tous les enfants ont été initiés au mystère de la génération à l'aide de l'image de la « petite graine » que leur papa a donné à leur maman : après tout, l'image n'est peut-être pas si mièvre que cela. Le désir d'être père, c'est d'abord celui, obscur, difficile à exprimer, de semer la vie, de transmettre la vie pour l'emporter sur la mort.

Mais, dira-t-on, un élan de ce type, plus transcendant que sensible ou charnel, constitue-t-il une base suffisante à l'établissement d'une filiation? Peut-il se traduire en amour pour un enfant précis, conçu par le père, cet enfant-là et pas un autre, comme l'élan de création de la

1. Georges DAVID, in *Pères et Paternité, op. cit.*, pp. 41-44.

mère se transforme en amour pour l'enfant produit, celui-là et pas un autre?

Oui, si le père qui a conçu cet enfant avait désiré un enfant. Mais, surtout, par-dessus tout, oui, si le père est certain que l'enfant que lui présente la mère est bien *le sien*, celui qu'il a conçu, *son propre pari contre la mort, sa propre continuité naturelle.* Autant la puissante impulsion, souvent irréfléchie et informulée, qui entraîne l'homme à se reproduire peut le rendre heureux et fier par ses enfants, autant la plus légère incertitude sur l'authenticité de ce rejeton, de cette petite pousse, de ce germe qu'on lui affirme être issu de sa souche peut paralyser son élan et éteindre ses sentiments dans la méfiance pour tout et l'indifférence pour l'enfant. Il ne faut pas sous-estimer ou més-estimer l'importance de la conquête que représente pour l'homme la certitude de *sa* paternité, donc de *son* « challenge » contre la mort.

La preuve génétique peut créer un lien profond

Je voudrais donner ici un deuxième court témoignage à verser au dossier encore bien mal connu du vécu de la paternité biologique. Pour les besoins de ce livre, j'avais écrit à plusieurs laboratoires pratiquant des identifications de paternité par la technique des empreintes génétiques, et recevant aussi bien des particuliers que des plaignants envoyés par des magistrats. Je désirais principalement savoir si leurs clients et clientes étaient surtout des célibataires (ce qui est le cas) ou des familles constituées et quelle était la proportion des cas où l'enfant en question n'était pas du père désigné. Or, le directeur des services scientifiques internationaux d'un des laboratoires britanniques les plus réputés pour le déchiffrage des empreintes génétiques, Cellmark Diagnostics, de l'Imperial Chemical Industries (ICI), avant de répondre à mes demandes de renseignements, a commencé sa lettre par ces lignes : « Il nous a été rapporté qu'à la réception du résultat des empreintes génétiques, des hommes ont réellement ressenti, pour la première fois, un attachement pour l'enfant que ni une ressemblance physique ni une précédente parenté sans histoire ne leur avaient permis d'atteindre. C'est comme si, en recevant une confirmation génétique de sa paternité, un lien avec l'enfant est acquis au père, lien que la nature n'établit qu'entre la mère et l'enfant [1]. »

Il est bien rare qu'un laboratoire qui ne voit ses clients que pour prélever un peu de leur sang ou de leur peau et qui leur envoie par la suite les résultats par la poste, fasse état, avant toute chose, d'effets immatériels, presque sentimentaux, de son action. Ce type de *feed back* franchit rarement les murs des laboratoires d'analyses biologiques. Aussi, j'estime fort important que ces effets aient été mentionnés d'emblée, et l'aient été dans ces termes. En effet, le Dr Debenham n'a pas évoqué un amour soudain pour l'enfant quand le père apprend qu'il est bien de lui, mais il a parlé d'attachement (*bonding*) et de lien (*link*), subitement ressenti vraiment (*truly*) par le père avec l'enfant. Une telle distinction est capitale car elle vient caractériser le sentiment paternel. N'importe quel adulte peut aimer un enfant qui n'est pas de lui, parce qu'il le trouve charmant, intelligent, enjôleur, touchant ou drôle. Entre les membres d'une même famille, entre père et enfant, il peut exister de l'amour, bien sûr et c'est généralement le cas. Mais, *indépendamment* de l'amour, il existe toujours autre chose, quand les liens de parenté sont certains, quelque chose de plus fort et de moins sentimental qu'on ne peut qualifier. C'est un lien, c'est une attache, un attachement inexplicable. On a quelque chose en commun, à un niveau physique profond et archaïque, même si on ne s'entend pas du tout. Les « liens du sang », disait-on naguère.

Voilà donc isolées les deux principales composantes de

1. *« It has been brought to our attention that following the receipt of DNA fingerprinting result, some men have truly felt for the first time a bonding with a child not achieved by just sharing looks or previously unquestioned parentage. It is as if by receiving genetic confirmation a father gains a link that is only naturally established between a mother and a child », 3 mars 1992.*

la paternité biologique : le fol désir de durer et donc de se reproduire, de se prolonger – et puis un lien puissant et indestructible, pas forcément délectable, entre soi et l'enfant de soi, celui-là et pas un autre. L'enfant de soi reprend le flambeau de votre vie, le flambeau qui doit être éternel, celui qui assure la survie en quelque sorte, pas la survie de n'importe qui – mais celle du père de mon père... et la mienne... Ce lien soude la chaîne d'immortalité. Il peut être source d'indicible joie ou de lourde déception. Mais il ne peut pas exister sans l'authenticité de la conception. Il ne faut pas en sous-estimer le prix. « *Pater certus est* », c'est un chant de victoire! Pourquoi les hommes se tairaient-ils?

« Il est vraiment LE fils! » « Je » pouvait disparaître!

Écoutez les jeunes pères, qui, désormais, osent parler de leur paternité. Non pas en termes de caresses et de biberons donnés, encore moins en termes d'ambitions à venir : il ou elle entrera à Polytechnique! Ils ne parlent pas non plus seulement d'amour. Ils parlent de renaissance, de leur renaissance. Voici ce que raconte à un interviewer de *Paris-Match* un chanteur, Michel Delpech, qui avait plongé dans un trou noir après son fameux disque *Les Divorcés*, si déchirant, et qui revient au succès : « J'ai un nouvel enfant!... Je suis fou de mon fils!... Je veux croire que mon fils et moi, nous serons complices. Je " nous " trouve une très grande ressemblance aussi bien physique que morale, il a les mêmes goûts que moi, il adore, comme moi, le beurre cru! C'est idiot, mais ce sont de petits signes... Quand il est né, j'ai assisté à l'accouchement : j'ai eu l'impression de renaître! J'ai dit : " C'est moi! " C'était miraculeux. Il est vraiment LE fils. C'est une sensation exceptionnelle! » (19 mars 1992).

Écoutez encore cette naissance, comme les pères d'hier ne savaient ou n'osaient la raconter : « Je désirais confusément une progéniture. Mon petit chéri, mon lapereau est sorti, trait pour trait mon père en miniature. Dès qu'il a pointé son nez entre les cuisses tremblantes de mon amoureuse, dès que j'ai aperçu cette tumeur hurlante glissant sans effort de ce sexe dilaté, je suis tombé fou de ce lapin sanglant, effrayant. Un amour et un orgueil incommensurables, une fatuité irrépressible et ridicule, une dévotion illimitée. Enfin " je ", réalisé, pouvait disparaître, il s'était dupliqué [1]. »

Aucune femme ne célébrerait ainsi la naissance de sa fille, ni celle de son fils. Dans tout récit d'accouchement, la femme chante, heureuse et douloureuse, le triomphe de la création et l'attendrissement pour sa créature, et non sa propre duplication. Les jeunes pères d'aujourd'hui, sans pudeur ni retenue, osent crier leur orgueil et leur humilité de la génération. C'est leur manière de dire la mystérieuse phrase d'Héraclite : « Le père, quand il devient père, est le fils de soi-même ». Quand il est certain d'être le père.

1. Michel BIDEAU, *op. cit.*, p. 54.

CONCLUSION

Les fils d'aujourd'hui, quels pères seront-ils, demain ?

Ce livre n'est pas l'exposé d'une thèse, mais, né de la curiosité d'une femme devant le peu de réactions des hommes à l'abaissement de la paternité, une mise en question. Il est donc légitime qu'il se termine sur une interrogation prospective. Nos fils et nos petits-fils, aujourd'hui adolescents, qui seront pères à l'aube du XXIe siècle, vont-ils suivre sans récriminations leurs pères sur la voie du désengagement et accepter d'être des parents de second rang ?

Vont-ils envisager la paternité comme une responsabilité bien fragile, dont l'avenir ne dépend ni de leur volonté ni de leurs qualités paternelles, mais de la femme avec qui ils feront des enfants – puisque la mère jouit d'une sorte de droit de répudiation du père au cas où elle ne l'aime plus ou ne l'apprécie plus comme partenaire, quels que soient les liens qu'il a pu tisser avec ses enfants ? Seront-ils décidément découragés par ces conditions, dans un environnement futur qu'ils devinent peu favorable à la famille, et toujours plus favorable aux femmes dans ce qui restera de familles ? En viendront-ils à investir encore moins que la génération précédente dans le rôle de composition du père, qui leur paraît renvoyer plutôt au passé qu'être porteur d'avenir ? Laisseront-ils sans histoires les femmes poursuivre sur leur lancée et affirmer l'inégalable supériorité de la maternité, voire son règne sans partage ?

Ou bien, se rebifferont-ils contre le triomphalisme maternel et chercheront-ils à combattre ses conquêtes trop voyantes et à contenir son impérialisme? Ou bien désireront-ils compenser un déficit en soins et tendresse maternels chez des femmes conquérantes qui penseront davantage à leur travail et à leur réussite personnelle qu'à leurs enfants? S'ils changent radicalement par rapport à leurs propres pères, sera-ce au nom d'un partage équitable de tout ce qui compose la parentalité, donc d'un partage des tâches ménagères et éducatives, comme bien des femmes le souhaitent? Ou sera-ce au nom de la spécificité du rôle paternel qu'il leur paraîtra indispensable de révéler et de rénover? Considéreront-ils qu'il est indispensable de faire d'abord revivre des valeurs familiales aujourd'hui en danger, condition première au rétablissement d'une position convenable pour le père? Ou bien estimeront-ils que les familles indissolublement unies appartiennent au passé et que le rôle et la position du père peuvent et doivent être améliorés quand même se poursuivraient séparations, divorces et délitements familiaux, inséparables de toute société moderne individualiste?

Décalage à prévoir entre le nord et le sud de l'Europe

Deux séries de facteurs vont déterminer les pères de demain :

– l'environnement sociologique et juridique dans lequel ils vont accéder à la paternité, en Europe occidentale du moins;

– la nature et la force de leurs aspirations. L'usage qu'ils feront des expériences qu'ils ont vécues comme enfants et adolescents, souvent séparés de leurs pères. Quels changements voudront-ils? Quelles valeurs adopteront-ils? Quelle volonté mettront-ils au service de la promotion de ces valeurs?

L'environnement sociologique qui, dans une certaine mesure, conditionnera l'exercice de la paternité au début du XXIe siècle ne sera pas le même en Suède qu'en Espagne, en Irlande qu'en France. Les fameuses « tendances lourdes » décelées par les démographes vont poursuivre, en Italie, en Espagne et au Portugal, leur marche tout en ralentissant petit à petit son rythme. Les adolescents d'aujourd'hui y reculeront sans doute encore l'âge de s'engager et de fonder une famille. Plus nombreux seront ceux qui choisiront l'union libre plutôt que le mariage, même pour avoir un enfant. Ils auront relativement peu d'enfants, et seront, presque à coup sûr, nettement plus nombreux que leurs pères à se séparer de leur femme ou de leur compagne. En revanche, les adolescents suédois, danois ou norvégiens d'aujourd'hui, puis après eux leurs contemporains anglais, français et allemands, ont de fortes chances d'appartenir aux générations qui vont, quelque peu, « renverser la vapeur ». Non pas rétablir le *pater familias* dans une famille hiérarchisée – certes non ! Ils commenceront presque tous par vivre en cohabitation ou en solitaires avec liaison stable, mais, sans doute se marieront-ils davantage que la génération précédente, encore que tardivement. Ils auront sans doute un peu plus d'enfants (pas beaucoup !) que n'en ont eu leurs parents. Ils partageront presque sûrement davantage tâches ménagères et soins aux enfants avec les mères. Ils seront presque aussi nombreux à se séparer de leurs conjointes ou partenaires que leurs parents, mais ils accepteront sans doute beaucoup moins facilement l'affaiblissement ou la rupture de leurs liens avec leurs enfants.

Encore faudrait-il que ces tendances socio-démographiques, pour se manifester, trouvent une Europe offrant davantage d'unité, dans ses dispositions juridiques et sociales concernant les familles, que ce n'est le cas en cette fin du XXe siècle. Très forte est l'aspiration des peuples à une Europe unie dans laquelle la libre circulation des personnes sera aisée et ne créera pas de problèmes. Or la libre circulation des personnes ne concerne pas seulement les voyages des touristes, les échanges d'étudiants et la mobilité géographique des travailleurs qui voudront franchir une frontière pour la poursuite de leur vie professionnelle. Elle concerne également les amoureux qui voudront fonder une famille à cheval sur deux pays. Que d'obstacles encore restent à franchir pour que soient résolus les problèmes que posent les couples mixtes intra-européens, et les problèmes qui se posent à eux du fait de l'existence de lois différentes régissant mariage, filiation, autorité parentale, divorce! Du fait également des disparités entre les politiques sociales en faveur des familles complètes, des familles incomplètes, des situations atypiques, des mères, des pères, des enfants!

Convergences et divergences juridiques en Europe

Bien sûr, après les grandes évolutions similaires observées entre 1965 et 1985, retracées au chapitre v de ce livre, on a pu observer certaines autres tendances aux rapprochements des législations et des pratiques jurisprudentielles, ces rapprochements traduisant une évolution semblable des mentalités. Mais on a pu observer également des évolutions divergentes, particulièrement dans le champ des droits des pères.

Au chapitre des convergences, on peut inscrire l'abandon de la notion de « puissance paternelle » au profit d'un partage entre les parents, quand ils sont mariés, de ce que les uns appellent « autorité parentale » et les autres « responsabilité parentale ». Même en Espagne et au Portugal, où l'expression « puissance paternelle » a été conservée, la notion du partage effectif entre les époux s'est imposée. De même, tous les pays semblent se diriger vers l'égalité des droits des enfants légitimes, naturels ou adultérins, au regard de la succession paternelle.

Mais il n'en va pas de même pour l'établissement de la paternité hors du mariage. Tous les pays ont, certes, donné à la mère une position clé. Mais, ici ou là, une mère peut barrer l'accès d'un homme à sa paternité. En France, au Luxembourg et en Italie, nous avons vu qu'une femme peut refuser de reconnaître son propre enfant, et, ce faisant, empêcher le père de l'enfant d'établir sa paternité. On explique que ces cas, au demeurant de plus en plus rares, concernent des jeunes femmes abandonnées enceintes par le père de l'enfant et dans une situation à leurs yeux intolérable. Qu'en conséquence, on ne peut s'apitoyer sur le non-droit à la paternité de ces fuyards. Au contraire, on explique que l'enfant sera tout de suite adopté par un père adoptif responsable. Il n'apparaît pas que ces dispositions soient près de changer.

Beaucoup plus grave est la possibilité largement ouverte aux femmes qui ont volontairement un enfant de cacher leur maternité au père et de ne pas donner son nom à l'état civil, pour que l'enfant ne soit « qu'à elles seules ». En Suède, une telle liberté de s'ériger en « parent exclusif » n'est pas laissée aux femmes célibataires. Elles doivent livrer le nom du père. L'idée qui préside à cette obligation, c'est que tout enfant a le droit de connaître ses deux parents. Mais, en même temps, c'est un frein à la maternité égoïste – « un enfant pour soi » – donc une protection de l'existence et de l'importance potentielle du père. Il semble qu'en Angleterre se dessine une tendance à une meilleure identification des pères, dans la mesure où l'État trouve trop lourde la charge financière des mères célibataires sans ressources et aimerait se décharger sur un parent de l'enfant qui puisse l'entretenir. Mais, dans l'ensemble, on ne peut pas dire qu'en Europe on songe à reconnaître le droit absolu à l'établissement de la paternité. Explicitement ou implicitement, de nombreux pays reconnaissent à la mère le droit de priver un enfant de son père et un père de son enfant, le droit à être seule parent de l'enfant qu'elle a voulu.

Dans ce domaine sensible, alors que de plus en plus d'hommes, bien que non mariés, désirent reconnaître leur enfant et jouer leur rôle de pères, une profonde divergence s'est ouverte en 1987 en Europe. D'un côté, sous la pression des groupes féministes, des pays, comme l'Angleterre et la Belgique, ont soumis le droit du père non marié à reconnaître son propre enfant à l'autorisation de la mère. La mère est devenue ainsi l'arbitre de la paternité. Elle décide si un homme peut ou non donner son nom à l'enfant, et s'engager à l'entretenir et à l'éduquer. Elle accorde ou refuse la paternité sociale au père biologique qui, après tout, est l'homme avec qui elle a librement choisi de faire un enfant. Les Hollandais et les Allemands ont beau avoir déjà atténué la toute-puissance de la mère naturelle, voilà bien une tendance hostile à la paternité hors mariage. A l'inverse, la même année 1987, on a cherché en France à rapprocher la paternité naturelle de la paternité légitime en accordant aux pères non mariés l'autorité parentale si les deux concubins la demandent conjointement, ce que la Suède a déjà reconnu, sans restriction défavorisant le père. En somme, avant de faire un enfant hors mariage, un jeune Européen devra se renseigner sur les dispositions en vigueur dans le pays de sa partenaire...

L'incohérence n'est pas moins grande s'agissant de l'établissement de la filiation paternelle biologique d'un enfant : la France refuse aux hommes le libre accès aux tests génétiques de paternité quand les autres pays l'autorisent, et maintient l'anonymat des donneurs de sperme que la Suède et l'Allemagne ont levé.

En matière de divorce, les tribunaux européens restent massivement favorables à la garde à la mère. Pourtant, dans certains pays, tant en Scandinavie qu'en France et en Angleterre, on commence à montrer une certaine faveur pour l'exercice commun de la responsabilité parentale après la séparation. Il serait temps! Il serait temps de changer les lois et les pratiques, si l'on veut répondre à l'attente des jeunes futurs pères du XXIe siècle.

Opinions et aspirations des adolescents

Justement, qu'attendent-ils? Des sociologues, en Suède, m'avaient affirmé qu'on assistait à un véritable rapprochement entre pères et enfants, et que ce n'était qu'un commencement. Il ne s'agit pas d'une évolution des mœurs passagère ou accidentelle, disaient-ils. « La preuve, ce sont les aspirations des jeunes. A la différence des générations précédentes, les jeunes, maintenant, intègrent vraiment la paternité dans leurs projets de vie à venir. Voyez l'étude de Margot Bengtsson sur les hommes de 20 ans qui affirment non seulement leur désir d'être pères, mais aussi leur volonté de s'occuper activement de leurs enfants depuis leurs premières années. Peu auparavant, Karlsson avait interrogé 70 garçons de 17 ans sur leur avenir et 89 % avaient déclaré vouloir des enfants ! Une bonne majorité disait que, sûrement, ils consacreraient plus de temps à leurs enfants que leurs pères ne l'avaient fait pour eux. Parmi ces adolescents, les seuls qui ne voulaient pas d'enfants étaient ceux qui avaient eu de mauvais rapports ou pas de rapports du tout avec leurs pères. Les adolescents d'aujourd'hui seront des pères différents de ceux qu'ils ont eus. Leur investissement dans la paternité sera beaucoup plus important. »

Les sociologues qui avaient interrogé des adolescents étaient devenus les meilleurs avocats des pères. Après des décennies de féminisme officiel, ils cherchaient à promouvoir de nouveaux rapports entre les sexes dans la famille et une réelle coparentalité, non seulement pendant les unions mais aussi après les séparations.

Était-ce encore une « utopie concrète » scandinave, à la poursuite de laquelle se lanceraient les jeunes Suédois, avec la même farouche application que leurs pères avaient montrée pour en finir, dans les années 60, avec le puritanisme, pour libérer le sexe et promouvoir la femme? Demain, les pères... Mais, en France, serait-ce la même chose ? En France, où les associations de pères divorcés ne parviennent pas à se faire entendre des hommes pas plus que des femmes, où la famille est devenue un sujet dangereux depuis que la gauche l'a plus ou moins abandonné à l'extrême droite sans trop savoir pourquoi, en France, les adolescents incluent-ils la paternité dans leurs projets d'avenir ?

Pour le savoir, j'ai fait passer un questionnaire anonyme, avec l'accord et l'aide de leurs professeurs, à 340 garçons et filles de 15 à 18 ans, élèves des classes de seconde, première et terminale. Ces 340 adolescents forment un échantillon important par leur nombre et, surtout, très homogène. Ils sont tous élèves d'un établissement secondaire réputé de Paris. Ils sont tous issus de milieux aisés et de familles de bon niveau culturel.

On me dira qu'ils ne sont pas représentatifs de l'ensemble de la jeunesse française des 15-18 ans : certes, mais ils sont très représentatifs des jeunes qui font la mode et lancent les valeurs. Ils incarnent, en somme, l'avant-garde des jeunes, celle qu'imiteront, quelques années plus tard, les adolescents des villes de province et des milieux moins privilégiés, dans leurs opinions sur les modes de vie privée. Pour le sujet que je me proposais d'étudier, les jeunes Parisiens Rive Gauche intellectuelle forment un laboratoire des idées nouvelles. De plus, leurs parents, dont beaucoup fréquentaient le même établissement quand ils avaient leur âge, avaient eux-mêmes été, autour de la fameuse année 1968, des lanceurs de modes de vie nouveaux. Aussi les familles qu'ils ont formées s'en ressentent-elles : 75 % des mères travaillent et 28 % des adolescents interrogés ne vivent pas avec leurs deux parents mariés, mais dans d'autres situations familiales diverses – principalement à la suite de divorces.

Une partie des fils de divorcés se distingue

Non seulement ces 340 adolescents n'ont pas trouvé saugrenu de répondre à un questionnaire sur la famille en général et celle qu'ils envisagent ou non de former plus tard, mais encore ils ont été passionnés. De l'ensemble de leurs réponses, il se dégage des lignes de force très nettes, 15 ou 18 ans, filles ou garçons se rejoignant la plupart du temps sur des positions très voisines.

Cependant, avant d'exposer leurs vues largement majoritaires, je voudrais signaler qu'un petit groupe se détache de ce bel ensemble : il s'agit d'une partie des garçons qui ne vivent pas avec leurs deux parents mais ont expérimenté des ruptures familiales. Alors que les filles dans ce cas ne font pas de réponses différentes de celles des filles des familles complètes, une minorité des garçons semble accuser le coup et profère des opinions à contre-courant de l'ensemble. Par exemple, quand on ne trouve que 10 % de l'ensemble des filles, et 10 % des garçons vivant dans une famille complète pour affirmer que « sûrement, ils ne veulent pas d'enfant plus tard », – ce sont 25 % des garçons vivant dans des foyers séparés qui refusent la paternité. Ou bien encore, 34 % de ce même groupe déclarent qu'ils divorceront s'ils ne s'entendent plus avec leur conjoint, contre 17 % seulement des garçons vivant dans une famille complète, soit moitié moins en proportion. Ou encore, alors que, massivement, filles surtout mais aussi garçons des familles complètes disent l'importance qu'ils accordent à la famille, parmi eux 15 % prétendent que « la famille, ce n'est pas aussi important qu'on le dit ».

Ils sont proportionnellement plus nombreux que les autres à affirmer que c'est à cause des relations difficiles entre parents et enfants aujourd'hui que l'on affirme que « la famille est en crise ». De plus, 18 % d'entre eux (contre 7 % des filles de familles séparées) estiment que, quand les enfants ne sont plus tout petits, ce ne sont pas forcément les parents, mais éventuellement d'autres adultes qui peuvent assurer leur éducation – hors école. Ainsi surtout, plus de 30 % d'entre eux déclarent ne pas vouloir se marier plus tard, contre 10 % des garçons vivant dans des familles complètes.

Cela signifie-t-il que, décidément, les garçons, et surtout les garçons à l'adolescence, supportent mal les situations de séparations familiales, et qu'ils réagissent avec pessimisme? Ou bien qu'ils cherchent, *a posteriori*, à justifier leurs parents de n'avoir pas suivi la norme conjugale en adoptant à leur tour des positions d'indépendance et de détachement vis-à-vis de la chose familiale? Dans ce dernier cas, on pourrait avancer qu'il y aurait une certaine hérédité des comportements familiaux anti-conformistes : les enfants de concubins ne désirant pas se marier, les enfants de divorcés annonçant leur intention future de recourir au divorce, etc. Ce serait aller bien loin dans l'interprétation des opinions d'un petit groupe à l'évidence troublé, mais bien marginal. En effet, ils ne forment après tout qu'une minorité au sein d'un groupe qui, lui-même, n'est composé que de 28 % du total des garçons. Donc, ils ne sont guère plus que 7 à 8 % de l'ensemble des garçons interrogés. Karlsson, en Suède, parlait de 10 % de garçons, qui avaient des problèmes avec leur père, et ne désiraient pas avoir d'enfants. Dans l'ensemble de notre échantillon, ceux qui ne veulent pas d'enfants ne sont que 5 % et 23 % avouent qu'ils n'ont pas encore d'idée à ce sujet.

Mariés ou pas, ils veulent s'occuper eux-mêmes de leurs enfants

Les enseignements à tirer de ce sondage sont, principalement, l'importance accordée par les garçons à la famille, à leur propre avenir de pères et la manière active dont ils conçoivent l'exercice de leur future paternité. Ils sont 83,5 % pour affirmer que la famille, pour eux, c'est important. Ils estiment qu'aujourd'hui, la famille est en crise, surtout (78 %) à cause de l'augmentation des divorces et des séparations. En 1980, interrogeant des étudiants de 18-20 ans, j'avais été surprise d'en trouver 10 % qui annonçaient que, plus tard, ils vivraient seuls, pas en couple. Aujourd'hui, seulement 2 % de notre échantillon font cette réponse; et seulement 10 % refusent l'idée de se marier. La majorité, massive, déclare vouloir se marier, mais près de la moitié précise vouloir, avant de se marier, vivre en union libre.

Le plus surprenant est peut-être le nombre d'enfants qu'ils souhaitent avoir : il ne s'en trouve qu'un pour dire qu'il ne désire qu'un seul enfant! Parmi ceux qui disent vouloir des enfants sûrement : 31 % en désirent 1 ou 2; 37 % en veulent 2 ou 3; 12 % en veulent 3 et 19 % plus de 3! – soit près d'un tiers qui envisagent d'avoir une famille d'au moins trois enfants. Une majorité de 58,5 % estiment qu'il est préférable d'être mariés pour avoir des enfants, mais pour une forte minorité de 41,5 % « cela n'a pas d'importance », on peut très bien avoir des enfants sans régulariser pour cela. D'où l'importance du statut fait aux pères non mariés dans notre société : ces jeunes ne savent pas que les pères célibataires n'ont pas les mêmes droits que les pères mariés.

Mais l'aspect le plus nouveau et le plus important de ce sondage est à coup sûr le très fort désir de coparentalité de ces jeunes garçons. Ils veulent s'occuper de leurs enfants, quand ils sont tout petits et quand ils sont plus grands, pendant le mariage et aussi, éventuellement, après le divorce. *Lorsque les enfants sont petits,* ils ne s'en trouvent que 7 % pour penser que c'est surtout à la mère que reviennent les soins à leur donner. *Et 93 % répondent que les deux parents doivent s'en occuper, pour 48,5 % pareillement, sans faire de différence entre la mère et le père, pour 44,5 % le père et la mère autant, mais avec des rôles différents.*

Comment ne pas faire remarquer ici que, de leur côté, les filles démontrent un désir de partage des rôles parentaux encore plus fort, si possible? En effet, pas même 2 % des filles estiment que les soins du petit enfant reviennent à la seule mère, tandis que 54 % sont pour une coopération indifférenciée du père et de la mère, et 44 % pensent que le père et la mère doivent s'occuper également des petits, mais avec des rôles différents.

Pour les enfants plus grands, nos garçons continuent de se prononcer, *majoritairement, pour une éducation combinée, où les deux parents jouent le même rôle,* un tiers préférant une éducation à deux où père et mère jouent des rôles différents. Pas d'amateur pour le parent unique, que ce soit la mère ou le père. Mais 12 % d'originaux, issus pour la plupart de familles désunies, pensent que les parents peuvent fort bien être remplacés par d'autres personnes.

Partager la garde après le divorce

J'ai signalé plus haut la nette différence d'intentions entre les garçons de familles complètes et les garçons de familles séparées devant l'hypothèse d'une mésentente conjugale. Les garçons de familles complètes se prononcent massivement, *à 81 %, contre la solution du divorce* : 36 % voudraient rester mariés, « à cause des enfants », et essayer d'apaiser le désaccord; 45 % pencheraient pour une séparation provisoire, mais sans divorce. Il est intéressant que, confrontées à la même hypothèse, les filles soient plus nombreuses que les garçons (27,5 %) à envisager un divorce, plus nombreuses également (58,3 %) à prévoir une séparation, et moins nombreuses à penser qu'elles resteraient « pour les enfants », en cherchant à calmer le conflit. On a vu, dans ce livre, que c'étaient très majoritairement les femmes qui demandent le divorce : leurs filles montrent peu d'engouement pour cette solution, mais elles sont moins disposées à l'apaisement des conflits que les garçons.

Mais tout de même, leur ai-je demandé à tous et toutes, si vous ne pouvez supporter la vie commune, ou si l'on vous contraint à divorcer, quelle solution choisirez-vous, après le divorce, pour la garde des enfants? En leur offrant cinq solutions différentes, je n'ai pas tenu compte des pratiques actuelles des tribunaux. Je leur ai proposé des solutions allant de la garde exclusive pour soi à la garde laissée à l'autre, en passant par diverses combinaisons. *Il est tout à fait remarquable que 72 % des garçons se soient portés vers la même option : « Je chercherai à m'entendre avec l'autre pour que nous demandions à partager à égalité la garde et l'autorité parentale. » En outre, 12 % d'entre eux déclarent qu'ils demanderaient la garde des enfants pour eux,* avec (8,5 %) ou sans (3,5 %) droit de visite à la mère. Ils ne sont que 13 % à penser qu'ils laisseront les enfants à la garde de la mère, avec (8,6 %) ou sans (4,4 %) droit de visite fréquent pour eux-mêmes.

Ainsi, voici la manière dont les adolescents d'aujourd'hui envisagent l'après-divorce, si, ayant des enfants, ils viennent à se séparer de leur femme : 84 % désirent conserver des rapports avec leurs enfants égaux ou supérieurs à ceux qu'ils envisagent pour la mère ! Ce ne sont, bien sûr que des intentions : ils n'ont pas encore la moindre idée de ce qui risque de les empêcher de les réaliser. Mais voilà leurs attentes. Les juges aux affaires matrimoniales ont là de quoi méditer.

Un regard du côté des filles : elles se prononcent presque aussi massivement (69 %) pour l'entente préalable et la garde conjointe ou alternée, et deux fois plus souvent que les garçons (27 %) pour la garde pour elles, avec droit de visite du père. Aucune, absolument aucune ne s'est prononcée pour la garde exclusive à son profit.

Les garçons d'aujourd'hui seront-ils demain des pères différents?

Demain, les pères... Il est évident qu'un changement profond est en route. Comment ces adolescents l'éprouvent-ils? J'ai voulu le savoir et leur ai demandé s'ils pensaient que les garçons de leur génération seraient des pères différents de ceux de la génération précédente, et, si oui, en quoi ils seraient différents.

Plutôt que de citer des chiffres, résultats d'analyses thématiques de leurs réponses, il m'est apparu bien préférable de leur laisser la parole, en respectant leurs formulations. Bien sûr, si j'ai fait porter cette enquête sur des filles comme sur des garçons, c'était dans le but de ne pas trop attirer l'attention sur le problème de la paternité – et ceci en offrant toujours des questions symétriques sur la maternité. Mon intention était d'en extraire les seules réponses des garçons. Mais la comparaison avec les réponses des filles est tellement éloquente que je ne résiste pas à donner ici un choix de réponses masculines et un choix de réponses féminines sur l'évolution à attendre des futurs pères. Parfois, je glisserai même quelques bribes des réponses qui furent données à propos des mères que seront les adolescentes d'aujourd'hui, car elles éclairent certaines réponses sur l'évolution à attendre des pères, demain.

Garçons et filles sont pareillement partis dans deux directions. Ils ont essayé d'imaginer les pères de demain à partir des changements de société et de mentalité qu'ils observent dans leur génération. Mais ils n'ont pas pu s'empêcher de régler leurs comptes avec leurs propres pères, en exprimant ce qu'eux-mêmes, maintenant, aimeraient trouver chez leurs pères, ou en dénonçant ce qui leur pèse... « Nous, nous ne serons pas comme ça », semblent-ils dire. C'est également ce que proclamaient leurs soixante-huitards de pères qui vont en prendre pour leur grade!

« Nous serons des pères plus responsables que nos pères. »

(Au début de chaque citation, « G » veut dire que c'est le propos d'un garçon, « F » qu'il s'agit de celui d'une fille.)

G. – Nous n'aurons pas les mêmes valeurs parentales que nos pères.

G. – Je pense que nous serons plus présents sans être étouffants, parce que nous avons vécu des situations désagréables dans le divorce ou dans un détachement rapide du noyau familial, ce qui, contrairement à ce qu'on raconte, n'améliore vraiment pas la maturité. Cette expérience nous rendra moins insouciants que nos parents, tout en étant compréhensifs pour les désirs d'indépendance des enfants. Les garçons de notre génération auront acquis plus de conscience quant à l'engagement dans la vie en couple et son importance pour les enfants.

F. – Parce que les adolescents aujourd'hui ont dû subir plus de divorces des parents que leurs parents n'en avaient subi, nous allons être plus responsables par rapport à la famille que nos parents ne l'ont été.

G. – Bien heureusement, nous ne serons pas fidèles à l'image qu'ont pu nous transmettre nos pères.

G. – On parle des « nouveaux pères », heureusement. Autrefois, dans les milieux bourgeois, rares étaient les pères qui s'occupaient de leurs rejetons.

G. – Oui, je pense que notre génération aura acquis plus d'expérience et se sentira plus concernée par les enfants.

F. – Ils s'occuperont plus des enfants et en seront plus soucieux car beaucoup ont connu des problèmes familiaux.

G. – Ils seront des pères plus responsables qui se rendront mieux compte des problèmes engendrés par les enfants.

G. – Nous serons moins distants et plus responsables.

G. – Ils savent ce que leurs parents ont passé. Donc, ils essaieront de ne pas faire trop souffrir leurs futurs enfants. Ils seront plus dans la vie de famille.

G. – Les garçons de ma génération ont davantage conscience de la fragilité familiale. Ils seront moins laxistes dans leur vie.

G. – Ils réagiront différemment aux problèmes de leurs enfants à cause d'expériences différentes dans leur jeunesse (divorces de parents, etc.).

G. – Ils ont été nourris de convictions différentes sur la famille.

F. – A cause de l'augmentation des divorces actuellement, les enfants de divorcés ou de séparés seront différents avec leurs enfants, moins indifférents, plus concernés par leurs enfants.

F. – Ils auront une conception différente de la famille à

cause des expériences que leurs parents leur ont fait vivre – divorces.

G. – Plus cela va, plus le cercle familial devient fragile. Il y a une certaine perte des valeurs de la famille, qui a entraîné un certain détachement des parents de leurs enfants. Il nous faudra être différents.

F. – Puisque la famille est en crise, les garçons de notre génération voudront sûrement réagir contre cette crise, contre les familles désunies, contre les parents 1968, pas unis du tout.

F. – J'espère seulement que les garçons de notre génération seront plus responsables vis-à-vis de leur famille. Qu'en cas de divorce, ils s'occuperont autant des enfants que la mère, qu'ils ne seront pas là uniquement comme bourse.

F. – Ils n'auront pas les mêmes valeurs morales que leurs prédécesseurs qui en ont très peu aujourd'hui.

Quelques rares avis opposés, bien minoritaires :

G. – Les garçons de ma génération sont plus lâches que n'étaient nos pères.

F. – Les garçons d'aujourd'hui ne sont pas assez matures et responsables pour être pères.

F. – Plus proches de leurs enfants peut-être, mais moins sérieux et plus immatures.

F. – Ils ne parlent que de leurs salaires! Ils n'ont plus d'idéal pour les guider!

G. – Nous serons, si c'est possible, encore plus irresponsables et encore plus inconscients...

« Ils partageront tâches ménagères et éducation des enfants »

Des pères qui partageront avec les mères : attention! ce sont surtout les filles qui l'affirment :

F. – Les pères du futur se chargeront de plus de tâches ménagères, voire prendront le rôle de la mère.

F. – Les rôles seront plus équilibrés avec l'épouse, ils s'occuperont plus de l'éducation des enfants.

F. – Plus préoccupés de leurs enfants, plus « Papa poule », travail d'éducation partagé avec la mère.

F. – Les rôles de père et de mère deviendront interchangeables.

F. – Ils seront plus à la maison et participeront plus à l'éducation des enfants.

F. – Ils partageront davantage les tâches ménagères et la charge des enfants et participeront davantage à la vie de famille.

F. – Plus présents à la maison, aidant davantage pour les enfants.

F. – Ils s'occuperont davantage des enfants dès leur bas âge *(sic)*.

F. – Plus égalitaires, moins autoritaires, plus occupés de leurs enfants. Les mères n'auront plus une idée aussi stricte des priorités et accepteront que les pères les aident.

F. – Ils seront moins indifférents aux tâches ménagères et éducatives.

F. – Le rôle des pères sera plus important puisque nous allons vers l'égalité parentale : le père sera plus présent de façon « maternelle », les mères seront moins proches.

Etc., par dizaines et dizaines... Les filles semblent bien sûres et certaines d'avoir auprès d'elles plus tard des pères qui partageront tâches ménagères et tâches éducatives. Certes, les garçons ne les contredisent pas, mais ils introduisent parfois des nuances :

G. – Étant donné le nombre de femmes qui travaillent, les hommes seront *un peu* * plus amenés à partager les tâches ménagères, ce qui se répercutera sur leur rôle de père.

G. – Comme les mères s'occuperont de moins en moins

* Souligné par le scripteur.

des enfants, voire plus du tout, il faudra bien qu'on s'y mette...

G. – Parce que nous appartenons à la génération qui assume les conséquences de l'émancipation féminine, les garçons de notre génération accepteront (sans doute *) plus facilement un partage équitable des tâches ménagères et de l'éducation des enfants.

G. – Le père, désormais, doit tenir une partie du rôle de la mère, à cause du travail des mères. Cela s'accentuera.

G. – Je pense que les pères se rapprocheront beaucoup de leurs enfants, ce qui va obliger les mères à changer de rôle.

G. – Il faudra partager le rôle de la mère. J'espère que l'émancipation de la femme sera arrivée à son terme.

G. – Les liaisons étroites mère-enfants seront modifiées, par la libération de la femme, et le père prendra de l'importance.

« *Nous serons moins autoritaires et plus compréhensifs* »

L'ombre du *pater familias* s'éloigne à jamais :

F. – Il y aura de moins en moins ou plus du tout de *pater familias* : les rôles seront répartis entre les deux parents.

F. – Ils seront plus proches de leurs enfants, moins distants, moins autoritaires. Ils ne symboliseront plus le milieu familial.

G. – Nous serons beaucoup moins autoritaires, moins distants, et les mères moins « mères poules ».

G. – Les pères seront plus « relax » car ils auront plus l'impression de « porter le poids du monde ». Leur rôle sera moins marqué, moins exigeant que dans les générations passées. Ils pourront s'occuper des enfants comme les mères, selon leurs emplois du temps à tous deux.

G. – Ils seront moins autoritaires, moins stricts, plus ouverts au dialogue.

* La parenthèse est du scripteur.

G. – Ils seront moins autoritaires, plus tolérants, ils auront un rôle plus semblable à celui des mères, qui seront moins « mamans poules ».

G. – Ils seront moins imprégnés de la morale traditionnelle du père, plus à l'écoute de leurs enfants.

G. – Je pense que les prochains pères seront moins intolérants quant aux activités et aux goûts. Nous souffrons du : « *Il faut* lire ceci » (on se lasse de Balzac ou Flaubert); « *Il faut* faire du piano » (j'ai eu du mal à les faire lâcher...); *Il faut* aimer ce qu'ils aiment! (Ceci dit, mon père n'est pas à ce point...) Enfin, ils seront moins imbus de leur rôle et les mères moins attachées aux usages idiots du genre : on met le couteau à droite, on ne parle pas comme ça à sa mère, etc.

G. – Je pense que le rôle du père a diminué et ira encore en se dégradant. Il ne jouera plus un rôle spécial. Les filles d'aujourd'hui inculqueront à leurs filles des notions de liberté toujours plus grandes.

Et des dizaines et des dizaines de : « Il sera moins autoritaire, plus compréhensif. » Mais aussi :

G. – Nous serons des pères plus présents, plus attentionnés, plus intéressés par nos enfants.

G. – Nous n'aurons pas la même conception de l'enfant et de l'enfance. Nous aimerons nous occuper d'eux.

G. – Je me sens prêt à être très proche de mes enfants. J'aime les enfants, et, sûrement, je le montrerai.

Et enfin, une fille, qui résume :

F. – J'espère qu'ils seront plus proches de leurs enfants, car ils auront été responsabilisés par leurs expériences, et qu'ils prendront une part plus active à l'éducation, car ils ont été responsabilisés par les femmes qui travaillent. J'espère que les mères seront moins « revanchardes », moins revendicatrices, plus sereines.

Bien entendu, malgré l'emploi fréquent du mode futur, ces adolescents et adolescentes ne font pas là des prévisions, moins encore des prédictions. Ils expriment plutôt, très simplement, ce à quoi ils s'attendent, ce à quoi ils aspirent, ce à quoi ils se préparent.

Comment ne pas sentir se lever un vent nouveau, à lire leurs petites phrases lapidaires? Comment ne pas croire au changement? Oui, certes, c'est eux qui feront le XXIe siècle, avec et contre leur héritage, eux les enfants des enfants du baby boom; eux, les enfants de ceux qui furent la génération 68; eux, la première vague des enfants des contestataires du mariage et des divorcés libérés; eux, les fils et filles des femmes enfin émancipées.

Ils font le bilan, sans indulgence. Ils le proclament sans équivoque : le patriarcat est mort et les *pater familias* avec lui – vivent les pères! Finie l'« *auctoritas* » du père, fini le père autoritaire! Mais fini le père « laxiste » et le père « irresponsable » qui n'a pas compris la « fragilité » du cercle familial et son prix. Fini le père ectoplasme qui s'est laissé évincer, pour n'être plus, après divorce, qu'une « bourse ».

Demain, ils nous le disent, ils nous le promettent, les pères « ne porteront plus le poids du monde », n'incarneront plus « leur milieu social » : ils seront plus simples, plus proches, plus ouverts et plus présents. Ils mettront la main à la pâte et seront plus attentifs aux enfants « même en bas âge ». Ils participeront davantage à la « vie de famille », ils auront davantage conscience de ce que signifient les engagements du couple, pour les enfants. Ils ne seront pas des pères copains. Mais un peu plus « maternels » sans doute, et beaucoup plus paternels.

Les garçons de 15 ans qui se projettent dans cette paternité chaleureuse et active ne semblent avoir aucune idée des chausse-trapes dont les lois, les habitudes et les préjugés anti-pères récents ont déjà parsemé leur route à venir. Il est de notre devoir à nous, adultes, que d'ici qu'ils soient en âge de s'y blesser, nous ayons déblayé le terrain et assaini le climat. Les filles qui seront leurs compagnes ont parfaitement compris que reconnaître au père la place et le rôle qu'il mérite et lui assurer la permanence des liens qui l'unissent à ses enfants, ce ne sera pas pour les mères une défaite. Au contraire, ce sera le couronnement heureux de la lutte des femmes pour l'égalité et la garantie contre la solitude des mères.

Table des matières